ONDERSCHEPPING

DICK WOLF

ONDERSCHEPPING

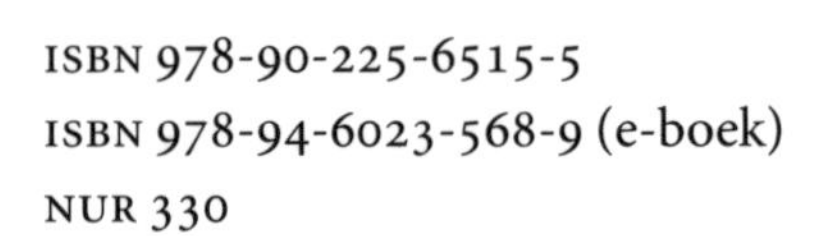

ISBN 978-90-225-6515-5
ISBN 978-94-6023-568-9 (e-boek)
NUR 330

Oorspronkelijke titel: *The Intercept*
Oorspronkelijke uitgever: William Morrow, HarperCollins
Vertaling: Sabine Mutsaers
Omslagontwerp en -beeld: Wil Immink Design
Zetwerk: Mat-Zet bv, Soest

ACHTERGRONDGELUID

September 2009

NEW YORK CITY

Bassam Shah was in een dag en twee nachten in één ruk doorgereden vanuit Denver; hij was alleen gestopt om te tanken, een vette hap te eten, Red Bull te drinken en – tussen de benzinestations in – in een melkfles te urineren.

Vroeg in de ochtend, in de chaos van de meerbaansweg aan de New Jersey-kant van de George Washington-brug, werd het verkeer met behulp van oranje pylonen naar rechts gedirigeerd. Auto's van de havenpolitie versperden de beschikbare rijbanen en leidden iedereen die de stad in wilde naar een controlepost pal achter de tolhuisjes. De files naar New York waren al behoorlijk lang op dit vroege uur, al moest het ergste nog komen.

Twee mannen in blauwe windjacks en met honkbalpetten op schenen met een zaklamp voor zich uit en tuurden door de opengedraaide raampjes van een auto naar binnen. Ze hadden een zendertje in het oor.

Tot zijn opluchting zag Shah geen honden. Hij was nog tien auto's van de controlepost verwijderd.

Hij keek toe hoe de bestuurder die aan de beurt was, een man die net als hij alleen reisde, uitstapte om zijn kofferbak open te maken. De agenten – hij zag nu de woorden PORT AUTHORITY POLICE achter op hun jacks staan – schenen met hun lichtbundel de kofferbak in. Ze tilden de mat van de reserveband op, overlegden…

… en lieten de man doorrijden.

Shah moest het erop wagen. Het was geen moeilijk besluit. Als hij op de vlucht sloeg, zouden ze hem aanhouden, hem grondig fouilleren en zich verheugen over hun succes. Hij maakte zich klein, zoals hij had geleerd, en nam de rol van de dankbare immigrant aan.

Zijn verhaal – hij reed naar New York om een kijkje te nemen bij het koffiestalletje van zijn familie – had als voordeel dat het waar was. Ze konden het natrekken. In dit soort situaties moest je de waarheid kunnen spreken.

Langzaam trok hij een stukje op in de Ford Taurus; de warme lucht uit het ventilatieroostertje voelde geruststellend op zijn gezicht. Het was een drukkende ochtend aan het begin van de herfst. Hij telde de bestuurders af die werden ondervraagd, de auto's die doorzocht waren.

Toen hij aan de buurt was, liet hij zijn raampje zakken en keek zijn ondervragers aan.

'Waar gaat u naartoe?' vroeg de jongste van de twee zwarte agenten terwijl hij met zijn zaklamp in Shahs gezicht scheen.

'Naar Queens,' antwoordde Shah. Hij voelde zijn zelfvertrouwen wegebben op het moment dat de woorden over zijn lippen kwamen. Het voelde niet goed, maar nu hij zo dicht bij zijn doel was, was mislukken uitgesloten. In Colorado was hij ervan overtuigd geweest dat de politie hem in de gaten hield, maar tijdens zijn rit dwars door het land was er niets bijzonders voorgevallen. Hij moest zich over het ongemakkelijke gevoel heen zetten.

'Waar komt u vandaan?' vroeg de agent.

'Uit Denver,' antwoordde Shah. 'Daar woon ik. Of eigenlijk vlak bij Denver, in Aurora.'

Allemaal waar. Geen leugens.

De agent knikte. Het leek hem weinig uit te maken of het de waarheid was of niet. 'Uitstappen, alstublieft.'

Natuurlijk moest hij uitstappen. Shah was een vierentwintigjarige Afghaan met een karamelkleurige huid. Zijn lage nekbaard, zijn hoofdhaar en zijn wenkbrauwen waren allemaal roodbruin. Fysiek voldeed Shah op alle punten aan hun verschrikkelijk simplistische lijstje van eigenschappen waarmee ze een daderprofiel opstelden. In de ogen van Amerikanen was hij de belichaming van een gevaarlijk man.

Gehoorzaam klikte hij zijn veiligheidsgordel los, en hij probeerde te glimlachen terwijl hij uitstapte, in de warme lucht op de immense brug over de Hudson.

De andere agent boog zich via het geopende portier de auto in en liet zijn zaklamp over de voorstoelen gaan alsof het een laser was. Uitgebreid bescheen hij de vloer en de bekleding, op zoek naar aanwijzingen.

'Wilt u die even openmaken?' vroeg de agent, en hij richtte zijn lichtbundel op de Nike-sporttas die op de achterbank stond.

Shah had kunnen weigeren. Hij kende zijn rechten, zoals de meeste Afghanen hun rechten in de Verenigde Staten op hun duimpje kenden. Deze mannen hadden geen doorzoekingsbevel, maar ze konden hem 'vragen' met hen mee te gaan om elders gefouilleerd te worden. Ze hadden alleen maar een voorwendsel nodig; het dunne draadje waaraan Shahs vrijheid nu bungelde.

Hij trok de tas naar zich toe en voelde de warmte van de krachtige zaklamp op zijn gebruinde handen. Nadat hij de sporttas had opengemaakt, haalde hij er een langwerpige hoofddoek uit, die hij tot een prop balde. Vervolgens kwamen er twee gewaden tevoorschijn, waar een zware lichaamsgeur van vele dagen uit opsteeg, en een half opgebrande kaars en wierookstokjes.

Met andere woorden: hij had precies datgene bij zich waarvan deze mannen verwachtten dat een Afghaan het bij zich zou hebben.

Ze tuurden verder de auto in, zonder met hun blauwe handschoenen iets aan te raken. Shahs laptop lag op de zitting naast de sporttas. Ook die toonde hij hun, en ze waren tevreden. Daarna maakte hij op verzoek de kofferbak open. Daar troffen ze niets anders aan dan de reserveband, een eenvoudig gereedschapskoffertje en wat roet.

En toen was het achter de rug. Ze knikten naar de bestuurdersstoel om aan te geven dat ze klaar waren en richtten hun aandacht op de volgende auto. Shah gedroeg zich onderdanig, maakte geen oogcontact. Hij stapte in de huurauto, maakte de gordel vast en reed weg.

Over de gehele lengte van de brug werd het licht weerkaatst door de ochtenddauw die de dikke staalkabels bedekte. Beneden werden de boordlichten van de schepen op de Hudson gedimd, als uit ontzag voor de opkomende zon.

Hij voelde een enorme vreugde over het passeren van de controlepost, die was bedoeld om indringers te ontmoedigen, maar die hem nu voorkwam als een nieuw begin.

Hij was binnen. En het was gemakkelijk gegaan.

Tegelijkertijd nam Shahs woede weer toe. Hij vervloekte de nederige houding die hij gedwongen was geweest aan te nemen. Zijn waardigheid was belangrijk voor hem, en om die reden nam hij de schoonheid en de grootsheid van het uitzicht nu honend in zich op.

Terwijl de stad aan zijn voorruit voorbijtrok, keerde Shahs zelfvertrouwen terug, want hij wist dat de ontstekingsmechanismen veilig opgeborgen waren in het luchtgat van de airconditioning aan de passagierskant van de auto.

In Manhattan, op de drieëntwintigste verdieping van het FBI-hoofdkwartier aan Federal Plaza 26, niet ver van City Hall, was de bespreking van de JTTF, de Joint Terrorism Task Force al begonnen. Jeremy Fisk, rechercheur bij de inlichtingendienst van de NYPD, kwam te laat binnen, gehinderd door een verstuikte enkel.

De avond ervoor had hij een lay-up gemist tijdens een training met de dertigplussers – hij speelde twee keer per week om tien uur 's avonds, een belachelijke tijd voor een amateur, in wat voor sport dan ook, maar het was het enige tijdstip dat zijn rooster toestond – en was terechtgekomen op iemand anders voet, waarbij hij de zijne had verzwikt. Hij had zich op de vloer van het speelveld laten zakken en zijn scheenbeen beetgepakt vlak boven de geknakte enkel, en terwijl hij wachtte tot de enkel dik werd, had hij zichzelf vervloekt.

Nu is het afgelopen, dacht hij voor de zoveelste keer in zijn leven. Voor mij geen basketbal meer. Biologie bepaalt je lot, zeiden ze, en zo kwam het dat hij-die-op-zijn-veertiende-lang-was-geweest-voor-zijn-leeftijd nu twee avonden per week een team van gelijkgestemde desperado's alle hoeken van het basketbalveld liet zien. Het spel op zich vond hij prachtig, maar hij had geen zin meer in de uitputting waarmee het gehol over het veld gepaard ging – en tegenwoordig was hij steeds sneller uitgeput. Uiteindelijk was Fisk in zijn jeugd blijven steken op een meter achtenzeventig, en na het jeugdteam van Villanova had hij alleen nog maar op de reservebank gezeten, omdat iedereen beter was dan hij – en langer.

Nu strompelde Fisk naar de achterwand van de briefingruimte. Het zaaltje was tot de nok toe gevuld met afgevaardigden van alle bureaus en instanties waaruit de JTTF bestond. Op landelijk niveau waren er soortgelijke eenheden in ruim honderd steden, maar die van New York was, terecht, de grootste. Naast de gastheer, de FBI, waren er deelnemers van de U.S. Marshals Service, de Secret Service, het Bureau of Alcohol, Tobacco and Firearms, de Diplomatic Security Service, Immigration and Customs Enforcement, de Internal Revenue Service, het leger, de Naval Criminal Investigative Service en een stuk of vijftien andere instellingen, plus de nodige wetshandhavers op staats- en gemeentelijk niveau.

Dergelijke eenheden werden vaak denigrerend 'de letterbrij' genoemd, vanwege het grote aantal acroniemen. In Fisks ogen was de JTTF het ergste: een mengelmoes van te veel uiteenlopende smaken die niet bij elkaar pasten en niet samen op één menukaart thuishoorden.

Fisks afdeling, de Intelligence Division, maakte geen deel uit van de JTTF, maar functioneerde als zelfstandig inlichtingenbureau binnen het politiekorps van New York. Zijn aanwezigheid hier was eigenlijk voornamelijk een kwestie van beleefdheid.

Fisk verplaatste zijn gewicht van zijn pijnlijke enkel en leunde tegen de muur achter een afgevaardigde van de Postal Inspection Service. Vooraan in het vertrek zat Cal Dunphy, de huidige FBI-topper die was toegewezen aan de JTTF. Door zijn kaalgeschoren schedel en zijn brede, vierkante kaken had zijn hoofd een volmaakte ovaalvorm. Dunphy's blik flitste even naar Fisk toen hij binnenkwam, maar er werd met geen woord gesproken. Dunphy pakte zijn aantekeningen uit een map en bekeek ze door zijn montuurloze bril.

'We hebben toegang tot zijn auto en zijn telefoon. Zijn laptop. Shah rijdt zelfverzekerd rond en heeft geen flauw idee dat wij als het ware een enorm zwaailicht op zijn rug geplaatst hebben, luid en duidelijk.'

De FBI en Intel hadden in het verleden vele operationele verschillen gekend. De belangrijkste bron van onenigheid was hun gezamenlijke jurisdictie: een ouderwetse machtsstrijd. Twee goedgefinancierde uitvoerende teams met een soortgelijke, maar niet identieke agenda die probeerden elkaar de loef af te steken in de meest roemrijke stad ter wereld, de schietschijf van vele vijanden. En geen van beide partijen kon enige ruimte of tolerantie voor fouten opbrengen.

De samenwerking verliep stroef. De laatste tijd hadden ze elkaar vaak – te vaak – voor de voeten gelopen, en daarmee het onderzoek van de ander in gevaar gebracht. Er waren diverse pogingen gedaan om de communicatie en de coördinatie te verbeteren, maar die hadden niets veranderd aan het feit dat ze twee honden waren die vochten om hetzelfde been.

En dus hielden beide instanties elkaar op afstand. De FBI had Shah in Denver helemaal voor zich alleen gehad, maar nu was hij in de Big Apple, het terrein van Intel. En Intel had genoeg geleerd van de fouten uit het verleden om in ieder geval een basale coördinatielijn op te zetten, die had geresulteerd in Fisks aanwezigheid bij deze briefing. Maar dat wilde nog niet zeggen dat ze het plotseling met elkaar eens waren.

Dunphy's relaas maakte Fisk duidelijk dat de FBI alleen voor de vorm met hen samenwerkte. Ze gaven wel de resultaten van hun surveillance-informatie, maar niet de bronnen. Ze hadden het op Shah gemunt en het was beslist niet de bedoeling dat Intel hem zelfstandig zou gaan opsporen.

Een paar verschillende contactpersonen stelden vragen die als doel hadden de vragensteller slim en betrokken te laten overkomen, niet om daadwerkelijk schot in de zaak te brengen. 'Groepsdenken.' Fisk zag dat Dunphy vluchtig zijn kant op keek. Dat moest Fisk hem nageven: hij zou dit niet laten rusten.

Fisk stak een hand op, alsof hij een trein wilde aanhouden die almaar hetzelfde rondje reed. 'Ik krijg hier de kriebels van,' zei hij. 'Het bevalt me niks. Die kerel is hier. In de stad. We weten wat hij in handen heeft en wat hij komt doen. Het lijkt me verdomme een veel te groot risico om hem zomaar te laten rondlopen. Jij zegt dat je tamelijk zeker weet wat zijn planning is...'

'We hebben drie dagen, Fisk.'

'Een gps-zender om de hals van een vos die al in het kippenhok zit stelt mij nauwelijks gerust.'

Dunphy slaakte nog net geen gekwelde zucht. 'Wat stelt jou nou wel gerust, Fisk.'

'Het zou me geruststellen als we hem nu oppakten.'

'En daarmee drie dagen cruciaal speurwerk overboord gooien? Wie weet wat hij ons nog kan opleveren. Dit is een doorslaggevend moment. Van onschatbare waarde. Dit is het fruit dat onder aan de boom hangt, Fisk. De zoetste appels. Ik snap dat je het eng vindt, maar we hebben het helemaal in de hand.'

'Ik vind het niet eng, het is gewoon een kwestie van gezond verstand. Jij zegt dat jullie die kerel in het oog hebben, dat er niks kan misgaan, maar ik heb dit soort dingen te vaak uit de hand zien lopen. De wind hoeft maar te draaien en het is foute boel.'

Dunphy glimlachte. Fisk wist wat dat lachje betekende. Zo glimlachten ouders in het park naar hun kinderen. 'Wij hebben de beste meteorologen die er zijn.'

'Het weer voorspellen is wat anders dan zelf regen maken,' zei Fisk.

De FBI had sinds het prille begin van het binnenlandse terrorisme meerdere undercoveroperaties uitgevoerd. Tegenover iedere geplande aanslag die aan het licht kwam door puur speurwerk – de onderbroekbom in een passagiersvliegtuig boven Detroit of de geplande aanval op Fort Dix in New Jersey – stonden er twee die waren uitgelokt door undercoveragenten. Vrijwel op dezelfde manier als de echte leiders van terreurcellen radicaliseerden ze kwetsbare moslimverdachten, door hun anti-Amerikaanse gevoelens op te stoken en de samenzweerders te voorzien van nepmateriaal als zogenaamde C-4-explosieven of onschadelijke ontstekingsmechanismen. Vervolgens werden deze samenzweringen-op-papier ontmaskerd en naar buiten gebracht als grote triomfen voor de sterke arm der wet, die opnieuw een bedreiging voor de binnenlandse veiligheid afgewend zou hebben. Maar het was niet overdreven om te stellen dat de FBI sinds 9/11 in de Verenigde Staten meer terreurplannen in werking had gezet dan Al Qaida.

Fisk vervolgde: 'Wat mij zorgen baart, is dat iedereen bij jouw plan betrokken is en eraan meewerkt – behalve de terrorist zelf.'

'Duidelijk,' zei Dunphy, nu pissig. Hij had het helemaal gehad met Fisk. 'De volgende vraag?'

Fisk had genoeg gehoord. Het feit dat hij de JTTF niets verplicht was had één groot voordeel: hij kon op ieder gewenst moment de vergaderzaal uitlopen – of hinkelen, in zijn geval.

Nog geen uur later hobbelde Jeremy Fisk het kantoor van de Intelligence Division in Brooklyn binnen. Het pand lag ver buiten de stad, bijna bij Coney Island, een lange treinreis vanaf Park Slope. Het onopvallende bakstenen gebouw van één verdieping, omringd door autokerkhoven en sloopbedrijven, verried niets van het belangrijke werk dat binnen werd verzet.

Niet alleen waren de ramen van kogelwerend glas, het hele gebouw was bekleed met ballistische gipsplaten. Er reden de hele dag auto's af en aan en de elektrische poort gleed voortdurend open en dicht, maar vreemd genoeg riep dat geen vragen op in de buurt.

Fisk wist moeizaam zijn bureau te bereiken; de enkel was gevoelig, maar met een strak verband eromheen was het te doen. Hij ging zitten en zette zijn computer aan, om vervolgens even met gesloten ogen achterover te leunen. Het opstarten van zijn computer was het rustigste moment van de dag. Hij hoorde de dagploeg binnendruppelen en luisterde naar het geluid van koffiemokken die op bureaus werden gezet, stoelen die naar achteren gereden werden en jasjes die werden uitgetrokken. Toen ebde de kantoorsymfonie even weg en liet Fisk zich weer meevoeren, om zijn hoofd leeg te maken voor de dag die voor hem lag.

De Intelligence Division van de NYPD was ontstaan na de terroristische aanslag op New York van 11 september 2001. Ray Kelly, die vier maanden later was herbenoemd tot hoofdcommissaris van politie, was van mening geweest dat de wetshandhavers van New York tekortgeschoten waren. Hij kon niet begrijpen dat iedere politie- en beveiligingsagent een complot over het hoofd had kunnen zien waarin tientallen mensen vliegles namen, de grens overstaken en naar alle kanten geld overmaakten. Als de

NYPD, het eigen korps van New York City, de stad niet beschermde, deed niemand het, besefte hij.

Vele politie-eenheden in het hele land hadden de emoties en angsten na 9/11 aangegrepen om hun budget en hun eigen afdeling op te krikken – van de grootste steden tot de kleinste gehuchten waren de uitgaven voor wetshandhaving in de eerste tien jaar van de eenentwintigste eeuw fors gestegen – maar er was slechts één stad die zijn eigen mini-CIA had opgericht.

Het Bureau Counter-Terrorism, het antiterrorismebureau van de NYPD, en de samenwerking met de JTTF vormden de publieke kant van de inspanningen van de NYPD. Het ware gezicht van de terrorismebestrijding, the Intelligence Division, was zelden zichtbaar. De vaak controversiële details over de manier waarop Intel te werk ging waren een goed bewaakt geheim.

Binnen een paar weken nadat de laatste branden op Ground Zero, zoals het terrein tegenwoordig werd genoemd, waren geblust, werd David Cohen, een vijfendertigjarige CIA-veteraan, door commissaris Kelly aangesteld als hoofd van de eerste burgerinlichtingendienst van de NYPD. Zijn taak was eenvoudig, maar ook huiveringwekkend: elke aanval op de meest vooraanstaande stad ter wereld afweren.

Destijds werd de Intelligence Division hoofdzakelijk ingezet voor het escorteren van verschillende hoogwaardigheidsbekleders. Cohen had, met volledige steun van de commissaris, Intel getransformeerd. Wat eerst een luizenbaantje was om zijn laatste werkdagen te vullen, werd nu een gespecialiseerde eenheid die vergaarde informatie analyseerde, oefeningen hield in alle vijf de wijken van New York en infiltranten uitzette, en een breed netwerk van informanten opbouwde om de afdeling te voorzien van insidersgegevens. Undercoverwerk mag dan behoren tot de vaste taken van een politiekorps in de grote stad, geen enkele andere wetshandhaver in de VS hield zich zo actief en intensief bezig met het infiltreren van potentiële terreurcellen als Intel.

Cohen haalde voor dat doel diverse voormalige spionagecollega's binnen, eerst om agenten te screenen en aan te nemen en vervolgens om diezelfde agenten op te leiden in de kunst van het informatievergaren, het uitschakelen van de vijand en het inschatten van specifieke dreigingen. Het doel was om geïsoleerde militante groepjes op te sporen en uit te schakelen voordat ze konden uitgroeien tot volledig geradicaliseerde terreurcellen.

Fisk was twee jaar rechercheur toen hij werd gepromoveerd naar Intel. Dat hij vloeiend Arabisch sprak, had daarbij zeker een rol gespeeld. Fisks moeder was Libanese, afkomstig uit een welgestelde familie die openlijk haar wanhoop had geuit toen ze trouwde met Fisks vader, een in Texas geboren diplomaat. En al bleef Fisks salaris gelijk toen hij bij Intel ging werken – de inschaling was op iedere post binnen de NYPD hetzelfde – hij werd niet meer belemmerd door budgetproblemen, zoals toen hij in gewone dienst was. Geen gekissebis over de aanschaf of reparatie van benodigdheden: er was geld beschikbaar en het werd gemakkelijk verstrekt. Waar hij niet op had gerekend, waren de vele gelegenheden om te reizen. Hij was al voor lopende onderzoeken naar Londen, Lyon, Tel Aviv, Toronto, Egypte en zelfs Irak geweest.

Eigenlijk was hij dus in alle opzichten een geheim agent binnen de NYPD.

Clandestiene operaties waren zowel kunst als wetenschap, in gelijke delen. De adrenalinestroom verliep anders wanneer je een misdaad onderzocht nog voordat die was gepleegd, dan wanneer je reageerde op een acute crisis. De tantristische anticlimax van het indienen van huiszoekings- en arrestatiebevelen – de stukjes uit elkaar halen nog voordat de puzzel helemaal was gelegd – was de enige afknapper bij Intel.

Succes betekende dat er niets gebeurde. Geen bom die tot ontploffing werd gebracht, geen brug die instortte, geen gegil in de nacht. Het betekende dat alles z'n gangetje ging in de stad. Mannen en vrouwen vertrokken naar hun werk, kinderen speelden in het park en bejaarden klaagden over het weer; dat was zijn werk.

Fisk deed zijn ogen open, weer helemaal alert. Geroezemoes op de afdeling. De waakhond van de stad rustte wel, maar sliep nooit.

Zijn computer was opgestart. Het wallpaper op zijn monitor toonde een spectaculair uitzicht op Manhattan, in noordelijke richting gefotografeerd vanaf Governors Island.

Hij ging meteen aan de slag en bekeek de rapporten van zijn harkers. Ze hadden gisteren een drukke dag gehad; vandaag zou het nog drukker worden.

'Harkers' waren politiemensen die undercover werkten; velen van hen waren nog maar pas bij Intel. De benaming 'harkers' was afkomstig van de geruchtmakende opmerking die een NYPD-woordvoerder eens had gemaakt over het inzetten van 'etnisch geschikte' agenten in bepaalde wijken, 'om in de kolen te harken op zoek naar nasmeulende plekjes'. De meeste Intel-agenten begonnen als harker, onder wie Fisk. Neem nu de bestelbusjes die je om tien uur 's avonds ziet stoppen voor een broodjeszaak of kruidenier in New York, waarna de bestuurder dozen met frisdrank en snoepgoed naar binnen zeult – acht maanden lang was Fisk zo iemand geweest: hij had in alle wijken van New York goederen afgeleverd. Maar voornamelijk zijn ogen en oren de kost gegeven.

De zogenaamde 'moskeevrienden' waren burgers die bij de politie op de loonlijst stonden om zich in de wijken op te houden, de boel in de gaten te houden en – wanneer ze meenden iets op het spoor te zijn – verslag uit te brengen. Sommige van deze informanten werden gedreven door oude haatgevoelens. In bepaalde gevallen waren familieleden van hen gedood door de taliban of door Al Qaida. Anderen deden het voor het geld. En weer anderen – velen – verkozen deze vorm van informatieverstrekking boven een arrestatie.

Mensenrechtenactivisten protesteerden fel tegen de vermeende schending van de privacy door de geheimzinnige surveillancemethoden van Intel. Maar Intel stelde slechts daderprofielen op, zo luidde het verweer, iets wat de politie al eeuwen deed. Kom eerst maar eens met een beter alternatief, dacht Fisk altijd. De liberalen bevonden zich zelden in het vossenhol.

Fisk bladerde de rapporten door om op de hoogte te blijven van het nieuws uit de moslimbuurten – eigenlijk waren het vooral kletspraatjes. Wie had een broer uit het buitenland op bezoek? Wiens vriend kwam plotseling niet meer langs? Waarom dronken twee mannen en een vrouw koffie in een boekwinkel in Astoria waar nooit iemand kwam?

Vóór Intel hadden de meeste agenten die zich met terrorisme bezighielden niet eens geweten dat moslims op vrijdag gezamenlijk bidden. De Analytic Unit (AU), Intels speciale analytische eenheid die was samengesteld uit academische experts en mensen van inlichtingenposten, concludeerde bijvoorbeeld dat het verstandig kon zijn om een man wiens hele familie een week geleden in Afghanistan was weggevaagd door een *drone* – een onbemand vliegtuigje – nauwlettend in de gaten te houden. Een van de vele lessen van 9/11 was dat er behoefte was aan een centrale adviescommissie om de inkomende data te verwerken en om alles wat de harkers zagen en hoorden te interpreteren. De AU hield het grote geheel in de gaten, de nuances en verbanden die de individuele Intel-agenten op straat boven de pet gingen.

Fisks dagelijkse werk bestond voor een groot deel uit het doorspitten van rapporten van zijn informanten en het lezen van memo's die de FBI besloot vrij te geven. Dagen als deze kwamen maar weinig voor. Het onderzoek rond Bassam Shah was hot.

Fisk liep naar het hart van het Intel-pand, het gedeelte dat officieel de Global Intelligence Room werd genoemd, maar iedereen zei altijd kortweg 'The Room'. Het was een verlaagde ruimte, ruwweg ter grootte van een olympisch zwembad, aan één kant open, waar een brede trap met drie treden naar een aantal afgesloten kantoren en rijen bureautjes voerde.

Aan de zijwanden hing een tiental televisieschermen, waarop Al-Jazeera en alle andere buitenlandse nieuwsdiensten te volgen waren via de grote satellietschotels die buiten naast de noodaggregaten waren opgesteld. De krantenkoppen uit de hele wereld trokken in het rood voorbij op leddisplays onder de tv's. Aan de voorste wand waren op een elektronische wereldkaart dreigende situaties aangegeven, met gecodeerde lichtjes die stonden voor New York, Tel Aviv, Londen, Riyad, Islamabad, Baghdad, Manila, Jakarta, Tokio en Moskou.

Onder de kaart stonden computers opgesteld, zo veel dat het geheel deed denken aan het controlecentrum van de NASA. Specialisten die het Arabisch, Pashtoe, Urdu, Minnanyu, Spaans, Frans en andere talen tot in de finessen beheersten, volgden via koptelefoons voortdurend het nieuws en noteerden belangrijke berichten die via de verschillende kanalen binnenkwamen. Bruikbare informatie gaven ze door aan de medewerkers in de omringende kantoren die het bord met de lampjes bijhielden. Die medewerkers brachten op hun beurt de responsteams en agenten in het veld op de hoogte, die er op straat mee aan de slag gingen.

Fisk woonde een vergadering van de Analytic Unit bij over de verrichtingen van Shah. Intel was een kwestie van ouderwets speurwerk en koffiedik kijken.

'Hoe was de briefing?' vroeg Louise, een taalkundige die was gespecialiseerd in Arabische dialecten.

'Fantastisch. Een warm bad.'

'Heb je weer een trap tegen je schenen gekregen?'

'Dat was bij basketbal,' antwoordde Fisk glimlachend. 'Maar inderdaad.'

‘Je vraagt er ook om.’

‘Even iets anders. Ik zoek iemand die ze bij de JTTF niet kennen. Een nieuw gezicht.’

‘O jee. Wat ben je van plan?’

Fisk reageerde quasiverontwaardigd. ‘Ik doe gewoon mijn werk. Kun je me iemand aanbevelen?’

‘Hang ervan af. Komt diegene in de problemen door jouw toedoen?

‘Hangt ervan af.’

‘Waarvan?’

‘Van Bassam Shah.’

Bassam Shah liet zijn Ford Taurus achter in een kleine parkeergarage en nam alleen zijn laptop mee van de achterbank. Voordat hij uitstapte, viste hij de ontstekingsmechanismen uit de roosters van de airco en liet ze achter op de vloer voor de passagiersstoel. De autosleutels legde hij in de bekerhouders, en toen hij wegliep, was het portier aan de bestuurderskant niet afgesloten.

De ontstekingsmechanismen werden vrijwel onmiddellijk opgehaald, slechts enkele minuten voordat een surveillancewagen van de FBI kwam aanrijden en werd geparkeerd met zicht op de Taurus. Degene die ze meenam, een loopjongen die niet op de hoogte was van de grotere plannen, stapte twee rijen verderop in een andere auto en reed weg.

Shah haastte zich het winkelcentrum door en nam een taxi naar het afgesproken adres. Na het betreden van het flatgebouw liep hij onmiddellijk door naar de kelder, waar hij een oude tunnel betrad die werd gebruikt door drugdealers en illegale immigranten. Hij kwam uit in een tweede gebouw, dat hij aan de achterkant verliet, om een tuin door te lopen naar de bushalte.

Zijn laptop en een van zijn telefoons had hij niet langer bij zich.

Shah nam de metro en reed een uur rond. In een hoekje van het treinstel keek hij stilletjes maar nauwlettend toe hoe de passagiers in- en uitstapten.

Twee keer stapte hij over. Hij was gespitst op bekende gezichten, maar zag er geen. Toch bleef hij gespannen. Hij probeerde zichzelf voor te houden dat dat normaal was. Hij stapte op lijn 7, met het koptelefoontje van een iPod in zijn oren waarvan de plug los in zijn jaszak bungelde. Zijn kaak trilde; hij leek er niets tegen te kunnen doen. De verwachtingsvolle spanning en de adrenaline hadden zijn spieren in beweging gebracht. Hij zou willen dat hij een spelertje bij zich had waar hij de oortjes in kon pluggen, al was het maar om de alarmbellen in zijn hoofd te overstemmen.

Uiteindelijk slaagde hij erin zichzelf te kalmeren door zich te concentreren op de taak die voor hem lag. Hij stelde zich voor dat het metrotreinstel plotseling werd gevuld met een zee van oranje vlammen. De stalen romp werd uiteengereten door de drukgolf die door de metro denderde en alle passagiers wegvaagde. Zijn fantasie ging veel verder dan het bereik van de klap, tot aan de angst die de stad en zelfs het hele land in zijn greep zou krijgen.

Eerst zou er verlamming volgen. Dan necrose. Daarna de dood.

Niets en niemand was veilig. Niet in New York City, nergens.

Dat was de boodschap.

De fysieke uitputting nam bezit van hem, en door de combinatie met het geschommel van de metro dommelde hij weg. Verwilderd en met grote ogen schrok hij op toen een metromedewerker hem wakker schudde. Terwijl de geüniformeerde vrouw wegsnelde om de politie te bellen, maakte Shah dat hij wegkwam, het treinstel uit, een lift in die buiten dienst was, en hij snelde de straat op, gelouterd door zijn eigen onoplettendheid. Er stond te veel op het spel.

Lopend vervolgde hij zijn tocht naar Times Square, opgewarmd door de zon, en hij vermeed de blikken van anderen. De stadsplanologen hadden recentelijk het verkeer van het belangrijkste kruispunt verbannen en er tafeltjes en stoelen neergezet, in een poging de 'Crossroads of America' te veranderen in een pleintje met terras. Shah zocht naar het koffiekraampje van zijn familie.

Tot de jaren zeventig waren bijna alle rijdende eetstalletjes in New York in handen geweest van Grieken. In de jaren tachtig en negentig had de handel zich versnipperd. De meeste straatventers huurden hun kar nog altijd van afstammelingen van de oude Griekse eigenaars, maar tegenwoordig waren verschillende nationaliteiten gespecialiseerd in hun eigen producten.

De fruitkraampjes en de hotdogkarretjes in downtown New York werden bemand door Bengalezen. De hotdogkarren noordelijker in de stad waren in handen van Dominicanen. De smoothiekraampjes door de hele stad waren van Vietnamezen. Brazilianen en Colombianen runden de sterk geurende notenkramen, en achter vrijwel ieder koffie-met-zoetwarenkarretje in de stad stond een Afghaan.

Shahs vader, die taxichauffeur was, had zijn karretje gekocht in 1997, nog net voordat ze vrijwel onbetaalbaar werden. In mei 2001 verliet hij zijn gezin om een begrafenis bij te wonen in Andarab, in de provincie Baghlan, waar hij nooit meer van terugkeerde. De zoektocht die de familie opzette werd aanvankelijk belemmerd door de reis- en informatierestricties na de aanslagen van 11 september, en ze hadden nooit meer iets van hem vernomen. Het raadsel van zijn verdwijning was nooit opgelost en etterde na als een wond in Bassam Shahs hoofd.

In de loop van die tien jaar was Shah de verdwijning van zijn vader gaan associëren met de terroristische aanslagen. Zijn gepieker had geleid tot de vaste overtuiging dat zijn vader op de een of andere manier betrokken was geweest bij de Heilige Oorlog. Hij meende dat zijn vader nog leefde, dat hij zich had laten inlijven door de verzetsbeweging in de bergen en hoogstwaarschijnlijk was overgelopen naar Pakistan.

De instructeurs in het trainingskamp dat Shah had bijgewoond in Waziristan hadden dat min of meer gesuggereerd, en het feit dat ze een verdere zoektocht naar zijn vader hadden ontmoedigd, bevestigde dat vermoeden voor hem. Uit veiligheidsoverwegingen moesten de verschillende cellen gescheiden blijven, en Shah had zich verbonden aan het hogere doel.

Het koffiestalletje bracht dertigduizend dollar per jaar op. Shah had het jarenlang in zijn eentje gerund, en zijn immer vriendelijke gezicht in de ochtend had aan de grote zwermen bankiers en kantoorklerken in het financiële district nooit iets verraden van het tumult dat daarachter schuilging. In die tijd – het leek nu zo lang geleden – had hij altijd een stapeltje korans in een doos onder de kar staan, om uit te delen aan iedereen die ze wilde aannemen. Maar toen de vragen over het lot van zijn vader zijn gedachten geheel in beslag namen en zijn dagelijks leven opslokten, besefte hij dat hij het koffiestalletje achter zich moest laten en zijn eigen weg moest gaan.

Hij vertrok naar Denver, waar hij een jaar lang vaste bezoeker was van een moskee buiten de stad. Shah verhuurde de koffiekraam aan een andere Afghaan, een neef die graag wilde werken en tevreden leek te zijn met deze manier van levensonderhoud, blij zelfs – hij had geen oog voor de situatie waarin zijn landgenoten zich bevonden.

Shah ging om de paar maanden terug naar New York om te kijken hoe zijn neef het deed. Zijn bezoekjes verliepen altijd hetzelfde: een paar bekers koffie verkopen, zo nu en dan een oude klant begroeten, en aan het eind van de dag hielp hij zijn neef om de kar terug te duwen naar Greenpoint in Brooklyn, waar hij een opslagruimte had. Maar de laatste tijd had hij deze bezoeken niet langer beschouwd als een kwestie van beleefdheid, maar eerder als een verkenningsmissie. Bovendien had zijn terugkeer naar de stad zijn vastberadenheid aangewakkerd en de laatste twijfels over zijn taak weggenomen.

Hij zag Ahmed staan onder de vale parasol van zijn kraampje, in een zijstraat van Seventh Avenue, een strategische positie tussen de vele Starbucks-filialen rondom Times Square. Het was halverwege de middag altijd rustig; de klandizie bestond dan uit toeristen die buiten hun eigen tijdzone snakten naar cafeïne, of kantoormensen uit de buurt die tussen lunch en avondeten wel een opkikkertje konden gebruiken. Ahmed trok het koptelefoontje uit zijn oren en begroette zijn neef, die erg blij was hem te zien. Shah vroeg hoe de zaken gingen en maakte een praatje, maar daar bleef het bij. Hij deed afstandelijk tegen Ahmed, wat niet zijn bedoeling was, maar Shah wist dat hij zichzelf niet was. Hij zag dat Ahmed zijn gebrek aan enthousiasme ook opmerkte, maar hij zei er niets van.

Zogenaamd op zoek naar eventuele mankementen keek Shah uitgebreid onder het karretje, daar waar hij vroeger de korans bewaarde. Er was niets anders te zien dan Ahmeds Puma-rugzak.

Ahmed begon over de moeilijkheden die hij had met een koffieleverancier, en Shah knikte alsof hij het belangrijk vond. Een man die kwam aanlopen riep zijn naam, 'Bassam!', en bijna raakte Shah in paniek. Maar toen zag hij dat de oude man een klant van vroeger was: hij herkende het nicotinegrijze gezicht en de sneakers die hij onder zijn pak droeg, zoals de vrouwelijke forenzen deden.

De klant vroeg enthousiast hoe het met hem ging, en Shah gaf antwoord alsof hij zich op de bodem van een modderige vijver bevond. Hij was mijlenver verwijderd van iedere vorm van alledaagse sociale interactie. Bovendien was deze man Joods, en Shah vond zichzelf een beetje een dwaas omdat hij zichzelf jaren geleden had toegestaan vriendschap met hem te sluiten.

'Gaat het wel goed met je? Is er iets?' vroeg de oude man. 'Je bent veranderd.'

Shah schudde zijn hoofd of knikte, hij wist het zelf niet eens. Het maakte niet uit hoe hij op deze klant zou reageren, in gedachten riep hij: *Ga weg.*

Toen de man dat eindelijk deed, merkte Shah dat Ahmed bedachtzaam naar hem keek. Shah zei dat ze die dag wat eerder zouden inpakken. Samen duwden ze de kar twee blokken het plein over, en daarna drie straten in westelijke richting naar het parkeerterrein aan Forty-third Street. Daar hesen ze hem op de roestige aanhanger achter de Toyota Camry uit 1999, reden ermee naar de opslagruimte in Greenpoint en sloten die af. Shah gaf Ahmed zijn rugzak en een stapeltje bankbiljetten.

'Morgen ben je vrij, neefje van me. Ga lekker een dagje weg. Ik wil graag weer eens zelf achter de kar staan. Hier heb je alvast de omzet.'

Ahmed bekeek het stapeltje: het was bijna honderd dollar. Hij reageerde eerder verbaasd dan dankbaar. Een dag vrij deed hem niets, en dat sierde hem. Hij werkte zonder klagen. Maar met het geld was hij blij. 'Zal ik je dan morgenvroeg komen helpen met het vullen van de...'

'Nee, ik doe het zelf.'

Ahmed bleef aandringen. Routine was alles voor hem, en hij leek zich bijna beledigd te voelen door Shahs gulle gebaar. Maar uiteindelijk pakte hij zijn rugzak en vertrok, met een hartelijk maar onzeker knikje.

Later die dag zat Fisk aan zijn bureau toen er een knappe jonge vrouw op de bovenkant van zijn monitor klopte. Ze had kort, zwartgeverfd haar dat eruitzag alsof ze het zelf had geknipt; het harde kapsel contrasteerde met de zachte trekken van haar gezicht. Toch vond hij haar 'val dood'-punkvoorkomen geloofwaardig. Ze had er vast baat bij gehad, bij dat radicale uiterlijk, in buurten waar je een goede beurt maakte door als blanke te trappen tegen alles wat met de Verenigde Staten te maken had. Ze had de afgelopen zeven maanden revolutionaire praat gebezigd en tweedracht gezaaid, met als doel de figuren uit te lokken die niets liever wilden dan dergelijke praatjes werkelijkheid maken.

'Krina Gersten,' stelde ze zich voor. 'Je wilde me spreken?'

Fisk knikte, afgeleid door iets wat hem voorkwam als een zuigzoen opzij in haar hals, vlak boven de kraag van haar legerjasje. Hij voelde zijn ogen er telkens heen flitsen, en in plaats van schuldbewust zijn blik af te wenden, als een jochie dat wordt betrapt op het staren naar een decolleté, kneep hij zijn ogen tot spleetjes om het beter te kunnen zien.

'Slangenbeet?' vroeg hij.

Ze lachte en raakte de plek voorzichtig aan, als een brandwond. Ze had een ranke hals, waardoor de zuigzoen des te meer in het oog sprong. En haar glimach toonde een miniem spleetje tussen haar voortanden, hetgeen haar gezicht wat meer karakter gaf, en iets brutaals. 'Jij bent de eerste die bot genoeg is om er iets van te zeggen.'

'Ik maak altijd een heel goede eerste indruk,' zei Fisk. 'Maar de truc is om het slangengif eruit te zuigen zonder het door te slikken, zodat je zelf niet vergiftigd wordt.'

'Heb je daar ervaring mee?' vroeg ze.

'Met slangengif? Vraag maar aan mijn ex.'

Dat ontlokte Gersten een glimlach – niet echt geamuseerd of geïmponeerd, maar eerder waarderend. Geïntrigeerd. Fisk kon zien dat flirten voor haar niet zozeer een uitnodiging als wel een uitdaging was. 'Je ex-vrouw?'

'Ex-verloofde. Ze was slangenbezweerster.'

'Aha,' zei Gersten. 'Dat klinkt gezellig.'

Fisk stak een hand uit. 'Jeremy Fisk.'

Gersten drukte hem stevig en professioneel de hand.

'Voorzichtig,' zei hij toen hij zijn pijnlijke hand terugtrok. 'Wat een dodelijke greep. Heeft je vader soms in het leger gezeten?'

'Niet in het leger.'

'O jee.' Fisk wist al wat er zou komen.

'Inderdaad,' zei ze. 'Bij de politie.'

'Jezus. Tweede of derde generatie?'

'Ik? Ik ben vierde generatie.'

'Poeh. Oké. Bedankt voor de waarschuwing.'

'Je moest eens weten,' zei ze. 'En jij, rechercheur Fisk? Wat is jouw verhaal?'

'O, ik ben gewoon een doorsneeambtenaar, eerste generatie.'

'O ja? Waar heb je je politiegenen dan vandaan?'

'Mutatie. Een afwijking.'

'Juist,' zei ze, en ze nam een besluit terwijl ze hem opnam. 'Jij bent interessant.'

Fisk mocht haar meteen. Later zou hij te horen krijgen dat haar vader als sergeant de leiding had gehad over een van de duikteams van zijn afdeling, toen hij onder water een hartaanval kreeg. Gersten was toen dertien geweest. Ze woonde nog bij haar moeder, aan de andere kant van The Narrows op Staten Island, wat voor de New Yorkse politie en brandweer een sort getto was. Ze had ook gediend in Irak, bij een overgangsteam, na haar studie aan de universiteit van New York. Voor haar was een politieloopbaan de enige keuze geweest op het levensmenu.

Een verhouding tussen twee politiemensen was niet verstandig, maar er was onmiddellijk een onderstroom van aantrekkingskracht geweest die de samenwerking leuk en interessant hield. Gersten was hem aanbevolen bij de harkers vanwege haar vakkundigheid, haar werkinstelling en het feit dat ze zonder klagen rotklusjes opknapte, en nog eens met uitstekend resultaat ook.

'Zag ik jou nou mank lopen?' vroeg ze.

'Zou kunnen. Basketbal.'

'Het valt niet mee om oud te worden, hè?'

Hij lachte om haar onbeschaamdheid. 'Misschien kun jij hier chocola van maken. Ik heb vannacht gedroomd dat ik op een cocktailparty van de politieschool was, die trouwens wel heel veel op mijn middelbare school leek. Afijn, ik keek toe hoe de barkeeper een bom onder de bar plaatste. Dat zag ik vanaf de andere kant van het overvolle vertrek... maar ik kon niet bij hem komen omdat ik mank liep.'

'Kwam hij uit het Midden-Oosten?' onderbrak ze hem.

'Uiteraard,' zei Fisk. 'Als je de hele dag pizza's bakt, droom je over pizza. Als je de hele dag met moskeeën en shoarmatenten werkt, ga je dromen van types uit het Midden-Oosten.'

'Vertel mij wat.'

'Toen ik eindelijk bij de bar kwam – ik was de enige die de bom kon horen tikken – liep ik eromheen en dook eronder... en daar was niets te zien. Alleen de tank van de frisdrankentap. Ik keek op en overal om me heen stond de boel in de fik. De gordijnen in brand, muren die wegsmolten, maar de mensen stonden nog gewoon een praatje te maken.'

'Goede drank,' gokte ze. 'Gratis, neem ik aan?'

'Ik had gehoopt op een klein beetje meer inzicht, dokter.'

Gersten zei: 'Ik ben me er tegenwoordig in mijn dromen altijd van bewust dat ik droom. Dat had ik nooit voordat ik overstapte naar Intel. Nu besef ik altijd dat het niet echt is. Dat ik de touwtjes in handen moet nemen, zelfs in mijn slaap. Zo gaat de lol er wel af, vind je niet?'

'Altijd waakzaam. Zo hoort het,' zei Fisk. 'Het is de aard van ons werk.'

'De aard van het beestje. Maar het is niet eerlijk. Kan ik er dan zelfs in mijn vrije tijd niet aan ontkomen?'

'Vrije tijd bestaat niet,' zei Fisk. 'Onthoud goed: je bent niet paranoïde, je bent *alert*. Als ik naar de film, ga, moet ik de hele tijd denken aan al die mensen die in het donker om me heen zitten. Wie ze zijn en wat ze doen.'

Ze knikte. 'Ze genieten van de film.'

'Zoals het hoort. Dat is onze taak: ervoor zorgen dat ze dat kunnen.' Hij zuchtte. 'Vroeger vond ik het léúk om naar de bioscoop te gaan.'

'En ik vond het vroeger fijn om te gaan slapen,' zei Gersten.

Ze betrapten zich erop dat ze begonnen te zeuren. Fisk zei: 'Oké, genoeg geklaagd...'

Hij bracht haar op de hoogte van de situatie rond Shah. Voorlopig alleen de hoogtepunten.

'Ken je de imam die het uitvaartcentrum in Flushing runt?'

Gersten knikte. 'Samara Abad Salame.'

'De FBI kon hem een tijdlang overal voor inzetten. Hij heeft vorig jaar een probleempje gehad met de belasting. Niet genoeg om hem binnen te halen, maar een bezoekje zat er wel in.'

Gersten begreep het. 'Ze zijn kwijlend naar hem toe gegaan,' raadde ze.

'Precies. Tot nu toe heeft Salame hen goed geholpen. En hij is nu ook voor ons beschikbaar. Maar uiteindelijk ligt zijn loyaliteit niet bij de FBI en ook niet bij ons, dus het lijkt me niet verkeerd om ervan uit te gaan dat hij de FBI niet alles vertelt. Ik heb de gegevens van een kerel die momenteel in Guantánamo Bay zit, en dat zou een broer van Salame zijn, al hebben ze misschien niet dezelfde moeder.'

Gersten zei: 'Familie gaat boven alles.'

'Precies. En Shah is een neef van hem.'

'Ik heb een vraag. Denk je dat Shah in Denver in de val gelokt is?'

'Of ze hem tot zijn daden hebben aangespoord, bedoel je? Waarschijnlijk wel.' Fisk wuifde het weg. 'Daar kan ik me niet druk om maken, dat is het probleem van de FBI. Wij doen hier ons werk. Er staan levens op het spel. Wat hem ook hiertoe gedreven mag hebben, het staat buiten kijf dat hij bezig is met de planning en de voorbereiding van een terroristische daad. Hij voldoet in ieder opzicht aan de definitie van een terrorist.'

'Zo te horen word ik van de straat gehaald,' zei Gersten.

'Voorlopig wel. Eigenlijk wilden ze – de FBI – die kerel nog even laten begaan, kijken met wie hij hier in New York afspreekt en zo nog wat meer kruimeltjes informatie verzamelen.'

'En jij vindt dat niet de moeite waard.'

'Nee, aangezien Shah zijn achtervolgers drie uur geleden heeft afgeschud.'

Gerstens mond viel open. 'Holy shit.'

'We hebben mensen die zijn familie hebben gekend. Ik heb een tip gekregen... niet waar hij is, maar waar hij wel eens naartoe zou kunnen gaan. Het is mogelijk dat de FBI die informatie ook heeft.'

'Mooi,' zei ze, maar toen ze zijn gezicht zag, vroeg ze: 'Niet?'

'We zijn hier op het terrein van Intel. Ik heb iemand nodig zoals jij, iemand die er niet uitziet als een smeris. Die niet alleen een terrorist om de tuin kan leiden, maar misschien ook de FBI. Wat ik nu meteen moet weten: zou je daar bezwaar tegen hebben?'

Van alle antwoorden die hij had kunnen krijgen, had Fisk deze reactie niet verwacht: ze glimlachte. Toen zei ze: 'Nu wordt het interessant.'

'Peavy?' zei Fisk. 'Waar zit je?'

'In de studio.' Peavy was een militair scherpschuttter, een veteraan die de afgelopen tien jaar vier keer was uitgezonden en vijfentachtig doden op zijn naam had. Hij gaf les in een *krav maga*-studio in de Lower East Side. 'Ik doe het.'

Fisk zei: 'Je weet niet eens waar ik voor bel.'

'Of je hebt een klus voor me, óf kaartjes voor de Yankees.'

'De Yankees spelen uit,' zei Fisk.

'Is dit officieel of onofficieel?'

'Het ligt eraan.'

'Waaraan?'

'Hoe het uitvalt.'

Peavy zei: 'Laten we dit niet over de telefoon bespreken.'

Om acht uur de volgende ochtend ging Shah via de niet-afgesloten voordeur een huis binnen in Flushing, een wijk met eengezinswoningen. Nog geen tien minuten later arriveerde Majid Kazir, slaapdronken en met donkere wallen onder zijn ogen na een doorwaakte nacht. Hij haalde een blikje cola light uit de koelkast, ging aan tafel zitten, trok met een lange duimnagel het blikje open en begon te drinken alsof hij een vieze smaak in zijn mond moest wegspoelen. Hij had dringend behoefte aan cafeïne.

Kazir rook naar bleekmiddel. 'Moeder is klaar,' zei hij.

Ze waren in het huis van Kazirs moeder, maar zij was niet degene op wie Kazir doelde. De schoonheidssalon van zijn moeder, die aan het pand grensde, werd gerund door zijn twee zusters, met Kazir aan het hoofd. Kazir had zelf krullen, die slap langs zijn hoofd hingen. Zelf kon hij niets beginnen met al die schoonheidsproducten, maar de salon liep goed en zijn moeder en zijn zussen waren er blij mee.

Nu was de zaak vier dagen gesloten geweest. Kazir had geregeld dat de vrouwen deze week op familiebezoek gingen in Pennsylvania. Hij had het huis voor zichzelf nodig.

Als bedrijfsleider was hij onder andere verantwoordelijk voor de aanvoer van de producten die werden gebruikt voor behandelingen. Hij had de afgelopen acht maanden geduldig een bescheiden voorraad waterstofperoxide, aceton en zoutzuur aangelegd, afkomstig van verschillende leveranciers. De drie ingrediënten in acetonperoxide, ook wel triaceton-triperoxide, vormden samen een krachtig explosief dat erom bekendstond zeer gevoelig te zijn voor schokken, verhitting en wrijving. Onder islamitische ondergrondse organisaties stond het goedje bekend onder de naam 'moeder van Satan'.

Shah vroeg: 'Is moeder klaar voor vertrek?'

Kazir knikte en onderdrukte een colaboer. Hij keek naar zijn natrillende hand. Kazir was de hele nacht in de weer geweest met het verhitten en mengen van de ingrediënten. 'Moeder was verschrikkelijk vannacht, vriend.'

Kazir dronk zijn cola op en mikte het lege blikje in de gootsteen. Shah was via het netwerk met hem in contact gebracht. Kazir was niet bij hem aangekomen met jihadistische en anti-Amerikaanse praatjes – gelukkig niet, want daaraan kon je een infiltrant van de politie of de FBI herkennen. Kazir was serieus en rustig. Het enige waar hij woest om kon worden was de rol van vrouwen in de Amerikaanse samenleving. Hij had een enorme hekel aan hun onafhankelijkheid, die volgens hem de reden was dat hij er maar niet in slaagde een echtgenote te vinden. Zijn eigen moeder en zijn zusters vereerden hem als de man in huis, het hoofd van de huishouding, waardoor hij verder weinig hoefde bij te dragen aan het familiebedrijf. En zelfs dat vond hij afkeurenswaardig.

Hij meende voorbestemd te zijn voor grotere, mooiere zaken. Dit was zijn eerste stap op weg naar de glorie, in het voetspoor van zijn Marokkaanse landgenoten die het bombardement op de forenzentrein in Madrid hadden bewerkstelligd. Op het eerste gezicht leek hij veel respect te hebben voor Shahs gooi naar het martelaarschap, maar Shah vermoedde dat Kazir nooit dezelfde toewijding zou hebben als hijzelf – namelijk de ultieme toewijding. Kazir had er tijdens de hele onderneming alles aan gedaan om te voorkomen dat iemand op de hoogte was van zijn deelname.

Kazir was opgeleid tot chemicus in hetzelfde kamp waar Shah had gezeten, hoog in de bergen van Waziristan, bij de grens tussen Pakistan en Afghanistan. Shah vertrouwde erop dat het explosief hem niet in de steek zou laten – en andersom.

Shah haalde de mobiele telefoon uit zijn zak. 'Hier.' Hij legde hem op tafel neer voor Kazir, die ernaar keek alsof het een kakkerlak was.

'Wat is dit?'

'Een telefoon,' antwoordde Shah. 'Mijn verklaring staat erop. Mijn filmpje. Dat ga jij klokslag elf uur uploaden.'

Kazir keek naar het telefoontje, een model dat je kon openklappen. 'Heb je het zelf gefilmd?'

'Uiteraard.'

Het was een oud model telefoon, kant en klaar gekocht in een warenhuis. Hij had zijn eigen laagresolutiecamera gebruikt om zijn laatste woorden te filmen, opgesloten in een toilethokje van een Midden-Oosters restaurant aan Twenty-eighth Street. Zijn andere telefoon, het toestel voor dagelijks gebruik, was 'zoekgeraakt', samen met zijn laptop. Die dingen waren niet te vertrouwen.

'Deze vernietig je na afloop,' zei Shah.

'Ik ben niet zo dol op elektronica,' zei Kazir.

Met zware explosieven had hij geen problemen, maar smartphones... Shah schudde zijn hoofd. Deze man verwerkte waterstofperoxide en aceton tot explosieve korrels die even krachtig waren als C-4, maar met een microprocessor wist hij geen raad. Shah vond het niet erg om deze wereld te verlaten.

'Ik ben voorzichtig geweest, dat verzeker ik je,' zei Shah. 'Waar is het?'

Kazir knikte naar de achteringang. Shah liep erheen en trof een sporttas aan. Hij pakte hem op, aanvankelijk aarzelend. De tas was zwaar, maar wel te tillen.

Hij probeerde te bedenken wat hij nog kon zeggen tegen Kazir, die nog onderuitgezakt in een keukenstoel hing. Maar er viel niets te zeggen.

Uiteindelijk nam hij het pakket onder de arm en liep gewoon de deur uit. Zijn afscheid zou er niet een van woorden zijn, maar van daden.

Fisk keek naar beneden door de sterke kijker die op een statief was opgesteld op de rubberen ondergrond van het dak van het Marriott Marquis-hotel aan Times Square. Over het uiteinde van de kijker was een nylon kap geschoven, zodat het flikkerende zonlicht hem niet zou verraden.

Hij had positie ingenomen tussen de wapperende lokken van een fotomodel op een gigantisch billboard van Victoria's Secret, een advertentie voor hun nieuwste model voorgevulde bh.

Naast de kijker stond, afgedekt met tentdoek, een monitor met daarop onscherpe beelden van het 'kruispunt van de wereld' dat beneden lag. Fisk was via een koptelefoon verbonden met de monitor.

Hij boog zich naar de kijker toe en speurde het plein af. Het was laat in de ochtend. Toeristen in tweetallen en groepjes, honderden camera's – 35 millimeter spiegelreflex, en ingebouwd in telefoons – en mensen met een sandwichbord die probeerden de voetgangers naar comedyclubs, tourbussen en restaurants te lokken.

Fisk keek weer omhoog. Hij wilde de kijker niet verplaatsen om de andere daken in de gaten te houden, want dan zou hij hem steeds opnieuw moeten instellen op zijn doelwit beneden. Hij nam aan dat de FBI zijn eigen mensen had gepost op diverse punten rondom Forty-fifth Street. Zoals altijd vroeg hij zich af waar ze op wachtten. Rekenden ze nog altijd op de drie dagen die Shah verondersteld werd te wachten?

Overigens vroeg hij het zich wel af: waar wachtte Shah nog op?

Fisk concentreerde zich weer op de kijker en probeerde niet onrustig te worden. Hij keek naar de Naked Cowboy, die met toeristen poseerde voor de foto's bij de rode trap van TKTS, het loket waar je tegen gereduceerd tarief kaartjes voor theatervoorstellingen kon kopen. Hij zag een blauwgroen

Vrijheidsbeeld langs de rij voor de kassa lopen. Daarna wierp hij een vluchtige blik op het kluitje potentiële kopers rondom een stel reuzen-M&M's met witte handschoenen en witte schoenen, de ene rood, de andere geel. Hij bekeek de tafels vol nagemaakte merkhandtassen en goedkoop vervaardigde souvenirs die langs de randen van de open vlakte stonden opgesteld, bemand door nerveus aandoende zwarte verkopers.

Toen richtte hij zich weer op zijn doelwit, het koffiestalletje van Bassam Shah, dat ook door hem werd bemand – althans vandaag.

'Oké,' zei Fisk in het microfoontje dat met zijn koptelefoon verbonden was. 'Dit is belachelijk gevaarlijk. Lang genoeg gewacht. Tijd om contact te leggen.'

Krina Gersten slenterde over Times Square met in de ene hand een plattegrond en in de andere een toeristengidsje. Ze werd op de schouder getikt door een Aziatische toerist die op de foto wilde met een levend standbeeld verkleed als het Vrijheidsbeeld. Iedereen wilde op de gevoelige plaat vastgelegd worden met die groengeschminkte dame met haar schuimrubberen fakkel. Gersten nam gewillig een foto en hield vanuit haar ooghoeken het koffiestalletje in de gaten.

Overal toeristen. Ze speelde haar rol en nam ieder foldertje aan dat haar werd aangeboden, van kortingsbonnen voor pizza tot gratis optredens in stand-up- and stripclubs, en rondritten per bus.

Ze had een bluetoothoortje in. De verbinding stond open. Ze hoorde Fisk en hij kon live met haar meeluisteren.

In de Y in het logo van de New York Yankees op de voorkant van haar stugge honkbalpet zat een minuscuul cameraatje waardoor Fisk kon zien wat zij ook zag.

'Tijd om contact te leggen,' zei Fisk.

'Ik ben al weg,' mompelde ze.

Ze liep naar de koffiekar en wachtte op haar beurt achter een geagiteerde kantoorklerk die zijn pauze benutte om ruzie te maken via zijn mobiel. Shah ging in de weer met een thermoskan en deed een scheut melk en twee zoetjes bij de koffie. De klant gaf hem drie biljetten van een dollar en liep weg, nog altijd ratelend in zijn telefoon.

Gersten deed een stap naar voren. Ze kon het zweet op het voorhoofd van de Afghaan zien. Hij keek haar bevreemd aan, afwezig. Het leek wel of hij ziek was.

'Hallo!' zei ze opgewekt. 'Hebt u décafé met hazelnootsmaak?'

Het leek alsof hij de vraag niet begreep. Toen bekeek hij de etiketten op zijn eigen thermoskannen.

'Geen décafé.'

'Oké, dan maar met cafeïne. Ik heb toch vakantie. Trouwens, ik zal het wel nodig hebben vandaag.'

Hij ging er niet op in en zei niets terug. Ze kreeg de indruk dat hij haar niet eens had gehoord. Hij pakte een papieren bekertje van de stapel op de kar en schonk er koffie in.

'Zwart graag, met twee zoetjes,' zei Gersten toen de beker was gevuld. Ze keek toe hoe hij de gele zakjes zoetstof openscheurde. 'Sorry dat ik het vraag, maar... gaat het wel goed met u? U ziet er niet zo goed uit.'

Shah wierp haar een korte, vernietigende blik toe. Die kwam misschien deels voort uit een etnisch bepaalde afkeer van onafhankelijke vrouwen, maar het was beslist ook voor een deel wantrouwen.

Hij gaf geen antwoord en roerde alleen met een houten staafje in haar koffie.

'Ik bedoelde er niets mee,' zei ze. 'Het was gewoon bezorgdheid. Mag ik er ook een...?'

Ze liep om het karretje heen en probeerde het beter te bekijken terwijl ze een dekseltje voor de koffie pakte, maar Shah versperde haar de doorgang door pal voor haar te gaan staan.

'Ik pak!' zei hij. 'Ik pak!'

'Ook goed. Sorry, hoor.'

Hij gaf haar de koffie. Gersten klemde de plattegrond en het reisgidsje onder haar kin en haalde een paar dollarbiljetten tevoorschijn, die ze gladstreek en aan de man overhandigde.

'Bedankt,' zei ze. 'Fijne dag nog.'

Ze liep terug naar het loket van TKTS, met de plattegrond onder haar arm geklemd. De koffiebeker voelde niet heet. Ze nam meteen een slokje en proefde dat de koffie lauw was – en niet te drinken. De slechtste koffie die ze ooit had geproefd.

'Ik denk dat het gaat gebeuren,' zei ze.

Peavy, de scherpschutter, lag op de luifel op de tweede verdieping van het theater en hield via zijn kijker de koffieverkoper in de gaten. Ze hadden in een nacht tijd hun post opgesteld, met een afdak van tentdoek tegen pottenkijkers, van hetzelfde verduisterende materiaal als de reclamestickers die je op de ramen van stadsbussen zag. Peavy en zijn spotter konden wel naar buiten kijken, maar anderen niet naar binnen.

Times Square was een goede plek om vanaf deze hoogte te werken. Als de mensen al naar boven keken, keken ze nog veel hoger. Geen plek ter wereld die zo veel afleiding bood als deze.

Wally, zijn spotter, was de vorige dag gestuurd vanuit D.C., zonder dat er vragen waren gesteld. Wally's talent was gevormd in overzeese stadsgebieden. Het speciale FBI-team dat als taak had gijzelaars te bevrijden, het Hostage Rescue Team (HRT) – volgens Fisk kon het op dat moment niet ver weg zijn – was erg goed in langeafstandsschieten, ze waren beroemd om de zogenaamde aspirineproef waar ze zo hoog van opgaven: het vermogen om van een kilometer afstand een kinderaspirine te raken. Daar had je wat aan in de stad.

Het HRT maakte gebruik van .308-sluipschuttersgeweren. Peavy's wapen was een Barrett M82A .50-kaliber semiautomaat. Het ding was ruim 1,40 meter lang en woog ongeladen bijna veertien kilo.

Maar nu was het niet ongeladen. Peavy zat schietklaar boven Times Square.

Fisks toewijding grensde naar Peavy's mening aan het waanzinnige, maar hij was ook weer niet zo gek om midden in Manhattan opdracht te geven tot een dodelijk schot, tegen de instructies van de FBI in. En dat maakte het leuk.

Hij had goed zicht: een mooie hoek van 240 graden. De koffieverkoper stond uiterst rechts. Wally hield hem op de hoogte van de windkracht en -richting. De bebouwing maakte het lastig. De ballistische computer op zijn Leupold-vizier verlaagde de moeilijkheidsgraad. Dat computertje, ter grootte van een pakje sigaretten, hield automatisch rekening met afstand, projectielbaan en barometerdruk en gaf binnen enkele seconden een accurate vuurlinie. Hij had het vizier al hoger afgesteld.

Op dit moment was het doelwit zo'n zeshonderd meter van hem verwijderd. Peavy ontspande zijn schouders en wachtte tot Wally Fisks bevel zou doorgeven.

Shah haakte de canvas hoes los van de ringen aan de bovenkant van de kar en drapeerde hem over het koffiegedeelte. Hij keek naar het langslopende Vrijheidsbeeld en naar de Naked Cowboy die op de hoek van de straat poseerde. Iemand die was verkleed als een Porto-Ricaans bendelid in de jaren vijftig, in een strakke spijkerbroek en met een pakje sigaretten in de mouw van zijn T-shirt, probeerde toeristen te interesseren voor een opleving van *West Side Story*.

In zijn ogen waren ze allemaal verdacht. En iedere klant leek vanochtend een infiltrant. De angst sijpelde zijn vastberadenheid binnen.

Ophouden. Het ideale moment zou nooit komen. Hij moest het nu doen.

Hij liet de hoes aan de andere kant van de kar zakken en ontgrendelde de wielen. Hij verwijderde de houten wiggen en duwde de kar in zuidelijke richting over het drukke Times Square naar de ingang van de metro.

Fisk zag twee mannelijke 'toeristen' hun plattegrond dubbelvouwen en in dezelfde richting lopen als Shah met zijn kar. De FBI kwam wel in beweging, maar niet met erg veel actie.

Fisk zei tegen zijn Intel-agenten: 'Blijf in de buurt.' En toen: 'Peavy, volg je hem?'

'Maak je om mij geen zorgen,' klonk de stem van de scherpschutter.

Fisk had de hele uitwisseling met Shah gadegeslagen via Gerstens cameraatje in de pet. Hij had Shahs nerveuze, gespannen gezicht gezien. Wat hij zich vooral afvroeg, was wat er onder in de koffiekar lag. Wat Shah verborgen had willen houden voor Gersten.

'Iedereen in de buurt blijven,' zei Fisk, en hij zette zijn koptelefoon af. Toen draaide hij zich te snel om, zonder rekening te houden met zijn zere enkel, en hij strompelde weg. 'Ik kom eraan.'

Gersten volgde Shah op afstand, nog altijd zogenaamd verdiept in haar plattegrond. Hij hield zijn hoofd opzij bij het duwen van de kar om een botsing met tegemoetkomende toeristen te vermijden. Toen hij Forty-fourth Street was overgestoken, bleef hij in zuidelijke richting lopen.

Ze hield zich schuil achter een groepje toeristen. Meteen toen ze om hen heen liep, zag ze Shah omkijken. Hij zag dat ze zijn kant op keek.

Shit. Ze had geen keuze, ze moest reageren. Ze dacht koortsachtig na, zwaaide toen met de plattegrond en ging op een drafje naar hem toe.

'Eh, hallo. Deze koffie... die is echt niet te drinken. Ik wil mijn geld terug.'

Hij bleef stokstijf staan. Ze had nog nooit zo'n lege, uitdrukkingsloze blik gezien. Zijn bruine pupillen waren glazig en leken dood vanbinnen, en ze herkende de starende blik van een ware fanaticus, iemand die in een psychotische trance verkeerde. Op dat moment wist ze dat ze een terrorist in de ogen keek.

Zijn huid zag grauw, asgrijs, met rode vlekken in de hals, alsof hij netelroos had. Moeizaam fluisterde hij: 'Ga weg.'

Gersten aarzelde. Ze wachtte Fisks bevel af. Shah duwde zijn koffiekar nog een paar meter verder – en zette hem toen abrupt stil.

Hij bukte zich naar het vak onder de kar, griste daar een sporttas vanaf en zette het op een lopen.

Uiteindelijk kwam Fisk het hotel uit. Hij ontweek de toeristen en straathandelaren en hobbelde het plein over, moeizaam voorstnellend op zijn slechte enkel totdat hij Gersten met haar Yankees-pet samen met Shah langs Forty-fourth street zag lopen. Fisk stak een hand op en zwaaide, en hij gebaarde zijn mannen dat het tijd was om in te grijpen – maar ze waren al een paar passen achter de FBI, die het doelwit van vier kanten insloot.

Peavy maakte een draai. Wally gaf hem een nieuw bereik, dat hij intoetste in het computertje. Het doelwit had zich van rechts naar links verplaatst met zijn koffiekar, heel langzaam. Toen hij ervandoor ging met de tas in zijn hand, blies Peavy zijn ingehouden adem uit en hield hem in het vizier.

'En?' zei hij tegen Wally, die in verbinding stond met Fisk.

'Nog niets.'

Het doelwit dook de mensenmassa in en uit, en Peavy hield hem voortdurend in beeld. Het motto van de scherpschutter luidde: 'Hollen heeft geen zin, je bent toch al dood.'

Wally volgde hem met de kijker. 'Wat zit er in die tas?'

'Niks bijzonders,' antwoordde Peavy. 'Gewoon een kilootje springstof.' Hij keek de hollende haas na en moest zijn positie bijstellen. 'Verdomme, Fisk.'

Shah draaide zich om en ging ervandoor, en Gersten rende achter hem aan.

Hij hield de sporttas op een eigenaardige manier vast, hoog achter zijn hoofd terwijl hij doorholde.

Gersten had net een verbaasde, argeloze agent ontweken toen ze plotseling werd getackeld door twee mannen in pak: FBI-agenten, die brulden dat ze onder arrest stond.

'NYPD!' zei ze terwijl ze de idioten van zich af probeerde te schoppen.

Fisk bereikte hen, pakte de mannen bij de kraag en zwaaide al roepend met zijn penning. Toen rende hij verder, de pijn vergeten.

Hij keek voorbij het kruispunt, op zoek naar Shahs doelwit. Toen Shah op Seventh Avenue rechts afsloeg, wist Fisk het.

'De metro-ingang van Forty-second Street!' zei hij.

Het was een bevel.

Wally kreeg iets door. Dat wist Peavy omdat hij hem een nieuwe positie doorgaf, verder weg. Peavy toetste de coördinaten in en zocht zwaar ademend het doelwit op in zijn vizier.

De man rende met de sporttas achter zijn hoofd. Een schot in de rug, de nek, de torso of zelfs een been met een .50-kaliber wapen was dodelijk: het slachtoffer zou in shock raken en het niet overleven. Maar alleen een schot in het hoofd bood garantie op directe neurologische uitschakeling. En Peavy was een perfectionist.

'Praat me bij, Wally.'

'Nog niet.'

Peavy richtte het dradenkruis op de hobbelende sporttas.

'Hij is binnen bereik. Kom op.'

'Ik wil zijn hoofd.'

'Niet in de tas schieten Hij gaat de metro binnen. Schakel hem uit.'

Peavy volgde het doelwit. Nog een paar stappen...

Fisk zag dat Shah een kind omverliep; hij rende nu op volle snelheid naar de metro-ingang. Door de vaart struikelde hij, en met de hand waarmee hij de sporttas vasthad zocht hij zijn evenwicht...

Fisk hoorde niets: geen schot, geen echo.

Bij de bovenste tree verdween Shahs hoofd in een roze mist. Het lichaam van de terrorist maakte een draai en viel zonder hoofd voorover, om daar stil te blijven liggen.

De sporttas kwam naast hem terecht. Het was geen zachte landing, maar zacht genoeg.

Fisk bleef verbijsterd staan. Hij was net het bereik van het explosief aan het berekenen.

Gersten had hem ingehaald. De FBI-agenten snelden langs hen heen naar de dode terrorist. Ze keek Fisk aan. 'Hoe heb je dat voor elkaar gekregen?'

Fisk draaide zich om en keek naar Times Square. Hij wist niet waar Peavy stond opgesteld – hij wist alleen dat hij waarschijnlijk al was verdwenen.

Hij zei: 'Ik heb vrienden op hoge posities.'

Oktober 2009

ABBOTTABAD, PAKISTAN

Arshad Khan, een zwaargebouwde vijftiger die een blauw nylon trainingspak en hoge Puma-basketbalschoenen droeg, leek zwaar misplaatst tussen de gamers en de toeristen bij internetcafé All-Joy.

Hij nam kleine slokjes van zijn thee en zocht het net af naar krantenartikelen, YouTube-filmpjes en weblogs over het incident rond Bassam Shah in New York. Er zat weinig waardevolle informatie bij, maar zijn nieuwsgierigheid was bevredigd.

Foto's van zonnebloemen, gevonden door te googelen onder 'afbeeldingen', vulden een ander geopend scherm op de monitor in het internetcafé, die met een fietsslot aan de tafel was bevestigd. Khan zag acht nieuwe plaatjes die hij niet kende van vorige downloads, en hij sloeg ze op op een Lexas-flashdrive van twee gigabyte; het lampje knipperde terwijl de beelden werden opgeslagen.

Tot slot, nadat hij zo was gaan zitten dat zijn lichaam toevallige voorbijgangers het zicht op de monitor ontnam, opende hij een derde scherm – klein formaat – en bekeek snel de vertrouwde pornosites, voor zover die niet geblokkeerd waren door het internetcafé. Bijna willekeurig haalde hij gratis .jpeg-afbeeldingen en videoclips binnen – zogende vrouwen, lesbische seks, masturberende homo's – tot de USB-stick vol was.

Hij trok de stick uit de computer, betaalde de tiener bij de ingang voor zijn uur achter de computer en wenste hem vrede toe. Khan sprak Urdu met een Pashtun-accent, maar in zijn vrijetijdskleding had hij uit ieder Arabisch land kunnen komen. Hij stak de straat over en genoot al wandelend van de koelere lucht onder het bladerdek van de stokoude oosterse platanen. Veel van deze bomen waren vijfhonderd jaar oud, wat hij een geruststellend idee vond. Het moderne leven kende zo veel twijfelgevallen, maar over de tijd en de geschiedenis had de mens niets te vertellen. Alleen de toekomst was altijd aan zet.

Hij liep het parkeerterrein van een squashcomplex op, de sport die de Pakistani hadden ingepikt van hun Engelse koloniale overheersers en die ze al vijftig jaar domineerden. Khan maakte het portier aan de bestuurderskant van zijn baksteenrode Suzuki-busje open, hees zichzelf naar binnen en bleef daar zitten, met draaiende motor en de airconditioning aan.

Tien minuten lang hield hij iedereen die het internetcafé binnenging of uit kwam nauwlettend in de gaten. Khan zou hier minstens een maand niet meer komen: hij verdeelde zijn wekelijkse bezoekjes over de zes cafés die over heel Abbottabad verspreid waren. Ook de voorbijrijdende auto's hield hij in de gaten, net als alle fietsen, tuktuks en hun bestuurders. Zijn blik ging langs de daken van de lage gebouwen die in dit gedeelte van de stad stonden. Abbottabad was zwaar getroffen door de rampzalige aardbeving vier jaar terug, en niemand durfde nog meer dan twee verdiepingen te bouwen.

Toen hij ervan overtuigd was dat hij niet werd gevolgd of geobserveerd, reed hij het parkeerterrein af, een kilometer of vijf in noordoostelijke richting over Kakul Road naar de buitenwijk Bilal Town, vlak bij de militaire academie van Pakistan. De brandende zon stond hoog aan de hemel en veroorzaakte luchtspiegelingen in de verte, maar hij vertrouwde erop dat hij alleen was en geen achtervolgers had. Hij had deze route al vele malen gereden.

Zijn perceel was grofweg driehoekig, en hij betrad het terrein door het hek in de drieënhalve meter hoge betonnen muur aan de westkant. Hij reed een smal steegje van zo'n twintig meter lang in en stapte uit om het eerste hek te sluiten en het tweede te openen. Dat bood hem toegang tot een parkeerplatform. Khan reed de Suzuki een van de vier vakken van een garage in en sloot de deur.

Hij zag drie fietsen met rieten manden in de aangrenzende vakken staan en fronste zijn voorhoofd. Het was altijd makkelijker wanneer Bin Laden alleen was. Er kwamen niet vaak buitenstaanders. Meestal vermomden ze zich als werklieden en bleven ze een groot deel van de dag, om pas na Asr te vertrekken wanneer de straten van de wijk zich vulden met andere arbeiders en bedienden op weg naar huis.

Toch maakte de aanwezigheid van vreemden in het huis hem achterdochtig. Hij zou willen dat hij zijn bezoek kon uitstellen, maar dat zou slechts onnodig wantrouwen oproepen. Van de vloer aan de passagierskant pakte hij twee grote gele plastic tassen met daarin twaalf blikjes cola, verse mango's en abrikozen, en een fles bleekwater.

Met de USB-stick in zijn broekzak liep Khan via een andere sluis van twee hekken de centrale binnenplaats op. Hij had het huis kort na de aardbeving laten bouwen. Aan de buren, die wilden weten waar de hoge muren met prikkeldraad en de beveiligingscamera's goed voor waren, had Khan uitgelegd dat het huis tevens onderdak bood aan zijn oom, een goudhandelaar die extra bescherming nodig had.

Het hoofdgebouw telde drie verdiepingen en besloeg een vierkant van zo'n vijftien bij vijftien meter. Net als de muren rondom het perceel was het huis opgetrokken uit grote bouwstenen die waren gewapend met staal, en die nog verder verstevigd waren met een extra betonlaag, in totaal dertig centimeter dik. Er was geen telefoon en geen internetverbinding.

Khan ging naar binnen via de manneningang op de benedenverdieping, zodat hij niet het risico liep een ongesluierde vrouw tegen het lijf te lopen. Vanbinnen zag het huis eruit als een schuur, zonder opsmuk aan de wanden en zonder overbodig meubilair. Vóór hem was een smalle trap naar boven, via een kleine opening in het plafond.

Rechts van hem hoorde hij stemmen uit de ontvangstkamer komen, het traditionele vertrek voor zaken en gasten dat zich zoals in ieder Arabisch onderkomen van enig belang vlak bij de toegangsdeur bevond. Vanaf het moment dat Khan erin had toegestemd Bin Laden onderdak te bieden, had hij zichzelf aangeleerd om Oost-Indisch doof te zijn.

Maar deze stemmen waren zo luid dat hij ze niet kon negeren. Emotionele stemverheffing kwam hier zelden voor. De werklieden die langskwamen praatten meestal zo zacht dat ze zich naar elkaar toe moesten buigen om zich verstaanbaar te maken.

'Waarom schiet het niet op met de watertunnels?' hoorde Khan een van hen snauwen.

Toen degene tegen wie hij sprak geen antwoord gaf, zei de spreker met de scherpe tong: 'Je zei dat er trouwe aanhangers in de onderhoudsploegen zitten. Hoe moeilijk kan het nu zijn om de antrax te plaatsen?'

'De werkmannen zijn nooit alleen.' Dat was een andere stem, met een uitgesproken Jemenitisch accent. 'We zijn al een man kwijt, moge hij rusten in vrede. De antrax is voor de strijder net zo gevaarlijk als voor zijn doelwitten.'

De eerste stem weer. 'Kunnen we binnen een half jaar op resultaat rekenen? Dat is de grote vraag. En het geld is een probleem, zoals we allemaal weten. De knip is bijna leeg.'

'Ik denk het niet. We zijn aan deze onderneming begonnen in de hoop dat de watertunnel een groot succes zou worden, een aanslag waarbij de overwinning op het World Trade Center in het niet valt als een eenvoudige fietsendiefstal. Maar het lot is ons niet gunstig gestemd geweest.'

Een derde stem, iets verder weg, van een Arabier die niet zijn moedertaal sprak. 'De benodigde hoeveelheid gif is binnen. Bovendien hebben we nu een Shadow 600-drone gekocht van de Roemenen; die staat klaar in Toronto. Dat ding heeft een motor en een tank waarmee het New York, Boston of Philadelphia kan halen vanaf de Canadese grens, onder de radar van de verkeerstorens. Misschien, als Allah het wil, kunnen we zelfs tot Washington D.C komen. De drone is groot genoeg voor een flinke lading die is aangebracht op folders of confetti. Times Square als ze Nieuwjaar vieren. Dat zou het meeste effect hebben.'

Khan faalde jammerlijk in zijn voornemen niet te luisteren. Sterker nog, hij werd zo in beslag genomen door de discussie dat hij Bin Laden niet hoorde, die op blote voeten de trap af kwam.

Bin Laden wachtte altijd tot iedereen aanwezig was voordat hij zich bij een bespreking voegde. Hij liep Khan op de gang tegen het lijf en wierp hem eerst een boze blik toe, waarna zijn lange gezicht wat milder werd. Hij had zijn leven in handen van Khan gelegd, en niet zonder wikken en wegen. Voor Khan stond de meest gezochte man ter wereld, het gezicht van de toorn van 's werelds machtigste kwaadaardige natie.

Wat kon het voor kwaad dat Khan zijn naaste strategen hun plannen hoorde bespreken? Khan had gezworen dat hij zich nog eerder van het leven zou beroven dan dat hij zich zou laten oppakken en martelen. En dat zou hij doen ook, als Allah het wilde.

Bin Laden legde een hand op zijn vriends schouder. Zijn andere handpalm draaide hij naar boven.

Khan glimlachte opgelucht; hij zag het gebaar aanvankelijk aan voor een uiting van vriendschap. Zodra hij zijn vergissing inzag, graaide hij in zijn diepe zak en overhandigde Bin Laden het Lexar-stickje.

'Volkomen veilig, zoals altijd,' zei Khan.

Bin Laden knikte en borg de USB-stick weg in de plooien van zijn gewaad. 'In de keuken zit je fijner,' zei Bin Laden.

Khan knikte en zei 'Dank u wel', waarna hij zich omdraaide en naar de keuken liep. Het was een grote opluchting om te ontsnappen aan de gespannen sfeer in de ontvangstkamer, en hij verheugde zich op een maaltijd voor het middaggebed.

Khan hoorde Bin Laden nog met stemverheffing zijn adviseurs toespreken – 'Jullie begaan stommiteiten in mijn huis! – voordat hij zachtjes de keukendeur dichtdeed en naar de fluitketel op het fornuis liep.

Bin Laden ging voor de mannen staan die in de ontvangstkamer zaten. Ze keken naar hem op als geschrokken studenten die door een imam worden betrapt tijdens een knokpartij.

Bin Laden liep naar zijn zitkussen en nam in kleermakerszit plaats tussen de mannen.

'Jullie verprutsen ons enige doel onder Allah door mislukking op mislukking te stapelen. Ik moet steeds weer dezelfde plannen aanhoren. Ambitie zonder enig resultaat. Bommen hier en bommen daar. Nooit iets origineels, nooit iets intelligents. Jullie zitten allemaal op het verkeerde spoor, vanaf het eerste moment.'

Hij keek hen een voor een aan, wilde iets diep in hun binnenste raken. Want dit was niet zomaar een bestraffende toespraak: hij voelde een enorme afkeer. Hij was kwaad.

'Falen is op de een of andere manier bewonderenswaardig geworden. Hoe kan dat? Iets wat verkeerd gaat, moet rechtgezet worden.' Hij sprak op zachte, neerbuigende toon, alsof hij ongehoorzame kinderen de regels moest uitleggen. 'We hebben ons belangrijkste doel bereikt: de Verenigde Staten ertoe aanzetten moslimlanden binnen te vallen. We hebben ervoor gezorgd dat de vijand langdurige uitputtingsoorlogen is aangegaan. Maar we zijn nog ver verwijderd van ons ultieme doel: het instorten van de wereldeconomie, die wordt beheerst door de Amerikanen, en die te vervangen door een wahabitisch kalifaat, geheel naar Gods regels.

Onze aanval op het hart van het kapitalisme acht jaar geleden was een triomf, niet omdat er drieduizend mensen zijn omgekomen, maar omdat daarmee angst is gezaaid in de harten van het Amerikaanse volk. Want wat zijn nu drieduizend doden op een land met tweehonderdvijfenzeventig miljoen inwoners? Een druppel op een gloeiende plaat. Onze overwinning zat 'm in het neerhalen van een symbool van hun rijkdom, hun kracht en hun prestige. Hun trouweloosheid. We hebben hen verzwakt, niet in aantal, maar in levenskracht. We hebben hun een lesje in nederigheid geleerd.

En wat is er daarna nog gebeurd? Een paar doden bij de aanslagen in Londen? Dat had een stelletje ordinaire gangsters ook gekund. En dan pasgeleden die afgang in New York. We zijn er niet eens in geslaagd om één soldaat van God de metro in te krijgen. In plaats van een harde klap om hen eraan te herinneren dat ze nooit meer rust zullen krijgen, hebben we ze een nieuwe stoot zelfvertrouwen bezorgd. Een nieuwe overwinning om aan het volk te tonen.'

De Jemeniet nam het woord. 'De plannen zijn nu steeds ingewikkelder,' zei hij.

'Jullie zien alleen datgene waarvan zij willen dat jullie het zien. De Amerikanen bewaken hun schatten om te voorkomen dat wij weer zullen doen wat we al een keer hebben gedaan. Door hun beveiliging op de vliegvelden wordt het inderdaad steeds lastiger om succes te boeken met een passagiersvliegtuig. Maar ik vraag jullie: waarom zouden we onszelf herhalen? We zijn niet vernieuwend meer. Als we iets hebben geleerd van de afgelopen tien jaar, is het wel dat we juist doortastender moeten worden in plaats van terughoudender. We hebben de jihad tegen de Amerikaanse overheid uitgeroepen omdat die onrechtvaardig, crimineel en tiranniek was, niet omdat het zo gemakkelijk ging. Dat geldt dertien jaar later nog altijd onverminderd.'

'Met alle respect, mijn beste,' zei een van de anderen, 'de vijand heeft veel geleerd.'

'Dat ben ik niet met je eens. Zij zijn niet degenen die veel hebben geleerd, wíj zijn degenen die te weinig hebben geleerd. Daar heb ik me de laatste tijd in verdiept. Wij zijn onze grootste voorsprong kwijt, namelijk het verrassingselement. In iedere strijd komt er een moment waarop moed en een ingecalculeerd risico het tij keren. Jaren geleden in Afghanistan hebben we een les geleerd, toen we ervoor kozen om duizenden levens te offeren door de Khyberpas af te sluiten voor de Russische bevoorradingskonvooien. Het werkte. Bij het licht van Allah, we hebben ze verzwakt. Langzaam lieten we ze leegbloeden, het werk van duizend bloedzuigers, tot ze zich terugtrokken. Nu hebben we de Amerikanen in dezelfde val gelokt. Ze kunnen geen kant op en bloeden als een rund, en toch weigeren ze nog steeds om afstand te nemen van de levensstijl waarmee ze God beledigen.' Bin Laden haalde een lege hand uit de plooien van zijn gewaad en priemde die beurtelings in de richting van beide mannen. 'We zijn nu aanbeland bij dat punt van de Khyberpas. Vandaag gaan wij uiteen met een visioen van een schitterend succes, en met een goddelijk plan om dat te bewerkstelligen.'

Het bleef een hele poos stil in het vertrek. De man die gebrekkig Arabisch sprak stak een hand op om het woord te vragen. Bin Laden knikte.

'We moeten onze energie richten op een doelwit dat zo'n grote symbolische waarde heeft voor de Amerikanen dat de vernietiging ervan nog generaties lang zal doordreunen.'

Bin Laden knikte weer. Eindelijk had hij er vertrouwen in dat zijn woorden tot hen doorgedrongen waren.

Iemand anders zei: 'Ze wachten op een rechtstreekse aanval van onze kant.'

'Precies. En we moeten ze nooit geven waar ze op rekenen.'

'Maar onze middelen raken op.'

'Reden te meer om uitgekiender en sneller te werk te gaan. We moeten dit economisch aanpakken, anders leren denken. Wat is ons doel? Anwar.'

Anwar, de jongste man, die rechts naast Bin Laden zat, zei: 'Niet het uitroeien van levens, maar het uitroeien van een levenswijze.'

'Een volk.' Bin Laden stak zijn handen weer in de plooien van zijn gewaad. 'We moeten ze aan de leiband meevoeren, dat stelletje honden, en hen manipuleren met behulp van hun eigen zwakte. Hun bestaan is een belediging voor al het goede op aarde. Wat wij nodig hebben, is één enkel doelwit van het allerhoogste belang. Een aanslag die de ziel van de westerse duivel zal aantasten. Onze vijand heeft, in afwachting van een rechtstreekse aanval, een zwaar schild opgetrokken, als een uitnodiging aan ons, dat stelletje dwazen.' Bin Laden rechtte zijn rug. Hij zag het nu glashelder voor zich, alsof hij werd getroffen door een vlaag van goddelijke inspiratie. 'Maar we pakken het anders aan: met een afleidingsmanoeuvre leggen we hun kwetsbaarheid bloot – om vervolgens keihard toe te slaan. Vergeet niet dat een aanval op de enkels net zo fataal is als een aanval op de keel. De reus gaat evengoed tegen de vlakte.'

Mei 2011

VLIEGBASIS RAMSTEIN, DUITSLAND

Officier-vlieger der derde klasse Donnie Boyle draaide al mortuariumdienst sinds het afronden van zijn basisopleiding een jaar eerder. Na onderhandeling met de personeelsman in Boston was hij gelegerd in Duitsland, maar destijds had hij niet eens geweten dat dit soort werk bestond.

In het begin bezorgde de omgang met de doden hem iedere nacht dezelfde akelige droom, waarin de brokstukken van mensenlichamen die hij uit de vliegtuigen vanuit Irak en Afghanistan laadde zich weer samenvoegden tot mannen en vrouwen, die overeind gingen zitten en hem vroegen of ze een sigaretje mochten bietsen. Hij antwoordde dan steevast dat hij niet rookte, wat ook zo was, waarna de lijken weer uiteenvielen en eindigden als een soort groene brij.

Na een maand of wat was Boyle van die dromen af, maar hij vond het nog steeds afschuwelijk werk. Het vrat aan hem als een maagzweer. Twee of drie keer per week landde er een enorme C-17 Globemaster met een lading doodskisten van geborsteld aluminium aan boord. Over elk daarvan was een Amerikaanse, Engelse of Australische vlag gedrapeerd. Lang voordat Boyle op Ramstein kwam, was men daar gestopt met het houden van aankomstceremonies, compleet met groot tenue, een blaaskapel en de militaire groet. Dat was voor alle betrokkenen te zwaar geworden. Tegenwoordig werden de toestellen uitgeladen met een vorkheftruck. Een *vorkheftruck*. Maar wel op respectvolle wijze.

Vanaf het platform bij de landingsbaan werden de doden op een dieplader naar een gekoelde hangar gebracht. Daar namen de forensisch specialisten het over. Na het afleveren hielpen Boyle en de anderen die op de vloer werkten bij het openen van de kisten. Je wist nooit wat je te zien kreeg. Er kon van alles in liggen, uiteenlopend van een man of vrouw die een dutje leek te doen tot iets wat eruitzag als een grote, aangebrande ovenschotel, en alles daartussenin. Soms was er zo weinig van iemand over – geen identiteitsplaatje of gelabeld uniform – dat men in Kabul of Baghdad de identiteit van de dode soldaat niet had kunnen vaststellen.

De belangrijkste taak in Ramstein was uitzoeken wie er was gestorven voor zijn of haar vaderland. Aangezien iedereen die mortuariumdienst had ook kon worden ingezet voor top-secretgevallen, was het makkelijk om Boyle samen met twee anderen in te schakelen wanneer de inboedel van Bin Ladens huis arriveerde. De orders luidden 'NBV': nader bericht volgt. Er werd gefluisterd dat het hooguit drie dagen zou duren.

Drie dagen verlost van de doodskisten. Het kon erger.

De eerste lading uit Pakistan kwam binnen in een volkomen ongemarkeerde Gulfstream; het toestel had zelfs geen staartnummer. De bemanning kwam niet van boord. Het vliegtuig stond in het donker op de baan, helemaal achteraan op de met gras begroeide verhogingen waar vroeger de kernwapens opgeslagen waren.

Binnen een uur landde er een gecamoufleerde C-130 van het korps mariniers, die naar de Gulfstream taxiede. Boyle en de anderen reden erheen met een kar om het uitladen in de bunker te vergemakkelijken.

Van buitenaf zag de bunker eruit als een overblijfsel uit de Tweede Wereldoorlog. Ze liepen naar binnen langs een opbergkast van bijna vijf bij vijf meter; de vloer lag bezaaid met hele bergen kapotte machineonderdelen en aluminiumplaten. Voorbij de rommel was een stalen deur die toegang bood tot een luchtsluis van drie bij drie meter. Aan de buitenwanden van het vertrek hingen witte schildersoveralls, mondkapjes en korte laarsjes aan haken. Boyle trok een overall en laarzen aan en pakte een paar blauwe latex handschoenen uit een doos. Een vervelend klusje, maar dat was het openmaken van lijkkisten ook.

Hier geen vorkheftrucks. Boyle en de twee andere mannen werkten als verhuizers en sloegen zich door de lange dag heen met het verslepen van verzegelde kratten, dichtgetapete kartonnen dozen, stalen koelboxen en een eindeloze hoeveelheid zakken stenen en zand. Telkens wanneer ze naar binnen gingen, moesten ze zich omkleden; bij het verlaten van de ruimte moesten ze zich weer ontdoen van de overall, mondkapjes, handschoenen en laarzen.

Het vertrek achter de luchtsluis was niet wat Boyle ervan had verwacht toen hij de met gras bedekte bunker van buitenaf zag. Het was een schone, helderverlichte ruimte van zo'n vijftien bij vijftien meter, met in het midden een batterij computers en tegen de witte stalen wanden diepe opbergrekken. Het deed Boyle denken aan een mortuarium voor spullen.

Loodrecht op de wandrekken stonden metalen tafels, met op elk daarvan een laptop en een blad met instrumenten. Scalpels, scharen, tangen, stapels plastic zakjes, vergrootglazen, blikken en buisjes met vloeistof en een ontledingsmicroscoop. De airconditioning was ingesteld op achttien graden. De kunstmatig koele lucht deed pijn aan zijn keel, en door het gestage gebrom van de blazers kreeg hij het gevoel dat hij zweefde of zich onder water bevond.

Twee bewakers in veldtenue met baretten op hielden de wacht, ieder gewapend met een M16; om het kwartier maakten ze radiocontact via hun microfoons. Het uitladen duurde acht uur. Na afloop werden de toestellen bijgetankt en taxieden ze weg. Ze maakten rechtsomkeert na het opstijgen en verdwenen in de regenachtige nacht boven Duitsland.

Toen Boyle en de anderen hun laatste flesje Gatorade leegdronken, verscheen er een officier, die hun het bevel gaf te vergeten wat ze zojuist hadden gedaan. De volgende ochtend moesten ze zich melden om het een en ander van en naar de bunker te vervoeren. De officier vertelde er niet bij van wie de opdracht afkomstig was.

'Wat jullie hier gaan bekijken is zonder enige twijfel de grootste vangst in de geschiedenis,' zei Dennis Geeseman.

Hij stond op het briefingpodium van de eskadercommandant met een dikke dossiermap onder zijn arm, tegenover vier mannen en twee vrouwen die verspreid in de pilotenkamer op zwartleren relaxfauteuils zaten. Het was even na middernacht. Geeseman had dertig uur niet geslapen, maar de taak die voor hen lag pepte hem op en hij draaide puur op adrenaline – net als vroeger. Hij zag er fit en fris uit in zijn blauwe pak met wit overhemd en lavendelkleurige stropdas. Hij was de hoogste FBI-man in het team Bewijsmateriaal van de Joint Terrorism Task Force. Hij had de leiding.

'Ik zal iedereen even kort voorstellen.' Geeseman sloeg de dossiermap open, pakte het bovenste vel papier eruit en las voor: 'Ellen Bonner van de forensische dienst.'

Geeseman wachtte tot een vrouw van halverwege de dertig op de voorste rij, in ruimvallende reiskleding, haar hand opstak.

'Agent Bonner draagt zorg voor de DNA-afname en de voorlopige categorisatie van biologische en niet-biologische monsters. En… Phil Elliott van de Defense Intelligence Agency?'

Elliott kwam half overeind en zwaaide kort. Hij had kleine, pientere oogjes.

'Elliott neemt de digitale kant voor zijn rekening: alles wat er in dat huis is aangetroffen evalueren, lezen en de zaken eruit pikken waarmee we de benodigde verbanden kunnen leggen. Jeanne Cadogan van Central Intelligence Science and Technology ontleedt de huishoudelijke apparaten.'

Aangezien Cadogan de enige andere vrouw onder de aanwezigen was, ging ze niet staan en stak ze geen hand in de lucht.

'Plus, kleding, kookgerei en verder alles wat zou kunnen verwijzen naar andere locaties en personen,' vervolgde Geesman. 'Jerry Fisk van...'

'Jeremy,' onderbrak Fisk hem.

'Jeremy Fisk,' verbeterde Geeseman zichzelf, waarbij hij zijn hoofd enigszins schuin naar links hield, alsof hij wilde zeggen: Man, wat maakt dat nou uit. 'NYPD, afdeling Intel. Hij zal Phil en Jeanne bijstaan als vertaler. Verder gaat hij op zoek naar namen die al zijn gelinkt met lopende zaken in New York en Londen. Hij heeft in beide steden gewerkt, de twee belangrijkste doelwitten, zoals iedereen hier wel weet. En last but not least Barry Rosofsky en Devon Pearl.'

Geeseman gebaarde naar twee mannen die eruitzagen alsof ze door een castingbureau waren gestuurd voor de rol van computerhacker. Rosofsky was de mollige, Pearl de uitgemergelde bleke, beiden in spijkerbroek en T-shirt, allebei met een schuchter lachje. Geen oogcontact.

'Ze zijn van de NSA en komen hier diskdrives en cd's analyseren en catalogiseren, al het digitale spul dat binnen bereik van Bin Laden is geweest.'

Geeseman keek op. 'Zoals jullie weten: ik ben Dennis Geeseman van de FBI. Ik heb de supervisie en spring bij waar jullie me nodig hebben. Mijn Arabisch is redelijk, Fisk, dus mocht je achteropraken, dan kan ik je helpen. We gaan als volgt te werk. In de bunker hebben we geen administratieve ondersteuning, geen hulp van buitenaf. Jullie voeren je eigen bevindingen in op de laptops. Anderson en Storch daarginds' – Geeseman wees naar twee geüniformeerde mannen van de luchtmacht die achter in het vertrek tegen de muur stonden – 'zullen assisteren bij de communicatie en technische zaken. We nemen contact op met Fort Meade en Langley als we op iets dringends stuiten, via het communicatiestation aan de andere kant van de basis. Verder zijn er koeriers beschikbaar voor uitgaande berichten. Voor deze klus zijn er geen communicatielijnen beschikbaar in de bunker. We zijn van de buitenwereld afgesloten, om voor de hand liggende redenen.

Ga op zoek naar opvallende zaken, onverwachte vondsten, achtergrondinformatie zoals namen, locaties, data of lijsten,' zei Geeseman; om het belang ervan te benadrukken, herhaalde hij de opdrachten nog een keer. Je kon nooit te veel communiceren, dat was een dure les die hij had geleerd. 'In grote lijnen zoeken we alles wat ons op het spoor zou kunnen brengen van nog lopende, actieve plannen. We weten niet in hoeverre de boel gecodeerd is. Uiteraard rekenen we niet op een keurig lijstje met namen van terroristen of hooggeplaatste Al Qaida-leiders... maar je weet nooit, er gebeuren wel gekkere dingen. Er zal wekenlang heel veel aandacht voor deze spullen zijn, maar wij mogen het cadeautje als eerste uitpakken. Dit is hét moment. Laten we er in vredesnaam voor zorgen dat we ons niets belangrijks door de vingers laten glippen, want dan zouden we ons over een paar weken allemaal flink beroerd voelen. Denk erom: een snelle wraakactie is niet uitgesloten. Die lui staan niet bepaald bekend om hun vergevingsgezindheid, en wij hebben ze behoorlijk pissig gemaakt.

We zullen hier minimaal twee dagen bezig zijn, misschien wel twee keer zo lang. Als je wilt slapen: er is voor iedereen een kamer van een van de officieren. Buiten voor de bunker staan wagens, mochten we die nodig hebben. Eten wordt gebracht, maar als je iets anders wilt, kan het nooit kwaad om daar gewoon om te vragen. Die jongens hier grijpen ieder excuus aan om naar Kaiserslautern te hollen, mocht je iets geks willen dat wel verkrijgbaar is, en verder staan er morgenvroeg mannen klaar om alles te halen wat jullie nodig hebben. Bij ons is het nu pas zeven uur 's morgens, dus ik neem aan dat iedereen gelijk aan de slag wil. Vragen?'

'Hoe sorteren we het spul?' vroeg Cadogan, die de formaliteiten van de briefing had laten varen en op conversatietoon sprak. 'En wie krijgt wat als eerste?'

'Het is geen wedstrijd, onthoud dat alsjeblieft. De kratten zijn genummerd door het follow-upteam nadat de SEALS het lijk daar hadden weggehaald. We hebben dus grove categorieën, min of meer op de gok aangebracht. Op elk krat staat een nummer dat correspondeert met het deel van de inventaris dat ieder van jullie krijgt toegewezen in de bunker. De SEALS hebben de kratten met disks, drives en computers al gemarkeerd, dus Rosofsky en Pearl, daar kunnen jullie meteen mee beginnen. We hebben een hoop rotzooi meegenomen uit een kuil op het terrein waar hun vuil verbrand werd, dus misschien kun jij daarmee beginnen, Bonner. Hopelijk hebben we mazzel met het genetische materiaal. Of het computerspul. Verder pak je gewoon datgene waarvan je denkt dat het binnen je specialisatie valt. Mocht je na opening zien dat dat niet het geval is, geef het dan gerust uit handen – als je er maar voor zorgt dat het naar de juiste persoon gaat. En maak je niet druk om de interne hiërarchie – daar mogen degenen die na ons komen zich mee bezighouden.'

De nawerkende adrenaline van de haast om de Lufthansa-vlucht naar Frankfurt en de helikopter naar Ramstein te halen, en de enorme opwinding na de dood van Bin Laden hield iedereen aan de gang in de bunker. Samen vormden ze een dreamteam van recherchevaardigheden en talent, de besten van het land in hun vak, maar aanvankelijk klonken ze als een stelletje kinderen die Cluedo speelden. Om de paar minuten werd het gestage geluid van de airconditioning overstemd door een verraste kreet na een ontdekking.

'O, jongens, kijk nou eens,' zei Elliott. Hij hield een gebonden zwarte agenda omhoog, met een eenvoudige elastieken band eromheen. 'Hij had een fucking Day-Timer. Een Day-Timer. Mijn moeder had er ook zo een.' Hij trok het elastiek los en sloeg de bladzijden om. 'De aantekeningen zijn niet in een bestaande taal, maar daar kan het codeteam van Meade zich mooi op uitleven.'

Naar het kopieerapparaat ermee.

Een paar minuten later: 'Een van zijn vrouwen heeft de afgelopen maanden geshopt in Thailand – of ze heeft dit gekregen van iemand die daar is geweest,' riep Cadogan, en hij hield een ivoorwit zijden hemdje omhoog. 'Het label is gloednieuw, geen wasvlekje te zien. Hoe hebben ze haar in godsnaam het land in en uit gekregen?'

Bonner werkte in stilte: hij verzamelde uitstrijkjes, losse stukjes en andere monsters van glaswerk, conservenblikken, opscheplepels, kammen, vormeloze restjes zeep en de inhoud van twee kleine plastic pedaalemmertjes uit de badkamer. Op zeker moment voegde hij zich bij de algehele opwinding en riep: 'Ik heb bloed, ik heb sperma, ik heb haar. Er is hier zo veel dat we na het sorteren en het aanleggen van monsters iedereen kunnen identificeren die ooit één voet in dat huis heeft gezet.'

Rosofsky en Pearl werkten tegenover elkaar aan computers die rug aan rug stonden. Al muisklikkend en typend verluchtigden ze hun eigen concentratie met gebabbel over 'zevendegeneratiegameconsoles', de Nintendo Wii versus PlayStation 3. De eerste USB-sticks die ze kopieerden gaven al een algemeen beeld. Uit onderzoek voor de inval was gebleken dat Bin Ladens huis geen elektronische link had met de buitenwereld, inkomend noch uitgaand. Hij had zich beroepen op een koerier voor de aanvoer van nieuws en de verslagen van aanhangers, en voor vermaak.

Maar hij had toch op de een of andere manier zijn bevelen moeten doorgeven aan de Al Qaida-cellen, en hij had geheime informatie van buitenaf moeten ontvangen. Een van de dingen die ze na tien jaar speurwerk hadden vastgesteld over Bin Laden was dat hij de kleinste details van alle plannen nauwlettend bijhield, waar ook ter wereld, inclusief de aanslagen op de metro in Londen, op het USS Cole en de eerste bomaanslag op het World Trade Center. Dus moest het team nu op zoek naar informatiedragers die in iedere computer of andere moderne elektronische apparatuur gebruikt konden worden.

Rosofsky en Pearl bekeken alle cd's en USB-sticks op zoek naar voor de hand liggende zaken als tijdschema's, plattegronden en namen: alles waar ze later iets aan konden hebben wanneer ze zich op complexer digitaal terrein begaven.

Ze bekeken vluchtig de gedownloade nieuwsuitzendingen, in vele waarvan OBL persoonlijk een verklaring aflegde na een aanslag. Ze troffen ook een map aan met oefentirades, hetgeen eigenlijk neerkwam op een reeks terroristenbloopers. Er zaten allerlei documenten tussen, zowel tekstbestanden als pdf-scans van handgeschreven bladzijden, maar ogenschijnlijk geen spectaculaire vondsten. Fisk en Geeseman kregen de Arabische documenten aangereikt en lazen wat ze konden. Het waren datacompilaties van tientallen steden, grotendeels letterlijk overgenomen van bronnen als het *World Factbook* van de CIA en Wikipedia, alsof het terroristische boekverslagen waren.

In niets van dat alles waren toespelingen te vinden op een specifieke aanslag of een specifiek doelwit – en dat hadden ze ook niet verwacht. Informatie die zo makkelijk te vergaren was zou onmiddellijk als verdacht zijn aangemerkt.

Ze namen nummers van *Time, The Economist,* de *New York Times,* de

London Times, The New Yorker, Wired, en *USA Today* van twee en drie jaar geleden door. Ze zochten specifiek naar afwijkingen in het zetwerk of binnen de tekst – naar verborgen boodschappen.

Nadat ze een paar uur hadden doorgewerkt zonder dat het iets had opgeleverd, legden ze het werk even opzij. Pearl opende een nieuwe map op zijn scherm. 'Het moet 'm in de plaatjes zitten,' mompelde hij.

'Mee eens,' zei Rosofsky, die tegenover hem zat te knikken alsof zijn hersenen in beweging moesten blijven om te kunnen luisteren.

'Dan zul je het ook met me eens zijn dat Mario een eindbaas is, stukken vetter dan die hele Sonic, voor altijd en eeuwig, van hier tot in de onsterfelijkheid.

'Ik geef toe dat de Wii een fantastische console is. Voor kinderen van zes die alles eng vinden.'

'Ik begin met de porno,' zei Pearl, die alweer zo in zijn werk opging dat de steek onder water hem ontging. De eerste plaatjes verschenen op zijn scherm.

Toen de woorden voor zijn ogen begonnen te dansen, kneep Fisk ertussenuit voor een pauze. Hij liep naar de basis, haalde een Twix uit de snoepautomaat en ging bij de telefoons voor zich uit zitten staren terwijl hij chocolade, karamel en koek tussen zijn kiezen vermaalde. Toen hij zich weer wat scherper voelde, stond hij zichzelf één telefoontje toe. Nadat hij het tijdverschil met New York had uitgerekend, zette hij desondanks een headset op en toetste het nummer in.

Na twee keer overgaan werd er opgenomen. '*De condor flies at midnight,*' zei Fisk met een overdreven Duits accent.

'De nummermelder gaf "Duitsland" aan,' zei Krina Gersten. 'Ik verwachtte bijna de bondskanselier aan de lijn te krijgen.'

'Alles klinkt net iets spannender met een Duits accent, vind je niet?'

'Ik hoor het al, je hebt hard gewerkt.'

Op een vrijdagavond ruim een half jaar eerder, na een lange aanloop van flirten en ontkenning, was het onvermijdelijke gebeurd. Ze waren laat teruggekomen na een dag bagageafhandelaars verhoren op JFK in verband met een zoekgeraakte lading magneetschakelaars, van het type dat uiterst geschikt was om met vertraging een bom te laten afgaan. Ze waren samen met de trein teruggegaan, om niet in de spits een taxi te hoeven nemen. Er was niet veel gebeurd op de terugweg: ze waren allebei moe geweest, en na de lange rit moesten ze nog overstappen op een drukke metro. Ze stapten uit op Grand Central, aangezien ze allebei aan de oostkant van Manhattan woonden. Pas toen ze klikklakkend over de zwart-witte tegels van het enorme treinstation liepen, had Fisk plotseling ingehouden en haar met opgetrokken wenkbrauwen aangekeken, om met die ene blik een omweg voor te stellen.

Ze verlieten de Oyster Bar als laatsten, na twee flessen Australische riesling, meerdere dozijnen oesters, een portie sappige krabkoekjes en hun tot dan toe onverteld gebleven levensverhalen. Buiten stond een taxi klaar alsof die al die tijd deel had uitgemaakt van hun plannen. Op de achterbank hadden ze hand in hand gezeten en Gersten had haar hoofd op Fisks schouder gelegd; zo reden ze beneveld en in stilte naar Fisks driekamerflat in Sutton Place.

Eenmaal binnen, zodra de deur dicht was en praten weer toegestaan leek, vroeg Gersten na een blik om zich heen: 'Rijke ouders?'

'Ja,' zei Fisk. 'En ik verdien bakken met geld als internationale gigolo.'

Ze knikte lachend. 'Wie maakt hier nou de grootste fout?' vroeg ze terwijl ze haar schoenen uitschopte en tegen de muur leunde. 'Ik, hè? De vrouw is altijd de pineut.'

'Dat moet je niet zeggen. Ik wil niet dat je iets doet waar je spijt van krijgt.'

Ze keek hem aan met één oog half dichtgeknepen, alsof ze hem bestudeerde door een landmeetinstrument. 'Dat is precies wat je op dit moment hoort te zeggen.'

'Zeg, ik ben zelf ook *profiler*, weet je nog?' zei Fisk. Toen hij zijn jasje uittrok, belandde er een handvol kleingeld op het aanrecht. 'Maar ik heb wel degelijk bijbedoelingen.'

'Wanneer wist jij het?' vroeg ze.

'Wist ik wat?'

Ze wees met haar vinger tussen hen beiden heen en weer. 'Dit.'

'Wanneer?' Hij trok zijn koelkast open en bukte om erin te kijken. Hij kwam omhoog met twee flesjes Amstel Light en liep naar de kast om een pak crackers te zoeken, vast voedsel, iets wat vulde. 'Moeilijk te zeggen. Maar één ding weet ik wel: het allereerste moment dat we elkaar zagen zie ik nog voor me als de dag van gisteren. Toen had je van die happen uit je haar.'

'Dat vond je leuk.'

Ze stond nu vlak achter hem. Hij rechtte zijn rug en draaide zich om. Het keukentje was overvol. Gersten leek kleiner dan daarnet, en toen herinnerde hij zich dat ze haar schoenen had uitgeschopt. Hij kreeg er een stijve van. 'Op dat moment was er al een bepaalde spanning, maar toen wisten we allebei dat het geen goed idee was, dus hebben we al die maanden verspild aan onze zogenaamd professionele opstelling.'

'Zogenaamd,' zei ze, en ze likte een achtergebleven korrel oesterzand van haar lip.

Fisk hield de flesjes Amstel omhoog, maar ze schudde het hoofd.

'Wc,' zei ze.

Hij wees.

Ze ging.

Hij zette de flesjes neer en wachtte.

Ze kwam terug. Hij was bang dat de betovering verbroken was, dat ze zich uit de voeten zou maken na het bekende gesprek in de spiegel. Ze zou iets met hem afspreken voor morgen en dan afzeggen per sms, hem maandagmorgen op het werk ontlopen, haar blik afwenden zodra ze hem zag en doen alsof deze avond er nooit was geweest.

Maar ze kwam bij de ingang van de keuken staan, onaangedaan door het feit dat hij zich niet had verroerd in de tijd dat ze weg was.

'Mondwater,' zei ze.

Fisk dacht er even over na. 'Op, denk ik,' zei hij toen.

'Ach, nou ja.'

Ze liep niet weg. Hij ook niet. Goed teken.

'Zeg, luister eens,' zei Fisk, 'ik kan heel goed geheimen bewaren. Dat is min of meer mijn werk.'

'O ja?' Ze bestudeerde overdreven onderzoekend zijn plafond. Wat was ze aantrekkelijk wanneer ze uit haar evenwicht was. Waarschijnlijk kwam dat doordat een groot deel van hun werk juist een enorme balans vereiste. Het was leuk en gevaarlijk en sexy om haar zo te zien. 'Dat is ook toevallig.' Ze streek een plukje haar uit haar ogen. 'Ik ook.'

'Geheime operaties,' zei hij.

Ze knipoogde en drukte een vinger tegen de zijkant van haar neus. 'Precies.'

Hij dacht even na over een naam voor deze onderneming. 'Operatie Vrijdagnacht,' zei hij toen.

Ze schudde haar hoofd. 'Te bot. Waar zie je me voor aan?'

Hij dacht weer even na. 'Operatie Klassevrouw.'

'Beter. Je wordt al warmer.' Ze verplaatste haar gewicht van de ene kousenvoet op de andere. 'Dit is een fijne mengeling van goed en fout.'

Hij knikte. 'Van zuur en zoet.'

'Deze plek is ook goed. Op de drempel. Dit moment wil ik vasthouden.'

'Ik niet,' zei hij.

'Ik wil meer over je weten,' zei ze. 'Voor mij hoort dit daar ook bij.'

'Absoluut,' zei hij. 'Voor mij ook.' En toen, omdat hij niet het gevoel had dat hij haar had overtuigd, voegde hij eraan toe: 'Ik zou nu zo'n beetje alles zeggen om de avond maar niet te laten eindigen, dat zeg ik eerlijk. Maar ik wil je er wel aan herinneren – even onderstrepen, zodat je het weet – dat dit niet vanavond is begonnen. Voor mij niet. En daarom zal het sowieso vanavond niet eindigen, wat er ook gebeurt.'

Ze knikte en liet zijn woorden tot zich doordringen. 'Onze wegen kruisen elkaar hier, maar verdwijnen niet in de verte – afgesproken?'

Hij liet haar woorden bezinken terwijl ze daar met haar schouder tegen de deurpost geleund stond. 'Verdomd diepzinnig,' zei hij toen. 'Waar heb je die vandaan? Da's een goeie.'

'Blijven we hier staan of heb je misschien ook een slaapkamer?'

'Ik heb een slaapkamer.'

Daar gingen ze. Al het andere verdween. Het werd stil en ze werden serieus. Ze gingen volledig in elkaar op.

Geen kunstlicht in de kamer, alleen de nachtelijke stad die door de open jaloezieën naar binnen scheen. Gefluister en trage, behoedzame bewegingen, waarbij de een naar de ander keek.

Het werd heftiger. Strelen ging over in knijpen, het gestage ritme in harde stoten.

'Godverdomme, Gersten,' zei Fisk toen ze opeens wijdbeens op hem kwam zitten.

Ze neukten wild, uitzinnig, ruw zelfs. Haar strakke sportschoollijf op zijn lichaam, haar haar dat langs zijn gezicht streek. Zijn handen die haar heupen omklemden. Het was bijna een gevecht, alleen moesten er twee winnaars uit de strijd komen.

Hij keek naar Gerstens gezicht in de schaduwen van de stadsnacht. Hij voelde haar vingertoppen in zijn schouders klauwen en keek toe hoe ze zich verloor, alle remmingen losliet, kreunend. Het eindigde met het beuken van het hoofdeinde van het bed tegen de muur... en toen stilte.

Hij werd wakker van een sirene vier verdiepingen onder hen in East Fifty-fifth, niet van het zonlicht. Hij kneep zijn ogen tot spleetjes en zag haar toen tegen de muur bij de deur op de vloer zitten, gekleed in een van zijn sportbroekjes en een hemd met V-hals. Ze zat in kleermakerszit op haar telefoon te kijken, met haar haar voor haar ogen. Naast haar op de grond stond een glas water.

Ze hadden allebei een kater, maar waren ook gelukkig: het zuur en het zoet.

Pulp-tv werd hun aandachtspunt die dag, omdat ze geen van beiden als eerste een belangrijk gesprek wilden beginnen.

'Heb jij vandaag iets?' vroeg Fisk haar.

Ze keek aandachtig naar de televisie, inmiddels opgekruld op zijn bank, met een kussen onder haar opgetrokken linkerbeen en haar kin op haar blote knie. 'Ja,' zei ze, maar haar ogen brachten het niet overtuigend. 'Er zijn wel wat dingen die ik vandaag zou kunnen doen...'

'Ik wil je niet weg hebben,' zei hij. 'Eigenlijk hoopte ik juist dat je misschien kon blijven.'

Ze tilde haar kin van haar knie en keek hem aan. Een profielschets: meende hij het?

'Er is één ding dat je moet weten,' zei ze tegen hem. 'Ik heb mezelf bezworen nooit iets te beginnen met een politieman, en daar heb ik me altijd aan gehouden. Nooit van z'n leven.'

Fisk schokschouderde. 'Wie zegt dat we iets met elkaar beginnen?'

Ze kneep haar ogen half dicht en vatte de grap op zoals die was bedoeld. Fisk zag dat ze een gouden replica van een rechercheurspenning om haar hals droeg, zo groot als een muntstuk van tien dollarcent, aan een eenvoudig glad kettinkje.

'Van je vader?' vroeg hij.

Ze knikte en raakte de hanger even aan met haar wijsvinger. 'Zijn penningnummer, zes vier drie twee. Ik heb het van mijn moeder gekregen bij de diploma-uitreiking van de politieschool. Ik doe alles af en uit, maar dit nooit.'

Fisk trok voorzichtig het kussen onder haar gebogen been vandaan. 'Laat eens kijken,' zei hij.

'Mis je me?' vroeg hij nu, vele maanden later, via de beveiligde telefoonlijn van Ramstein.

'Het is niet te doen,' zei ze luchtig, in een combinatie van overdrijving en oprechtheid. 'Is alles goed daar?'

'Je weet hoe het gaat, de FBI heeft de touwtjes in handen. Ze kunnen mijn bloed wel drinken, maar ze hebben me nodig. En Geeseman is nog steeds tweederde eikel, eenderde kapsel.'

'Waarschijnlijk luistert hij alle gesprekken af. Dat je het even weet,' zei ze. Gersten woonde nog bij haar moeder, maar ze sliep bijna iedere nacht in Sutton Place, zelfs wanneer Fisk er niet was. 'Ik wou dat ik erbij kon zijn. Het is een topzaak, mazzelaar. Bin Laden! En ik mag morgen weer het vuil oprapen dat een stel omhooggevallen moslimstudentjes op de universiteit heeft achtergelaten.'

Fisk glimlachte. 'De moslimbaard is het nieuwe sikje: helemaal hip. Is de kraan al gerepareerd?'

'Nee, lukte niet. Ik heb een briefje afgegeven bij de huismeester.'

'Luilak.' Hij onderdrukte een geeuw.

'Het is jouw kraan.' Hij hoorde de glimlach in haar stem. 'Zeg, je vermoeidheid is hoorbaar en ik wil dat je weer aan de slag gaat. Zorg maar dat je iets belangrijks vindt, held van me.'

'Ik doe mijn best.'

'Als je thuiskomt, zal ik je eens flink debriefen.'

'O!' zei hij lachend. 'Wil je iets voor me doen? Zeg dat nog eens met een Duits accent?'

Fisk trok zijn beschermende kleding weer aan en liep via de luchtsluis terug naar de bunker waar het forensisch onderzoek plaatshad. Pearl en Rosofsky waren niet weg geweest; ze zaten achter hun computers, waarop een montage van vier pornofilms per scherm te zien was. Een duizelingwekkende vertoning van de eenentwintigste-eeuwse belichaming van de menselijke paardrift trok met vier frames per seconde aan hen voorbij.

'Leren jullie ervan, jongens?' vroeg Fisk, die over Pearls schouder meekeek.

Pearl zei: 'Ik ben al jaren immuun voor dat soort beelden.'

'Zou je er dan inmiddels aan toe zijn om het te proberen met een vrouw van vlees en bloed?'

'Dat komt misschien nog wel,' grapte Pearl. Hij leunde achterover en sloeg zijn armen over elkaar zonder ook maar één moment zijn blik af te wenden van de lichamen op de monitor.

'Zijn er patronen in te ontdekken?'

'Dit zijn duidelijk willekeurige films. Een patroon? Dat zou ik niet durven zeggen. Alleen een psycholoog kan vaststellen waar de grote Bin Laden op geilde, en wat hem in gecodeerde boodschappen is toegezonden. Maar ik kan je gelukkig melden dat het besnuffelen van OBL's ondergoed geen deel uitmaakt van mijn takenpakket.'

'Jij snuffelt alleen aan harddisks.'

'Juist.' Pearl wees naar rechts. 'De disks liggen bij Geeseman op tafel. Baardmans gebruikte in ieder geval stegano om informatie door te geven.'

'Dacht ik al,' zei Fisk.

Stegano of steganografie stond voor 'geheime schrijfkunst'. Een oud voorbeeld van spionnenpraktijken was een boodschap geschreven met citroensap tussen de regels van een onschuldige brief; het citroensap kleurde bruin wanneer het papier verwarmd werd. In het digitale tijdperk las de computer de binaire code van een afbeelding en werden symbolen vertaald naar complexe plaatjes. In zo'n bestand kon een boodschap worden verstopt worden door de kleur van bijvoorbeeld iedere duizendste pixel aan te passen, corresponderend met een bepaalde letter van het alphabet, en die vervolgens te verzenden. De verandering van de afbeelding was zo minuscuul dat die onzichtbaar was voor mensenogen. Als de toeschouwer niet van het bestaan van de boodschap op de hoogte was, was die vrijwel onmogelijk te vinden tussen de talloze afbeeldingen op iemands computer.

Vier jaar na 9/11 had de National Security Agency, de NSA, de vijfentwintigjarige Devon Pearl in dienst genomen nadat hij was betrapt op het hacken van hun systeem. Pearl had een handleiding voor terroristen gelezen die was aangetroffen in een *safe house* van de taliban in Afghanistan. Die handleiding bevatte een paragraaf met de titel 'Gecodeerde communicatie en het verbergen van geheime boodschappen in afbeeldingen'.

Pearl was daarbij tot de ontdekking gekomen dat er bij de NSA geen specialisten in digitale steganografie waren, dus had hij zich erin gespecialiseerd. Eind 2006 had hij de eerste praktische zoekmachine ontwikkeld voor de opsporing van digitaal beeldmateriaal dat codeafwijkingen bevatte die duidden op de aanwezigheid van verborgen steganografische berichten. Pearls opsporingsprogramma – hij was inmiddels toe aan de zevende versie – kon ruwweg duizend stilstaande beelden per minuut doornemen. Voor video gold een verwerkingstijd van één minuut voor vijf minuten beeld, afhankelijk van de mate van complexiteit. Het programma leverde een lijst van versleutelde bestanden al hadden ze maar één afwijkend pixeltje. Vervolgens werd er een ander programma op gezet om de gewone aangetaste bestanden – door slechte transfers – te scheiden van de systematisch gemanipuleerde.

Het was nu mogelijk om platte tekst of miniprogramma's te coderen binnen foto's of filmpjes waarmee je een harddisk kon laten crashen. Een potentieel geval van binnenlands terrorisme het jaar daarvoor bleek uiteindelijk een fout kerkgenootschap te zijn, met fundamentalistische christenen die steganografie toepasten in homoporno, als aanval op de computers van mensen die in de ogen van hun kerk 'zondig' waren. Leden van een Al Qaida-cel die een jaar eerder in Milaan waren opgepakt, bleken niet alleen de gebruikelijke collectie porno op hun telefoons en computers gedownload te hebben, maar ook tientallen screenprints van eBay-sites waar luiertassen, tweedehands auto's, meubels en Hummelbeeldjes verkocht werden. Dat alles maakte deel uit van een ingewikkeld *file-sharing* communicatienetwerk van terroristen die meeliftten op legitieme internetsites.

Pearls stem volgde Fisk naar Geesemans labtafel. 'We hebben nog niet veel, maar als we het beeldmateriaal bijstellen, blijft er soms bruikbare tekst over. Nog geen keiharde aanwijzingen, maar het is duidelijk dat ze druk bezig zijn geweest.'

Fisk pakte het dunne stapeltje prints op en bladerde door de afbeeldingen van New York; niet zo verrassend, want ruim vijftig procent van het beeldmateriaal dat werd onderzocht in het NSA-hoofdkwartier in Fort Meade betrof de Big Apple. De stad was een internationale terroristenobsessie geworden. Daarmee vergeleken was ieder ander potentieel doelwit in de Verenigde Staten kruimelwerk.

Maar hier betrof het typische ansichtkaartafbeeldingen. Commerciële foto's. Geen surveillancemateriaal dat met een handcameraatje was gefilmd.

Geeseman kwam naar hem toe, misschien uit angst dat Fisk ergens aan zou komen op zijn labtafel. 'Opgeknapt van je pauze?' vroeg Geeseman.

Fisk onderdrukte een geërgerde blik. Geeseman was een stiemeke roker die het niet langer dan twee uur volhield in de bunker. Hij en Geeseman hadden een puur professionele relatie. Fisks reputatie in New York als regelovertreder was hem dus vooruitgesneld. 'Ik ben lekker even de jacuzzi in gedoken en heb een massage genomen, en nu voel ik me fantastisch.'

'Ik zie dat je de eerste scans hebt gevonden.'

'Zo te zien boekt de wondertweeling vooruitgang. En hoe zit het met de anderen?'

'Die werken traag maar gestaag door. Bonner, Elliott en Cadogan zitten tot over de oren in de mooiste vondsten, maar veel kunnen we er niet mee. De rest van de dag gaan ze catalogiseren voor de forensische dienst. Morgen rond deze tijd komt er een C-17 om de boel op te halen. Het hele spul gaat naar Dover en wordt dan verdeeld onder de verschillende afdelingen. Het merendeel zal wel bij Meade en Langley terechtkomen.'

Fisk zwaaide met de New York-foto's. 'En bij Intel.'

'Uiteraard,' zei Geeseman.

Geeseman liep door, maar Fisk bleef zich bezighouden met de scans en bladerde door de laatste pagina's. De foto's waren per zes afgebeeld, ongeveer zoals de dossierfoto's bij de politie, en Fisks blik ging naar de bloemen. Drie verschillende plaatjes van zonnebloemen. Een ervan, een boeket in een vaas, herkende hij uit een boek van het Museum of Modern Art dat hij thuis op de salontafel had liggen. De andere twee waren soortgelijke postimpressionistische schilderijen; als ze niet eveneens van Van Gogh waren, waren ze goed gejat.

Maar de kleurenkopieën leken op de een of andere manier fletser dan de scherpe stadszichten van New York. Alsof het tweede- of derdegeneratiescans van geprint materiaal waren.

Fisk riep naar Geeseman: 'Hé! Had OBL een tuin?'

'Een wat?'

'Die foto's van zonnebloemen.'

Geeseman kwam teruggelopen om te kijken. 'Hij of zijn vrouwen hadden een groentetuintje bij het dierenverblijf. Onberispelijk onderhouden.'

'Alleen groente?'

Geeseman pakte een laptop en scrolde naar de beelden van het terrein. 'Kijk zelf maar.'

Fisk zoomde in. 'Onberispelijk' was het juiste woord. Maar nergens snijbloemen te zien.

Geeseman stond al naast Pearl. 'Foto's van bloemen?'

'Flower power,' zei Pearl, terwijl zijn vingers over het toetsenbord ratelden en sneller tekst produceerden dan Fisk kon lezen.

Het ene venster met afbeeldingen na het andere werd geopend.

'Kijk eens aan,' zei Pearl.

Rosofsky stond op uit zijn stoel en keek over de rand van de computer tegenover hen. Hij deed de oortjes van zijn koptelefoon uit, zodat blikkerig het geluid van parende mensen hoorbaar werd.

'Shit,' zei Pearl; zijn aanslagen op de toetsen werden staccato terwijl het gezoem van de tot leven gewekte printer door de bunker gonsde. 'Ik heb me laten afleiden door al die blote tieten. Ze stoppen hun stegano altijd in de porno. Zonnebloemen, krijg nou wat.'

Fisks blik flitste over de venstertjes die op het scherm verschenen. 'Wat zien we hier?'

'Oké,' begon Pearl, als een docent op de eerste dag van de cursus 'Steganografie voor beginners'. 'De truc is dat zowel de verzender als de ontvanger van een code of een verborgen boodschap in een afbeelding moet weten waar hij moet zoeken. Ze hebben de combinatie nodig. Nu verstuurden OBL en zijn hulpjes beslist een hoop informatie via die pornobestanden, en het kan best zijn dat we daar uiteindelijk serieus bruikbare informatie zullen aantreffen. Of...'

Fisk zei: 'Of misschien stopten ze de porno vol met onzinberichten, ter afleiding. Om de ware boodschap te verstoppen binnen een mozaïek van onzinberichten.'

Pearl stak zijn vinger uit alsof Fisk de hoogste bieder was op een veiling. 'Als je met iets bijzonders bezig bent, wijs je een bepaalde categorie plaatjes aan, laten we zeggen rukken, in het geval van porno. Of je begint gewoon met iets nieuws, iets onschuldigs. In dit geval plaatjes van zonnebloemen.'

Pearl klikte langs een reeks afbeeldingen van zonnebloemen in het veld, zonnebloemen in een bloempot, zonnebloemen in mandjes en zonnebloemen op schilderijen van Van Gogh en Monet. Hij las ook de output eronder.

'Goed, deze berichten zijn verstopt, maar ook nog eens gecodeerd. Nou ben ik geen code-nerd, maar ik durf wel te gokken dat dit een vrijwel niet te kraken systeem is. Als ze zich er bij Meade over gebogen hebben, weten we meer, maar dit is ingewikkeld spul. Er zullen morgen ongetwijfeld honderden mensen op gezet worden.'

'Ongetwijfeld,' zei Geeseman, met het Intel-equivalent van dollartekens in zijn ogen. 'Laten we alles wat je hebt rechtstreeks doorsturen naar de NSA. Nu meteen.'

'Makkelijk zat,' zei Fisk. 'Het zijn gewone digitale bestanden. Die kunnen, zoals alles wat je verstuurt, via snoertjes en radiogolven verstuurd worden, als ik ze eenmaal op een lege stick heb gezet.'

'Geef maar,' zei Geeseman. 'Dan stuur ik ze door via de beveiligde lijn van het communicatiecentrum.'

Fisk zei: 'Wacht even, hij is nog niet klaar. We moeten Meade wel het hele pakket in één keer geven.'

Pearl zat te knikken als een jazzmuzikant die genoot van een fijne groove.

Geeseman riep uit: 'We grijpen die fucking Al Qaida bij de baard!'

Fisk hield zijn aandacht op het scherm gericht. 'Ieder patroon telt. Locatie, mensen, methoden...'

Pearl zei: 'De code kan ik echt niet lezen, maar dit zie ik wel.'

Hij toetste een commando in waardoor een hoek van een van de zonnebloemplaatjes op het scherm tien keer werd uitvergroot. De herkomst ervan was duidelijk. Fisk had het goed gezien. MOMA, stond erop.

Pearl zei: 'Het Museum of Modern Art in New York. Denk maar niet dat dat toeval is.'

Nu was het Fisks beurt om te knikken. 'Kom maar op, fuckers. We zijn jullie op het spoor.'

'Wacht even.'

Fisk keek naar de zijkant van Pearls hoofd. 'Hoe bedoel je, "wacht even"?'

Pearl ging verder met het toetsenbord. 'O! Kijk nou.'

'Waarnaar?'

Pearl zei: 'Als dit echt een *one-time pad* is, is iemand bij NSA me een fruitmand verschuldigd is.'

Geeseman zei: 'Pearl, praat eens gewoon Engels.'

'Die code-nerds mogen we wel de rest van mijn leven een kerstkaart sturen.' Hij hield op met typen en draaide zich om. 'Iemand heeft een dikke fout gemaakt en duidelijk zichtbaar een afbeelding ingesloten.'

Fisk zette grote ogen op. 'En daarmee kunnen ze...'

'Misschien de andere boodschappen kraken. Het is in ieder geval een aanknopingspunt. Ik weet niet of dit een bericht van of voor Bin Laden is, maar...'

Hij klikte met zijn muis en er verscheen een bericht in een venstertje op het scherm:

We moeten ervoor zorgen dat ze denken dat we onszelf zullen herhalen, omdat we per se tot daden willen overgaan.

Toen het tijd was om te stoppen, was Fisk doodop. Ze hadden niets meer gevonden wat de ontdekking van de zonnebloemcode overtrof, die op dat moment druk bestudeerd werd in de VS. De luchtsluis draaide overuren door de sjouwers die in en uit liepen met handkarren om de overblijfselen van wijlen Osama bin Ladens bezittingen naar de gereedstaande Globemaster te vervoeren.

De helikopter naar Frankfurt zou over drie kwartier opstijgen. Er bleef misschien net genoeg tijd over om te douchen, maar waarschijnlijk niet. Geeseman liep als een haantje rond, met vooruitgestoken borst, dolgelukkig met de gevoelige en potentieel lucratieve informatie die onder zijn naam de deur uit ging. Hij maakte het de sjouwers behoorlijk lastig door achter hen aan te dribbelen als een omaatje dat bang is dat haar kristal sneuvelt.

'De zware spullen onderin,' zei hij, en Fisk zag een van de mannen geërgerd zijn ogen ten hemel slaan.

Fisk wreef in zijn ogen. Hij werd heen en weer geslingerd tussen tevredenheid vanwege de ontdekkingen die ze hadden gedaan en frustratie vanwege de ontdekkingen die ze níét hadden gedaan. Zijn gedachten raakten verstrikt in een zinloze spiraal, dus dwong hij zichzelf om zich te gaan opfrissen in de officierskamer. Hij kleedde zich om en was net op tijd klaar voor de rit naar de helikopter, op de passagiersstoel naast de chauffeur.

Het was dezelfde jongen die Fisk met zijn ogen had zien rollen vanwege Geesemans bemoeizucht. 'Boyle was het toch?' vroeg Fisk.

'Ja, dat klopt.' Hij draaide zijn schouder Fisks kant op, zodat Fisk het naamplaatje op zijn linkerborstzak kon lezen.

'Heb je de zware spullen netjes onderin gelegd, Boyle?'

'Jawel, sir,' antwoordde hij kortaf. Toen gleed zijn blik naar Fisk. Boyle zag hem lachen en ontspande zich. Hij controleerde even in de spiegel of Geeseman niet bij hen in de auto zat. 'Precies zoals ik dat op de boodschappeninpakacademie heb geleerd, sir.'

Fisk knikte, blij dat hij iemand had getroffen met gevoel voor humor.

'En wat doe je als je niet een stelletje nieuwsgierige burgers hoeft rond te rijden?' vroeg hij.

'Dan heb ik mortuariumdienst.'

'Wat houdt dat in? Een soort uitvaartbegeleider?'

'Zoiets,' zei Boyle. 'Alle lijken van beide oorlogen komen hierlangs op weg naar huis. Het is niet de fijnste klus, al is het in zekere zin wel een eer om dit te mogen doen...'

'Luguber werk,' zei Fisk.

'Dat is het juiste woord. Om al die doden in het echt te zien... ik dacht eerst dat ik het nooit zou kunnen bevatten.'

'Wil dat zeggen dat je het nu wel kunt bevatten?' vroeg Fisk terwijl in de verte de helikopter in zicht kwam.

'Niet echt, nee. Ik begrijp nu alleen wel dat het grote geheel er voor die mannen en vrouwen geen moer meer toe doet.'

Fisk knikte. 'Jij houdt je bezig met de pixels, net als wij. Alle anderen kijken van een afstand toe en overzien het geheel.'

'Pardon?'

'Niks, Boyle. Ik praat nog net niet in mijn slaap. Ik zit met mijn gedachten nog daarginds in die bunker.'

'Intensief werk.'

'Zeg dat wel. Maar zo te horen draai jij hier ook genoeg zware dagen, Boyle.'

'Inderdaad. Maar dat geeft niet, ik vind het prima. Het is niets vergeleken met wat u hier samen doet. Niet dat ik daar het fijne van weet, maar ik kan het wel zo'n beetje inschatten. Al is dat natuurlijk weer het andere uiterste. U hebt alleen heel wat meer kans op een doorbraak in deze hele fucking zaak dan ik.' Boyle trok een gezicht om zijn eigen vloek. 'Pardon.'

Fisk dacht terug aan Bin Ladens woorden, die wel eens zijn laatste statement geweest zouden kunnen zijn, zijn spookachtige boodschap vanuit het graf. *We moeten ervoor zorgen dat ze denken dat we onszelf herhalen, omdat we per se tot daden willen overgaan.*

Fisk kon het nu niet precies ontcijferen. Hij wist alleen dat het maar één ding kon betekenen.

Er ging iets gebeuren.

Donderdag 1 juli

GEROEZEMOES

'Boston Center, Scandinavian 903 heavy hier. We verlaten Atlantic Uniform, vlieghoogte drie zes nul, richting Newark.'

'Scandinavian 903 heavy, Boston Center. Goedemorgen. Houd drie zes nul aan. Verwacht toestemming om de daling in te zetten om 16.55 UTC.'

'Roger, Boston Center. Drie zes nul aanhouden, daling om 16.55 uur. Scandinavian 903 heavy.'

Gezagvoerder Elof Granberg strekte kreunend zijn armen boven zijn hoofd, zijn vingertoppen naar het plafond van de cockpit gericht. De druk op zijn blaas had zojuist een onaangenaam niveau bereikt, en hij wist dat dat nog erger zou worden als hij opstond. Hij pakte de rechtstreekse intercom naar de passagierscabine in de middenconsole.

'Bijna klaar, Maggie,' zei hij tegen de stewardess die opnam. 'Over ruim een kwartier zetten we de daling in. Anders en ik komen dadelijk langs, daarna mogen de passagiers nog vrij rondlopen voordat de riemen vast moeten voor de landing. Geef even een seintje als de deur vrij is.'

Granberg boog zich over de console en tikte zijn copiloot op de schouder. Ga jij maar eerst, Anders. Ik heb alles onder controle.'

'U hebt alles onder controle,' zei copiloot Anders Bendiksen. Hij klikte zijn schoudergordel los, duwde de riemen opzij, schoof zijn stoel naar achteren en wachtte tot de stewardess bevestigde dat er zich geen passagiers ophielden voor de cockpitdeur.

De handset van de intercom zoemde. Bendiksen nam op.

'De kust is veilig.'

'Dank je wel, Maggie,' zei Bendiksen. 'Ik kom naar buiten.'

Het verplichte protocol voor het openen van de cockpitdeur in het Amerikaanse luchtruim gold sinds de aanslagen op New York en Washington. Een lid van de cabinebemanning blokkeerde het gangpad vanuit het passagiersgedeelte door het gordijn te sluiten en ervoor te gaan staan. Een tweede bemanningslid stond als reserve aan de andere kant. De gepantserde deur van de cockpit kon alleen van binnenuit geopend worden, of van buitenaf met een veiligheidscode. Die was voor iedere vlucht anders en alleen bekend bij de piloten.

Op binnenlandse vluchten werd er een tussenschot van gaas uitgevouwen en bevestigd om het portaal van de eersteklascabine af te sluiten wanneer de piloten zich buiten de cockpit begaven, een voor een. Op een internationale vlucht met een toestel als de Airbus 330, dat twee gangpaden had, was de grens een drie meter lang portaal voor de cockpitdeur. Aan de ene kant was een wc, aan de andere een keukentje dat tevens als koffiebar diende.

Een wandje scheidde het portaal van de businessclass. De gangpaden begonnen aan weerskanten daarvan en liepen naar achteren door business, economy-extra en de gewone economyclass, tot het einde van het toestel.

Als purser op de non-stop SAS-vlucht van Stockholm naar Newark nam Maggie Sullivan haar positie als voorste *blocker* in. Maggie was een meter zestig, met donker, ingevlochten haar en een lang, hoekig gezicht, afkomstig uit een eeuwenoud Iers zeevaartgeslacht. Ze had die ideale combinatie van beleefdheid en resoluutheid die je ziet bij de beste stewardessen en verpleegsters – maar als schildwacht was ze nauwelijks imponerend te noemen.

Haar collega op deze vlucht, de tengere, Scandinavische blondine Trude Carlson, stond achter haar. Zeven jaar eerder hadden ze samen een dag lang cursus gehad van een instructeur in oosterse vechtsport, die hun tegenstanders leerde uitschakelen met trappen, snelle handgebaren en het bewerken van drukpunten. Het doel, zo had de trainer uitgelegd, was om een belager op z'n minst lang genoeg te vertragen om de deur naar de cockpit te kunnen vergrendelen en daarmee de besturing van het toestel veilig te stellen. Zelfopoffering, mocht dat noodzakelijk zijn, maakte impliciet deel uit van hun taak.

Ze hadden de procedure met de cockpitdeur zo vaak uitgevoerd dat het inmiddels meer een ritueel was dan een handeling uit waakzaamheid.

Dus toen de deur openging, stonden Maggie en Trude door het gordijntje heen te kletsen over hun plannen voor de ongebruikelijk lange stop van tweeënzeventig uur in New York. Ze spraken af om naar TKTS op Times Square te gaan voor goedkope theaterkaartjes en bespraken de populaire Broadway-shows van dat moment. En een oude vlam van Trude die in de Upper East Side woonde had een vriend die misschien wel wat voor Maggie was.

De cockpitdeur vloog open en Anders Bendiksen kwam tevoorschijn. '*Hej-hej*,' zei hij; de gebruikelijke, zangerige Scandinavische begroeting.

Trude zei opgewekt 'Hej-hej' terug en wierp een blik over haar schouder.

'Fijne passagiers?'

'Ja, best wel,' zei Maggie, nog altijd kwaad omdat de man op 11D tomatensap over haar schoen had geknoeid. Haar panty sopte bij iedere stap en ze zou die lucht nooit uit haar schoen krijgen.

Anders deed de wc-deur open, ging naar binnen en schoof het slot op OCCUPIED – bezet.

De passagier stortte zich op Maggie nog voordat ze zelfs had kunnen omkijken.

Geen kreet. Geen lawaai uit de businessclass. Geen waarschuwing.

Een waas, zijn eerste contact met haar. Een arm over haar bovenlichaam die haar borsten platdrukte. Die haar van de grond tilde, pijnlijk, en haar de schrik van haar leven bezorgde. Ze werd achter het gordijn getrokken.

Zijn andere hand om haar keel. Daar voelde ze nog iets anders: een ijskoud, scherp mes.

Trude verstarde. Ze graaide met haar handen in de lucht, maar ze tastte in het niets en voelde zich machteloos en overrompeld. Dit kon niet waar zijn.

'OP JE KNIEËN!' brulde hij met een zwaar accent; zijn stem sloeg over van woede. Hij trok Maggie verder het portaal in, uit het zicht van het merendeel van de passagiers. 'JULLIE ALLEBEI! NU METEEN!'

Trude keek om zich heen op zoek naar hulp, naar een wapen, alles wat ze kon gebruiken. In het keukentje stond een kan koffie, maar die was allang niet meer heet, en bovendien stond hij buiten haar bereik. Toen ze naar Maggies gezicht keek en haar starende blik zag, joeg die haar net zo veel angst aan als de indringer.

'Nu!' zei de man op bevelende toon. 'Ze gaat eraan! Doe wat ik zeg!'

Trude liet zich voorover op haar knieën vallen. De man liet Maggie zakken en duwde haar tegen de grond. Toen stak hij zijn andere hand uit en toonde hun een eigenaardig geval van speelgoedplastic waar draden uit kwamen, die in de mouw van zijn zwartkatoenen overhemd verdwenen.

'Ik heb een bom!' verklaarde hij, en hij toonde hun de starter van het ontstekingsmechanisme. Hij sprak zo hard dat hij hoorbaar moest zijn op de wc, en misschien zelfs wel in de cockpit. Hij beukte één keer op de wc-deur, met de hand waarin hij het mes vasthield.

Zijn ogen waren groot en zijn gezicht stond gespannen, als van een man die in een laaiend vuur kijkt. Hij was jong, vooraan in de twintig. Duidelijk van Arabische afkomst, al was hij westers gekleed, met een bruin, baardloos gezicht.

Maggie herinnerde zich hem in een flits, een beeld dat in een microseconde door haar hoofd trok. Hij was na het instappen op de eerste rij rechts in de businessclass gaan zitten, aan het gangpad, had bij het opstijgen een opengeslagen tijdschrift op schoot gehouden, daarna een deken om zich heen geslagen en vanaf Stockholm liggen slapen. De vrouw naast hem was uitgerust met de dure spullen van een welgestelde, doorgewinterde zakenreizigster. Een ruimvallend designertrainingspak, pluchen oogmasker, Bose-koptelefoon en een nekkussentje om tegen het raam te leunen. Ook zij had vrijwel de hele vlucht geslapen; kort na het opstijgen was ze weggedommeld. Geen van beiden had iets gegeten of gedronken, tot er bij het wekken van de passagiers als voorbereiding op de landing water was uitgedeeld.

'De code!' brulde de man bij de wc-deur, waar hij met zijn vuist tegenaan beukte. 'Geef me de code van de deur! Als je naar buiten komt, laat ik de bom afgaan! Vijf tellen – anders gaat ze eraan!'

Maggie keek naar de schoenen van de man, zijn knieën, zijn kruis. Op zoek naar een zwakke plek.

Maar eerst moest ze zijn mes zien te lozen.

De man schopte zo hard tegen de wc-deur dat Maggie dacht dat hij er een gat in zou trappen. 'Geef antwoord!'

Anders zei van achter de deur: 'Ik hoor je wel.' Hij praatte hard genoeg om zich verstaanbaar te maken, maar legde ook kalmte in zijn gedempte stem. 'Ik heb de code niet. Die heeft alleen de gezagvoerder.'

'Leugenaar! Je moet de code hebben! Ze gaat eraan!'

Hij boog zich over Maggie heen; het mes tegen haar luchtpijp gedrukt, de ontsteker hoog in de lucht. Ze voelde iets gloeien en er droop warm vocht langs haar hals.

Hij had haar gesneden. Ze wist alleen niet hoe ernstig het was.

Trude begon te gillen. De man gaf haar een schop tegen de schouder, waardoor ze op haar zij terechtkwam.

Anders zei van achter de deur: 'Laat me naar buiten komen! Ik ga wel met de gezagvoerder praten!'

'Geef me onmiddellijk de code!' riep de indringer.

'Ik kom naar buiten!' zei Anders.

Hij probeerde de deur open te duwen, maar die zat klem.

'Geef me de code!'

Opeens een uitbarsting bij de ingang van het portaal. De kaper, die met zijn gezicht naar de wc stond, zag de passagier niet die door het gordijntje kwam stormen.

Een stormram, schreeuwend.

Maggie pakte de hand van haar overmeesteraar waarin hij het mes vasthield beet, meer uit lijfbehoud dan vanwege haar vooruitziende blik. Als ze dat niet had gedaan, zou de passagier in zijn vaart het lemmet haar keel in gedreven hebben.

De man die was komen aanstormen, blond en atletisch gebouwd, pakte de andere hand van de indringer, die met het ontstekingsmechanisme. Dat rukte hij de bommengooier wild uit handen – en toen kwamen er van achteren nog twee mannen aan, die met een dreun de blonde man en de bommengooier tegen de drankentrolley duwden die in een nis aan de wand was gereden, en vervolgens tegen de vloer.

Een andere man graaide naar het mes. Een vrouw trok Maggie weg, naar de zijwand.

Twee mannen drukten de kerel met de bom stevig tegen de vloer. Hij stribbelde tegen en gromde woest.

De blonde man draaide zich op zijn rug. Hij had het ontstekingsmechanisme vast, maar met zijn andere hand omklemde hij zijn eigen geknakte pols, zijn mond vertrokken van de pijn.

Er bungelden draden aan het ontstekingsmechanisme. De mannen op de vloer rukten het overhemd van de kerel met de bom omhoog en trokken aan het katoen, op zoek naar explosieven.

Er was niets anders te zien dan haren en blote buik.

Het was allemaal zo snel gegaan dat het besef dat het alweer voorbij was even moest bezinken. De man met de bom lag met zijn gezicht tegen de vloer gedrukt, met een knie in zijn nek. Iedereen hijgde, zweette en scheidde adrenaline uit.

Trude begon te snikken met een hand voor haar mond en staarde Maggie aan. De vrouwelijke passagier die zich bij de mannen had gevoegd die de kaper te lijf gingen drukte instinctief haar blote hand tegen Maggies bebloede keel. Trude pakte een paar linnen servetten om het bloeden te stelpen.

Maggie zat daar met haar ogen te knipperen en naar lucht te happen en liet hen begaan. Ze ontwaakte pas uit haar roes toen ze zag dat de kaper binnen bereik was: ze gaf hem met gestrekt been een trap met haar hak.

'Klootzak!' gilde ze. 'Vuile, gore klootzak!'

Toen ze omlaag keek en zag dat haar witte werkblouse doorweekt was van het bloed, barstte ze in tranen uit. De vrouwelijke redder betastte haar hals op zoek naar de bron van het bloed. Het was een kleine snee. Het mes van de bommenwerper had een ader geschampt, maar de bloedstroom pulseerde niet. De vrouw trok haar eigen dichtgeritste jasje uit, maakte er een kompres van en drukte dat samen met de handdoeken tegen Maggies hals.

'Komt goed,' zei ze tegen Maggie. 'Zo te zien heeft hij de slagader niet geraakt. Het komt goed.'

Gebons op de wc-deur. Een van de redders, een oudere man, bonsde terug en riep: 'Het is hier veilig! Ga zo ver van de deur staan als u kunt!'

De man ramde met zijn schouder tegen de kapotte deur, maar kreeg hem niet open. Trude was overeind gekomen en duwde samen met de man tegen de smalle, lage deur.

Deze keer gaf hij mee: de deur vloeg naar binnen toe open en het slot vloog krakend uit de omlijsting. Anders werd erdoor geraakt, maar hij was erop voorbereid en weerde de klap af met een arm en een been.

Toen hij uit het krappe toilethokje kwam, keek hij neer op de overmeesterde terrorist, die in zijn lichtbruine broek en aan flarden gescheurde witte overhemd roerloos op de grond lag.

'*Merde*,' zei Anders.

De omvang van wat er zojuist was gebeurd drong nu pas in volle hevigheid tot de aanwezigen in het overvolle portaal door. Anders reikte langs

Trude heen naar de intercom aan de wand naast het keukentje.

'*Captain*? Met Anders. We hadden zojuist een kapingspoging.'

'Ik heb het gehoord, Anders.'

'Alles is nu onder controle. Maggie is gewond.'

'Ernstig?'

Anders keek naar Maggie. De vrouwelijke passagier haalde haar jasje van de wond. Anders knikte en glimlachte naar Maggie.

'Zo te zien valt het wel mee,' zei hij.

'Is de kust veilig?'

Anders keek om naar de twee jongemannen die boven op de bommenwerper lagen. Hij zag dat de blonde man met één hand het veronderstelde ontstekingsmechanisme vasthield en met de andere hand zijn eigen geknakte pols.

'Hij zei dat hij een bom had, maar... zo te zien was hij nep. Niet meer dan een starter met wat draden eraan. En een mes.'

Tien tellen lang bleef het stil op de lijn.

'Ik draag jullie het volgende op,' zei gezagvoerder Granberg toen hij het woord weer nam. 'Laat alle passagiers uit de businessclass achterin gaan zitten, behalve de mannen die de kaper in bedwang houden. Bind hem vast met de verlengstukken van de veiligheidsgordels en de plastic *tie rips* uit de noodreparatiebak. Die voor de elektronica, weet je wel?'

Anders zei: 'In de bagagebak vlak voor de *galley*.'

'Als hij vastgebonden is, breng je hem naar de achterste rij in die cabine. Zet de rugleuning van de middelste stoel naar achteren en snoer hem stevig in. Verlies hem geen moment uit het oog. Ik wil dat hij fatsoenlijk wordt behandeld, maar het moet wel veilig zijn. Zorg ervoor dat hij geen kant op kan. Trek zijn schoenen uit, en zijn broek ook. Zet minimaal twee bewakers bij hem neer. Zijn handen mogen in geen geval bij zijn mond of keel in de buurt komen. Is dat begrepen?'

'Begrepen,' zei Anders Bendiksen.

'Om veiligheidsredenen zal ik de cockpitdeur niet meer opendoen. Jullie blijven voor de deur posten, in het zicht van de aanvaller. Ik heb de kapingscode al luid en duidelijk laten horen aan de verkeersleiding en ga nu toestemming vragen voor een noodlanding.'

De stem van de gezagvoerder klonk door de luidsprekers in de cabine van de Airbus.

‘Dames en heren, hier spreekt uw gezagvoerder Granberg. We hebben zojuist met succes een indringer uit de cockpit weten te weren, vanuit de voorste cabine.’

De geschrokken kreten die over de gehele lengte door het toestel trokken overtroffen ieder menselijk geluid dat de bemanning ooit had gehoord.

‘Momenteel is er geen gevaar meer. Blijft u alstublieft zitten tenzij er andere, rechtstreekse instructies komen van copiloot Bendiksen, van mijzelf of van de cabinebemanning. Ik herhaal: blijft u alstublieft zitten. Er is niets met het toestel aan de hand, maar we nemen een afwijkende route en bij de landing zal er politie klaarstaan. Schrikt u niet van de zwaailichten op de landingsbaan, of van de ambulances en de medische apparatuur. We hebben één lichtgewonde, maar men heeft me verzekerd dat het niets ernstigs of levensbedreigends is. Wij zullen zo spoedig mogelijk de reis naar Newark voortzetten. Namens de luchtvaartmaatschappij bied ik u mijn excuses aan voor het ongemak en voor eventuele gemiste aansluitingen op andere vluchten. Ik dank u allen voor uw geduld en begrip. Het cabinepersoneel kan nu aan de voorbereidingen voor de landing beginnen.’

Bangor International Airport, zo'n 370 kilometer ten noordoosten van Boston, is de grootste, meest oostelijk gelegen luchthaven voor inkomende vluchten vanuit Europa. Als voormalige luchtmachtbasis had dit afgelegen vliegveld een relatief rustig luchtruim en, met een lengte van ruim 3300 meter en een breedte van 60 meter, een van de langste en breedste start- en landingsbanen aan de Oostkust.

Bangor International, ooit de uitgelezen tussenstop om bij te tanken op internationale chartervluchten, was na de opkomst van straalvliegtuigen met een groter bereik, zo rond de jaren negentig, een gunstig gelegen afzetpunt geworden voor dronken of onhandelbare passagiers, en bij medische noodgevallen.

Na 9/11 werd het dé bestemming voor trans-Atlantische vluchten die moesten uitwijken bij de ontdekking van vermeende terroristen. In de meeste gevallen betrof het passagiers van wie na het opstijgen van een toestel was gebleken dat ze op de verboden lijst van Homeland Security stonden. Het was ook enkele keren voorgekomen dat er een toestel landde omdat de bemanning last had van dronken of psychotische passagiers.

Tegen die achtergrond was de hele organisatie al in gang gezet en stond het speciale responsteam strak in het gelid – maar toen duidelijk werd dat er niet zomaar sprake was van een ongewenste passagier, maar van een verijdelde kaping door terroristen, kreeg de procedure een extra lading.

Gezagvoerder Granberg zette de grote Airbus even na 13.00 uur aan de grond en volgde de aanwijzingen van de luchtverkeersleiding in Bangor op: taxiën, parkeren en de hoofdmotoren uitschakelen op een platform zo'n anderhalve kilometer van de passagiersterminal.

Granberg keek vanuit de cabine toe hoe een hele zwerm voertuigen van de hulpdiensten – limoengroen, in tegenstelling tot het gebruikelijke kersenrood – in een vloeiende choreografie positie innam rondom zijn toestel. Eén zwijgende minuut lang bleven de brandweerwagens, de ambulances en de schuimblustanks doodstil staan. Toen vroeg de luchtverkeersleiding Granberg om de deur naar het keukentje aan de stuurboordkant van het portaal te openen. Granberg bracht de instructies over aan Bendiksen, die de deur opendeed en het grauwe daglicht van Maine binnenliet.

Het tactische team kwam aan boord via een verhoogde cateringvrachtwagen die strak tegen de galleydeur geparkeerd was. Vier leden van de gijzelaarsbevrijdingseenheid van de politie van Bangor in zwarte kogelvrije vesten, vergezeld door twee FBI-agenten van de afdeling Bangor en twee ambulancebroeders betraden het toestel. Met automatische wapens in de aanslag snelde het team langs de bemanning en de achtergebleven passagiers die de kaper hadden overmeesterd, door het gordijntje van de businessclass naar economy-extra, waar ze werden begroet door kreten van de passagiers.

Toen ze eenmaal aan boord waren, maakte gezagvoerder Granberg de cockpitdeur open en kwam hij tevoorschijn om de schade in het portaal te bekijken. Hij liep achter het bevrijdingsteam aan en toonde zijn gezagvoerdersstrepen.

'Hij gaat als eerste van boord, captain,' zei de teamleider. 'En daarna de gewonde stewardess en degenen die betrokken waren bij het gevecht.' Hij knikte naar hen. 'Dan taxiet u naar de terminal om de rest van de passagiers te laten uitstappen.'

Granberg nam de orders aan, en na een snelle blik op de bijna-kaper – de woede sloeg nu pas goed toe – keerde hij terug naar de cockpit.

Met een efficiëntie die slechts te bereiken is met eindeloos oefenen bevrijdde het team de kaper uit zijn geïmproviseerde ketenen en verving die stelselmatig met klittenband om zijn enkels, bovenbenen, zijn middel en zijn schouders, en ze bonden zijn armen stevig vast tegen zijn zij. In één vloeiende beweging, die de kaper probeerde te ontduiken door hevig tegen te spartelen, bedekten ze zijn hoofd met een zak van zwarte, ademende stof, die bij de hals stevig dichtgebonden werd. Met drie man hesen ze de gevangene op de schouders, als een opgerold tapijt. In gelijke tred spoedden ze zich door het gangpad naar de cateringtruck, de verhoogde vrachtcontainer in.

De container werd neergelaten en de kaper werd met twee dikke leren riemen vastgesnoerd op een kale stalen brancard. De truck reed weg onder escorte van twee politieauto's met felle blauw-witte zwaailichten.

Het vierde teamlid leidde de vijf passagiers samen met Maggie, de gewonde stewardess, naar het verhoogde platform van een tweede truck, die op dezelfde manier neergelaten werd en onder escorte wegreed. Trude Carlson en Anders Bendiksen bleven aan boord, net als het ambulancepersoneel en de twee FBI-agenten. De deur van de Airbus werd gesloten en vergrendeld en gezagvoerder Granberg startte de motoren weer, keerde het vliegtuig en taxiede naar de passagiersterminal.

Het detentiecentrum op het vliegveld lag aan de zuidkant van de hoofdterminal. De bestuurder van de cateringtruck, een politieman in een zwart windjack, reed achteruit de helling naar de ondergrondse garage af. De stalen deur van golfplaten sloeg met een klap achter hem dicht en maakte een einde aan het gestage gepiep dat als waarschuwing diende voor de achteruitrijdende truck.

Aan de andere kant van de garage bood een brede klapdeur toegang tot een ruimte waar een stalen picknicktafel aan de grond was vastgenageld; eromheen lagen vier cellen, twee met tralies aan de voorkant en twee met een lichtgroene stalen deur. Achter de cellen waren twee verhoorkamers, betonnen hokjes van drie bij drie met een afvoerputje; allemaal renovaties in de nasleep van 9/11, betaald door Homeland Security. Het bevrijdingsteam reed de kaper van vlucht 903 naar de eerste verhoorkamer, deed het licht uit en sloot de deur.

De geboeide man kon geen kant op. Hij had niet eens de ruimte om te kronkelen. Het voelde alsof de banden zijn botten verpletterden – vooral zijn ribben. De druk op zijn longen was enorm. Hij ademde oppervlakkig, happend naar zuurstof in de verstikking van de zwarte kap over zijn hoofd. Huilen was te pijnlijk.

Na tien minuten roerloze stilte was hij ervan overtuigd dat ze hem daar hadden achtergelaten om te stikken, te sterven. Hij stelde zich voor dat hij al begraven was. En terwijl zijn hersenen in paniek wilden vluchten, vocht hij om sterk te blijven.

Het terrorismeteam van de FBI was al opgestegen nog voordat SAS-vlucht 903 was geland.

Vier agenten, drie mannen en een vrouw, gespecialiseerd in de zwaardere verhoortechnieken, vlogen met een snelheid van tweehonderd knopen in een UH-60 Black Hawk vanuit Boston. De vlucht naar Bangor duurde iets meer dan een uur.

Het tactische uitgangspunt was dat een terroristisch incident zelden op zichzelf staat. Dankzij de USA PATRIOT ACT, de speciale antiterroristenwet die was ingevoerd na 9/11, mocht het team veel verder gaan met zijn verhoormethoden dan voorheen. Ze mochten zich toegang verschaffen tot het hoofd van de kaper en hem desnoods met geweld informatie ontlokken. Tijd was een schaars goed. Minuten die werden verspild met oeverloze gesprekken met een verdachte die informatie had, kon een verschil betekenen van talloze geredde of juist verloren mensenlevens wanneer er grootse plannen voor een aanslag werden uitgebroed.

Het team betrad de verhoorkamer en ging snel te werk. Bij het geluid van de opengaande deur rukte de man zijn hoofd opzij; de afzondering had hem verzwakt. De teamleden brachten hun eigen stoel mee, van staal, met onder alle vier de poten een plaatje om hem aan de vloer te verankeren. Dat was hier niet nodig. Ze dirigeerden de man op de stoel, met de kap nog over zijn hoofd.

Zijn polsen werden aan de armleuningen vastgebonden en zijn kuiten werden bevestigd aan de voorpoten, waarna de overige boeien werden verwijderd. Zijn vingerafdrukken werden digitaal afgenomen, topje voor topje en de hele handpalm.

De vrouw rolde zijn linkermouw op. Hij verstarde bij de onnatuurlijk gladde aanraking van een in latex gestoken hand.

De injectienaald gleed naar binnen. De zuiger vulde zich met zijn bloed. Het buisje werd afgesloten en dichtgeplakt, het wondje zonder pleister achtergelaten. Er liep een dun straaltje bloed langs de holte van zijn elleboog.

Na de zwijgende handelingen van fysieke identificatie was het eerste woord als een klap in zijn gezicht.

'Naam?'

Een mannenstem, in een veelvoorkomend Saoedisch dialect.

De kaper beet onder de hoofdkap zijn tanden op elkaar.

Nogmaals: 'Naam.' Toen: 'We weten al wie je bent, we hebben je paspoort. Naam?'

Hij knarsetandde. Zijn hart bonsde tegen zijn ribbenkast.

Hij voelde de stoel naar achteren kieperen en schrok omdat hij dacht te vallen. Hij begon te bidden en gaf zich over aan God, zoals hij dat iedere dag van zijn leven had gedaan.

'We hebben water,' zei de stem. 'Wil je water?'

Ze bedoelden niet om te drinken. Het was een martelmethode. *Waterboarding.*

De kaper hield zijn adem in; hij verwachtte ieder moment een enorme straal.

Die kwam niet. Er werd aan zijn linkerarm gerukt. Hij voelde opnieuw het prikken van een naald. Alleen werd er deze keer geen bloed afgenomen.

Binnen een paar tellen werd hij groggy en raakte hij in vervoering. Hij zakte weg in een warm bad... of eigenlijk zakte het warme bad weg in hém.

Zijn naam volgde al snel, vrijwel moeiteloos. Awaan Abdulraheem. De woorden liepen zijn mond uit als bevrijde gevangenen. Awaan voelde een ruk aan zijn haar en de kap vloog van zijn hoofd, waardoor het licht in zijn ogen viel.

Hij voelde een duivel in zijn binnenste, een praatzieke demon die dolgraag het woord nam.

'Ik kom uit het prachtige Jemen,' zei hij, en zijn stem klonk als een lied. '*Arabia Felix*, zoals de Romeinse veroveraars ons vruchtbare land aan de Rode Zee noemden. Mijn volk verbouwt al vijf generaties lang mango's aan de rand van Sanaa. Ik ben twintig jaar. Ik ben moedjahedien. Ik dien één ware God.'

Awaan begon te huilen, uit onmacht vanwege zijn mislukking. Wat hadden ze met hem gedaan? Hadden ze iemand anders van hem gemaakt? Demonen. Hun vragen riepen antwoorden op alsof ze gebruikmaakten van zwarte magie.

'Ik ben geen piloot. Ik heb geleerd hoe je de automatische piloot zo kunt instellen dat een toestel naar New York vliegt. Het neerstorten in het hart van die duivelsstad zou mijn geschenk aan God zijn geweest!'

Ze wilden weten hoe het met de anderen zat. Blijf dicht bij jezelf, dacht hij. Hij concentreerde zich op zijn moeder thuis. Hoe trots ze zou zijn. Hij was uiteindelijk toch niet de mislukkeling waarvoor ze hem allemaal aanzagen. Hij was tot grootse dingen in staat.

'Ik ben een gehoorzame soldaat,' zei hij, en de hete tranen brandden in zijn ogen. Hij deed zijn uiterste best, dacht weer aan zijn pijn, en met een geforceerde glimlach ratelde hij verder. Volhouden, hield hij zichzelf voor. Letterlijke antwoorden geven.

Wie hadden de aanslag mee voorbereid?

'Dit plan is ontstaan in mijn hart. Er waren geen anderen bij betrokken.'

Ze drongen aan, wilden meer van hem. Ze wilden alles. Hij slikte zijn eigen woorden in, stuiptrekkend, naar lucht happend. En ten slotte begon hij te kokhalzen en kletterde er een galachtige straal warm braaksel in zijn schoot.

Zodra SAS 903 de kapingspoging had gemeld en het toestel was omgeleid naar Bangor, sloot de FAA het vliegveld voor alle verkeer behalve toestellen van de diverse ordehandhavers. In de hoofdterminal waren niet meer dan honderd passagiers die overlast ondervonden – omdat hun vlucht die middag niet doorging.

Het personeel van de luchtvaartmaatschappij deed er, samen met de eettentjes op het vliegveld, alles aan om het de 230 onverwachte bezoekers zo aangenaam mogelijk te maken. Tegen de tijd dat de Airbus naar de landingsbaan was getaxied stonden er koffie, sandwiches en frisdrank klaar op een buffet in de aankomsthal, vlak achter de securitypoortjes.

De stemming was onmiskenbaar vrolijk, uitgelaten zelfs, toen de passagiers van boord gingen: ze waren allemaal dankbaar dat het ergste niet was gebeurd, dat ze aan de grond stonden en nog leefden. Medewerkers van de luchthaven werkten samen met de vliegmaatschappij en Homeland Security aan een soepel verloop voor de doorreis van de passagiers en hun bagage. De hermetische afsluiting van vliegveld hield de media op afstand, en de passagiers werden aangemoedigd om hun dierbaren te bellen, maar voorlopig geen contact op te nemen met de media, in welke vorm dan ook.

Maggie en de vijf heldhaftige passagiers die haar te hulp geschoten waren werden naar een wachtruimte gebracht die was ingericht als een soort mini-eerstehulppost, geheel volgens het rampenplan van de luchthaven. Terwijl FBI- en politieagenten de wacht hielden, werd iedereen individueel opgevangen door een arts en een verpleegkundige. Maggies wond bloedde niet langer, maar ze was duizelig van het bloedverlies en de spanning en had last van shockachtige symptomen.

Trude, de andere stewardess, was hysterisch geworden zodra de passagiers en de bemanning het vliegtuig uit waren. Ze had een kalmerend middel toegediend gekregen, maar toen ze daar niet rustiger van werd, was ze ter observatie naar een plaatselijk ziekenhuis gebacht. De gezagvoerder en de copiloot werden ondervraagd, maar omdat ze geen van beiden ooggetuige waren geweest van de aanslag, was hun waarde voor het onderzoek beperkt.

Men vermoedde dat de blonde man die de kaper het ontstekingsmechanisme uit de hand had gerukt zijn pols had gebroken, en de artsen ontfermden zich onmiddellijk over hem.

Een FBI-agente nam het woord en zei op luide toon: 'Mag ik uw aandacht, alstublieft? Ik zal het kort houden, want we willen dat de gewonden onmiddellijk behandeld worden en dat iedereen even wordt nagekeken. Ik moet u vragen voorlopig uw telefoons bij ons in te leveren, zodat wij namens u contact kunnen opnemen met uw familie en zakenrelaties. Uiteraard mag u dat op een later tijdstip zelf ook doen.

Ik moet nog eens benadrukken dat u met niemand mag praten voordat we u instructies hebben kunnen geven. Dat is van het grootste belang. U allen hebt een rol gespeeld bij het verijdelen van een terreuraanval, en daarmee het leven van uw medepassagiers gered. Het is noodzakelijk dat we ons onderzoek naar dit incident aanvangen met getuigenverslagen die nergens door beïnvloed zijn, vandaar dat we u vragen de komende uren geduld te hebben.

En verder: als u bent onderzocht en de artsen hebben vastgesteld dat alles in orde is, neemt u dan gerust een sandwich, koffie, thee of iets fris. De toiletten zijn achter die deuren. Er hoeft geen begeleider met u mee, maar we vragen u wel om een voor een te gaan. Voor andere vragen of opmerkingen kunt u terecht bij onze mensen. Dank u wel.'

Jeremy Fisk en Krina Gersten haastten zich naar Teterboro Airport, waar ze net op tijd aankwamen om de vlucht te halen met een toestel van het ministerie van Financiën dat drie speciale rechercheurs van de Joint Terrorism Task Force zou overbrengen van New Jersey naar Bangor.

Intel werd bij deze zaak betrokken omdat het toestel onderweg was geweest naar Newark Airport en de kapingsplannen kennelijk betrekking hadden op een doelwit binnen de stadsgrenzen van New York. De sfeer aan boord was hartelijk, maar er bleef wantrouwen bestaan tussen de

JTTF and Intel. In de nasleep van de verijdelde bomaanslag op metrostation Times Square hadden de hoofden van beide departementen elkaar publiekelijk hun steun betuigd, maar die situatie was nog niet doorgedrongen tot de agenten op straat.

Fisk had op het punt gestaan om te gaan lunchen toen hij de melding kreeg. Hij kreeg opdracht om één andere Intel-agent mee te brengen, en de keuze was niet moeilijk. Krina had de laatste tijd de meest uiteenlopende rotklusjes moeten opknappen. Als vrouwelijke agent die onderzoek deed naar een bevolkingsgroep die grotendeels uit moslims bestond kon ze uiteraard niet op iedere zaak gezet worden, maar de laatste tijd verdedigde Fisk haar wanneer ze zei dat het niet alleen daardoor kwam. Ze klaagde nooit, alleen onder vier ogen tegen hem. Politiewerk was nog altijd grotendeels 'mannen onder elkaar', en ze had hem verteld dat ze al haar hele loopbaan tegen dit soort problemen aan liep.

De landing verliep soepel en ze taxieden meteen door naar de hoofdterminal. Een medewerker van de luchthaven bracht hen naar een kamer vlak bij het detentiecentrum, waar het terroristenteam bijna klaar was met de afronding. De FBI-collega's begroetten elkaar, waarna iedereen een stoel pakte rondom de vergadertafel terwijl de agent die de leiding had voorlas uit zijn aantekeningen.

'Het ziet ernaar uit dat die Abdulraheem in zijn eentje opereerde,' zei de agent. 'We hebben alles wat hij wist. Zijn verhaal is er een dat je zo vaak hoort onder beginners dat het haast geen verzinsel kan zijn. Hij genoot van de aandacht die hij kreeg in Sanaa, in Jemen, toen hij werd gerekruteerd voor zo'n terreurcel met alleen maar jonkies, bij hem in de moskeee. Ze hebben hem naar Peshawar gestuurd, waar hij is geïndoctrineerd en de opdracht kreeg om nadere orders af te wachten. Een jaar lang heeft hij gewacht. En gewacht. En misschien werd hij daar een beetje gek van. Zo pakken ze dat aan, ze stellen je loyaliteit op de proef, je geduld. Abdulraheem kwam niet door de test. Het wachten werd hem te veel. Hij heeft even goed naar het 9/11-verhaal gekeken, een mes van obsidiaan gekocht, waarmee je door de detectiepoortjes op het vliegveld komt, en toen heeft hij op dat fijne internet wat lesjes van een Britse vliegschool bekeken over het instellen van de koers en vlieghoogte van een verkeersvliegtuig met de automatische piloot. Dat is alles. Op SAS-vlucht 903 handelde hij alleen, dat is bevestigd. Zijn doelwit was *midtown* Manhattan, maar niet specifieker dan dat. Dat zou hij nog bekijken als hij eenmaal in de cockpit zat. Deze jongen gaat een heel, heel lang verblijf in hotel Guantánamo tegemoet. Kruimelwerk, lijkt me, maar wie weet. Misschien heeft hij nog wat namen. Hij heeft al aangetoond dat hij niet geschikt is om lang te wachten. Als hij nog meer weet, komt dat er vroeg of laat wel uit, en eerder vroeg dan laat. Maar de acute dreiging is afgewend.'

Gersten en Fisk zaten de rest van het gesprek uit, waarbij Fisk zijn gedachten op papier zette. Toen de briefing afgelopen was, ging hij alleen met Gersten de verhoorkamer binnen, waar ze een half uur doorbrachten met Awaan Abdulraheem.

Fisk, met zijn talenknobbel, nam de leiding en sprak de man aan in het Arabisch terwijl Gersten de eigenzinnige vrouwelijke aanwezige speelde. Fisk stelde een aantal basisvragen om grofweg een rapport te kunnen opstellen, maar het licht hallucinerende middel dat de man toegediend had gekregen was nog niet helemaal uitgewerkt. Voor Fisk was het alsof hij een slaperige dronkaard moest verhoren.

Abdulraheem was buitengewoon spraakzaam, niet fel of afwerend, en hij had iets triests, als een verwaarloosd kind dat stout was geweest en zich verheugde op de aandacht die zijn straf hem zou bezorgen. Het middel dat Abdulraheem was toegediend droeg bij aan zijn stemming en vertroebelde zijn ware aard, maar het was Fisk overduidelijk dat de bijnakaper niet al te snugger was. Hij was niet bepaald de belichaming van de angst, het wantrouwen en de zorgen die je zou verwachten, en zoals hij ongetwijfeld zou worden afgeschilderd in de media.

Toen ze na afloop samen naar buiten liepen, vertaalde Fisk enkele van zijn antwoorden voor haar. Hij kon zijn ergernis niet verbergen. Hij begreep best dat onmiddellijk ingrijpen noodzakelijk was, maar middelen die de stemming beïnvloeden zouden alleen als allerlaatste toevlucht moeten worden ingezet. Vooral wanneer de verstrekker ervan de juiste dosis niet kende, zoals hier het geval was geweest.

'Waar het in grote lijnen op neerkomt,' zei Fisk, 'is dat dit geen spilfiguur was.'

'Handelde hij op eigen houtje?' vroeg Gersten. 'Dat lijkt me sterk.'

'Ik doe geen definitieve uitspraak,' zei Fisk. 'Misschien houdt hij me voor de gek – misschien hebben we hier met Keyser Söze van doen. Maar ik denk het niet. De kans is groter dat hij een IQ van twee cijfers heeft en zich meer laat leiden door zijn geloof dan door zijn verstand.'

'HIj is wel aan boord van dat vliegtuig gekomen,' said Gersten. 'En hij had een mes bij zich.'

Fisk knikte en bekeek zijn aantekeningen nog een keer, op zoek naar de passagierslijst. 'En hij – of iemand anders – heeft betaald voor een plaats in de businessclass.'

Nog voordat Fisk en Gersten klaar waren liet de speciale eenheid de andere passagiers en de bemanning gaan, en SAS-vlucht 903 vertrok naar Newark, de oorspronkelijke bestemming. Elke passagier had rechtstreeks vragen beantwoord over zijn of haar vertrekpunt en eindbestemming, en iedereen werd opnieuw gescreend door de TSA. Al met al bedroeg de vertraging zeven uur.

Tegen de tijd dat Fisk en Gersten aankwamen bij de vijf overige passagiers en het laatste bemanningslid, was de verzachtende werking van het gratis eten, de opluchting en de onderlinge kameraadschap vrijwel verdwenen. Iemand maakte de fout deze mensen te vertellen dat het vliegtuig de reis had voortgezet zonder hen. Nu wilden de stewardess en de vijf passagiers nog maar één ding: ergens anders zijn, overal behalve daar in Bangor.

Fisk was onmiddellijk onder de indruk van het feit dat een zo uiteenlopende groep mensen als deze in het heetst van de strijd als één man de kaper had weten te overmeesteren. Hij nam aan dat dat de nasleep was van 9/11: wanneer passagiers in een vliegtuig te maken kregen met gevaar, waren er nog maar weinig die het riskeerden om werkeloos af te wachten. En deze vijf waren toevallig als eersten in actie gekomen.

Hij wist dat hij de kans liep dat ze in opstand zouden komen als hij het groepje nog meer ongemak zou bezorgen, maar hij had hun kijk op Abdulraheem nodig. Net als radioactief materiaal worden ooggetuigenverslagen in de loop der tijd minder sterk, dus zette hij zijn vriendelijkste gezicht op en ging bij hen langs, een voor een.

De Zes, zoals ze waren genoemd in het voorlopig rapport dat hij in handen had, gaven allemaal min of meer hetzelfde antwoord toen hij vroeg naar hun heldhaftige momenten in het portaal voor de cockpit van SAS 903.

Alain Nouvian, een eenenvijftigjarige cellist die terugkeerde naar New York na een korte concerttour in Scandinavië, was een man met kleine oogjes en slordig over zijn kale hoofd gekamd, zwartgeverfd haar. Hij benaderde de ondervraging zeer behoedzaam, als iemand die een sollicitatiegesprek aflegt op een banenbeurs. 'Ik... ik dacht er niet bij na. Ik had niet gedacht dat ik zoiets in me had. Het zag ernaar uit dat het toch mijn dood zou worden, wat er ook gebeurde... en ik wilde niet zomaar toekijken. Eerlijk gezegd moet ik nog steeds verwerken wat ik heb gedaan. Ik heb me in dertig jaar niet zo... levend gevoeld. Dat was een test, daarstraks: leven of dood... en ik heb gehandeld. Als de nood aan de man is... Zo zeggen ze dat toch? Die maniak wilde verdorie het vliegtuig opblazen – of het in ieder geval laten neerstorten of iets dergelijks. In plaats daarvan heb ik me op hém gestort.'

Douglas Aldrich, een vijfenzestigjarige oud-handelaar in auto-onderdelen uit Albany, was op weg naar huis na een vierdaags bezoek aan zijn dochter en zijn kleinzoon in Göteborg. 'Instinct. Ik had niet de tijd om erover na te denken. Ik maakte me vooral zorgen omdat ik bijna geen gevoel meer in mijn benen had tegen het einde van die vlucht – u weet wel, trombosegevaar en zo. Ik probeerde in het gangpad mijn oude spieren wat op te rekken toen ik verderop commotie hoorde. Ik ben Vietnamveteraan. De oorlog daar is lang geleden, maar vandaag voelde het als de dag van gisteren. Ik beschouw mezelf niet als een moedig man. Er klonk geen vioolmuziek, weet u wel? Er was niet een moment waarop ik een heldhaftig besluit nam. Ik deed gewoon wat ik moest doen, en ik denk dat dat ook voor de anderen geldt. Weet u waar ik nu aan denk? Aan de andere mensen in dat toestel. Die gewoon bleven zitten. Al die zakenlui die niet uit hun stoel kwamen toen die terrorist ons aanviel. Dat houdt me momenteel bezig. Hoe kunnen zij vannacht slapen? Die liggen straks in het donker te piekeren. Maar ik zal u eens wat zeggen: ik slaap vannacht als een roos.'

Colin Frank, een man van vijfenveertig met een buikje, werkte als journalist aan een artikel voor *The New Yorker* over de toenemende populariteit van Zweedse misdaadliteratuur. Hij droeg zijn leesbril hoog op zijn voorhoofd, en in een van de glazen zat een heel dun scheurtje. Hij kon nog niet goed bevatten wat er was gebeurd. 'Ik heb geen flauw idee waarom ik het heb gedaan. Ik zal u eerlijk zeggen dat ik me er niets van herinner. Mijn lichaam handelde gedachteloos. Alsof er een knop om ging. Het ene moment zat ik in mijn stoel Henning Mankell te lezen – en het volgende moment lag ik vooraan in het vliegtuig boven op een terrorist. Van het lezen van een thriller naar een hoofdrol in een thriller – de overgang was vrijwel naadloos. De hele situatie leek niet eens zo bijzonder... en tegelijkertijd ook heel onwerkelijk. Alsof ik nog in dat boek zat.' Hij glimlachte, zette zijn bril af en bewonderde de oneffenheid in het glas alsof hij naar bewijs voor zijn daden zocht. 'Een beetje alsof je een boek over honkbal leest en je vervolgens ineens een homerun maakt. Ik was gewoon op het juiste moment op de juiste plaats, denk ik. Wat een ongelooflijke mazzel dat ik nog leef.'

'Wanneer vertrekken we naar Newark?' vroeg Joanne Sparks, achtendertig, general manager van een Ikea-filiaal in Elizabeth, New Jersey. Als actieve businessclassreizigster met heel wat airmiles op haar naam was ze op de terugweg geweest van een bezoek aan het hoofdkantoor van haar werkgever in Stockholm, en ze had de hele vlucht naast Abdulraheem gezeten.

'Dat duurt niet lang meer,' antwoordde Fisk.

'Hoe lang?'

In tegenstelling tot de anderen sprak mevrouw Sparks Fisk en Gersten niet aan als een ondervraagde, maar als gelijke, fris en onbevangen als een gast in een talkshow.

'De precieze details zijn me niet bekend, maar...'

'We gaan dus nog niet naar huis. Of wel?'

Fisk glimlachte en veranderde van tactiek. 'Waarschijnlijk niet. Nogmaals: dat is niet aan mij. Maar ik denk dat u als zestal in een regeringstoestel naar LaGuardia gevlogen zult worden voor verder verhoor. U moet beseffen dat dit niet niks is.'

'Hoe lang gaat het duren?'

'In New York? Zeker een dag.'

'Wat een gelul. Ik ben toch niet gearresteerd?'

Gersten kwam ertussen. 'Nee, u bent niet gearresteerd. U bent een belangrijke getuige van een terreuraanslag...'

'Die eikel is gewoon een ontevreden ventje met hoogmoedswaanzin. Er zat geen bom aan die draden vast. Helemaal niks. Het was vals alarm.'

Fisk zei: 'Zo simpel is het niet. Maar als u klachten hebt, moet u bij de FBI zijn.'

'De FBI?' vroeg Sparks stomverbaasd. 'Wacht even. Waar zijn jullie dan van?'

Hij legde het nog een keer uit. 'Ik probeer alleen deze kaper in de juiste context te plaatsen. U hebt de hele vlucht naast hem gezeten. U kunt me toch wel iets over hem vertellen?'

Sparks wierp haar handen in de lucht. 'Weet u hoe vaak ik reis? Ik stap in, doe een oogmaskertje voor, trek mijn schoenen uit en ik ga slapen.' Ze werd iets minder fel, als gevolg van Fisks ernst. Ze was kwaad vanwege het ongemak, maar ook trots op haar moed. 'Luister, het was gewoon een reactie. Instinctief. Adrenaline, weet ik veel. Vechten of vluchten. Of eigenlijk vechten tijdens een vlucht, hè? Die kerel... hij had de hele reis liggen slapen. En echt als een blok, hij sliep zo vast dat ik dacht dat hij een slaappil had ingenomen. Sterker nog: toen hij na het opstaan die stewardess te lijf ging, was mijn eerste gedachte: die heeft Ambien geslikt. Dat heb ik al eerder meegemaakt in een vliegtuig. Jezus. Als je veel vliegt, zie je de gekste dingen. Maar dat is alles, veel meer kan ik u niet vertellen. Ik heb totaal niet op hem gelet, en hij niet op mij. Eerst lag hij urenlang voor dood naast me, en ineens kwam hij als een zombie overeind en probeerde hij het toestel over te nemen. Gestoorde mafkees.'

Magnus Jenssen was een Zweedse leraar van zesentwintig, die een sabbatical had opgenomen en langs de Oostkust van de Verenigde Staten wilde gaan fietsen voordat hij begin november de marathon van New York zou lopen. Hij zat rechtop op een brancard in de provisorische onderzoekskamer, met zijn linkerpols in het gips, de arm in een witte katoenen mitella. Hij had heel lichtblond haar en blauwe ogen in de kleur van antivries, en hij was knap en fit. 'Ik snap niet dat ik zomaar op hem dook.' Hij sprak met een uitgesproken accent, maar was goed te volgen. 'Hij had een bom. Of daar leek het op dat moment in ieder geval op. Hij viel die stewardess aan. Ik zag dat ontstekingsding in zijn hand en dat kwam heel eng over. Het idee dat iemand met een druk op een knop de macht zou hebben over mijn leven en dat van iedereen om ons heen. Dat was onverdraaglijk... en nogmaals: dat alles gebeurde in een flits. Ik richtte me helemaal op dat ding in zijn hand. Daar ging het me om toen ik hem besprong. Te hard, geloof ik.' Hij draaide met een pijnlijk gezicht zijn elleboog naar voren. 'Fietsen gaat zo nog lastig worden. Misschien moet ik mijn reisplannen maar aanpassen, hè?'

Fisk zei: 'Ik heb mijn pols een jaar geleden gebroken met basketball. Zes weken herstel, dan nog vier tot zes weken fysiotherapie en je bent weer zo goed als nieuw.'

Jenssen knikte hartelijk. Hij waardeerde de bemoedigende woorden. Ook voor Gersten had hij een glimlach, maar die was anders, flirterig. Fisk kon het hem niet kwalijk namen; eigenlijk bewonderde hij Jenssens lef alleen maar. Deze jongen had een terreuraanval verijdeld en had daar een gebroken pols aan overgehouden. De media zouden een held van hem maken. Er stond hem een heel mooi weekend in New York te wachten, een periode die nog wel eens zou kunnen worden opgerekt tot vele, vele weken.

De tweeëndertigjarige stewardess Maggie Sullivan was afkomstig uit de scheepsbouwersplaats Georgetown op Prince Edward Island in Canada. Ze had een wit verband om de wond in haar hals en liep trots rond in een sweatshirt van de Bangor Police Force. 'Het weekend van Independence Day,' zei ze. 'Was het hem daar om te doen?'

'Dat kan ik niet bevestigen,' zei Fisk. 'Maar het zou goed kunnen.'

'Stom, stom, stom. Roken jullie?'

Fisk schudde zijn hoofd, net als Gersten.

'Ik ook niet,' zei Maggie. 'Mijn vader rookte sigaren. Ik zou er nu best een lusten. Nee, zeg maar niks. Zo ga ik doen als ik heel erg moe ben.'

Gersten vroeg: 'Ben je klaar voor een heldenontvangst?'

'Waarom niet?' zei Maggie glimlachend, en ze streek haar kortgeknipte kastanjebruine haar naar achteren. 'Shit! Had Oprah haar programma nog maar!' Ze had een bulderende lach, met die plotselinge scherpe hap lucht die typerend was voor dat deel van Canada. Gersten lachte nog harder dan Maggie. De stewardess was heel innemend.

'Ik wou dat ik hem harder had kunnen raken.' Maggie balde haar vuist en ramde die voor zich uit in de lucht. 'Vol in zijn ballen.'

Vrijdag 2 juli

AFLUISTEREN

Op de vlucht naar New York zaten Fisk and Gersten schouder aan schouder. Fisk beluisterde het onbewerkte eerste verhoor van Awaan Abdulraheem dat op zijn iPod was gedownload, terwijl Gersten de vertaalde transcriptie op haar laptop las.

Tegen de tijd dat ze hun oortjes uitdeden, waren ze allebei tot dezelfde conclusie gekomen.

'Die kerel is hier helemaal niet geschikt voor,' zei Fisk. 'Het klopt niet.'

Gersten knikte. 'Maar wat heeft het dan te betekenen?'

Fisk keek naar de lichtjes van New York die zich onder hem uitstrekten. 'Een afleidingsmanoeuvre?'

Gersten vroeg: 'Afleiding waarvan? Een andere gebeurtenis?'

'Nee. Ik dacht eerder iets in dat vliegtuig.'

'In het vliegtuig?' Ze dacht er even over na. 'Zoals?'

'Ik weet het niet. Ik probeer een reden te bedenken. Een reden waarom iemand dit onbeduidende knechtje zou opleiden, sponsoren, hersenspoelen en overhalen... Kortom: waarom iemand hem aan boord van een vliegtuig wil krijgen om het te kapen.'

Gersten zei: 'Je zult het zelf wel beter weten, want jij spreekt de taal, maar uit de vertaling maak ik op dat hij er echt in geloofde.'

Fisk knikte. 'Hij dacht dat hij met dat gebluf over die bom in de cockpit zou komen en dat hij het toestel zou neerhalen. Hij meende serieus dat hij daarin zou slagen. Geen enkele twijfel. Maar de beveiliging in de luchtvaart is nou juist ingesteld op het tegenhouden van dit soort zonderlingen.'

'Jij bent ervan overtuigd dat hij niet in zijn eentje opereerde.'

'Ik ben nog nergens van overtuigd, maar reken maar dat dat nog komt.'

Gersten nam een slok uit haar flesje water. 'De andere passagiers zijn allemaal nagetrokken en vrijgegeven.'

'Ik weet het. De bagage en de vracht ook. Laten we die lijst van de douane in Newark nog eens napluizen en alle anderen in dat toestel uitgebreid bekijken.'

Gersten zuchtte. 'Ik had me er al op verheugd om naar huis te gaan, een warm bad te nemen...'

'Een warm bad? Het is buiten meer dan dertig graden.'

'Niet in mijn eentje...'

Fisk glimlachte. 'Dat moet je maar van me te goed houden. Deal?'

Ze boog zich over Fisk heen om het uitzicht op Flushing Bay te bekijken, en de landingslichten die hen LaGuardia binnenloodsten. Haar nabijheid gaf hem de gelegenheid om snel zijn neus achter haar oor te steken en haar te kussen.

Gersten zei: 'Deal.'

De rit door Queens en Brooklyn vanaf het vliegveld LaGuardia in een onopvallende dienstwagen kostte hun drie kwartier. Er was om half vier 's nachts weinig verkeer, op de taxi's en politieauto's na. Mensen die geen airco hadden zaten op dat late uur buiten op de stoep, omdat het binnen te warm was om te kunnen slapen. Het zou een klassiek Independence Day-weekend worden in New York, met asfaltsmeltende temperaturen van rond de vijfendertig graden en de vochtigheidsgraad van een plantenkas. Tegen het krieken van de dag was de temperatuur nog niet onder de vijfentwintig graden geweest.

De dienstdoende chauffeur reed het automatische hek bij Intel door om hen af te zetten. Ze lieten hun identiteitsbewijs zien en gingen meteen door naar Fisks kantoor.

De verijdelde kaping had de echte wereld bereikt. Dit was het staartje van de eerste nieuwscyclus; de vroege edities van de kranten lagen al in de vrachtwagens en waren onderweg, de online-edities waren geplaatst en becommentarieerd, het ontbijtnieuws was klaar voor uitzending. Succes betekende niets voor hen. De voorspelbare onderwerpen zouden draaien om de vraag hoe het kon dat honderdvijfentwintig Intel-rechercheurs, een tiental slimme analisten, honderden informanten en bovendien de FBI, CIA, NSA en al die andere diensten op geen enkele manier lucht hadden gekregen van de plannen van de kaper.

De voormalige Border Patrol, de grenswacht, was na 9/11 een gespierd politiekorps geworden met een nieuwe naam – Immigration and Customs Enforcement, ICE – een ingewikkelder bureaucratie en een hele rits vliegtuigen, helikopters en een groot wagenpark. ICE was onderdeel van Homeland Security, dé instelling in het Amerikaanse terroristentijdperk, met het op defensie na hoogste overheidsbudget.

Fisk en Gersten ontvingen vingerafdrukken, irisscans, paspoortkopieën en uitgebreide vluchtgegevens van iedere passagier op SAS-vlucht 903. Gersten nam de bovenste helft van de gealfabetiseerde lijst voor haar rekening, Fisk de onderste. Hij spoelde twee mokken uit en vulde ze met koffie en suiker. Ze hadden maar een paar uur voordat de bazen kwamen en ze in beslag genomen zouden worden door vergaderingen.

Hij gaf Gersten zijn bureau en sleepte zijn skaileren bank met chromen poten naar het dressoir, spreidde de papieren uit en klapte zijn beveiligde laptop open.

Er was geen kunst aan. Ze stelden een daderprofiel op, zo simpel was het. Filteren op Arabieren, op moslims. Ze filterden op iedereen die ooit van zijn leven in de buurt van Jemen, Pakistan or Afghanistan was geweest. Het was de enige aanpak die ze tot hun beschikking hadden.

Even na vijf uur vergeleken ze hun resultaten.

'Al met al weinig verdachten,' zei Gersten. 'Voornamelijk toeristen.'

'Bij mij ook. Ga jij maar eerst.'

'Er zit een Pashtun-schrijfster bij, achternaam Chamkanni. Zegt dat ze naar een schrijverskolonie in New Hampshire gaat, en die bestaat inderdaad. En een Pakistaans gezin, ouders in de dertig met twee kinderen onder de vijf. Achternaam Jahangiri. Hebben verklaard op weg te zijn naar een familiereünie in Seattle. Niks op aan te merken, ze zitten al in een ander toestel. Hun familie in Seattle heeft een squashclub, en de grootouders hebben een weblog vol foto's van de kleinkinderen – waterdicht, lijkt me. Maar wel het volgen waard.

Ik heb maar één twijfelgeval: Saoedisch paspoort, Baada Bin-Hezam, tweeëndertig jaar. Hij is kunsthandelaar en gaat naar New York om advies in te winnen over de repatriëring van een collectie vroeg-Arabische kunstvoorwerpen die bij de bezetting van Iran zijn geroofd door de Britten. Die kerel reist wat af. Londen en Berlijn eerder deze maand. Een overstap in Stockholm. Het strookt natuurlijk wel met zijn beroep. Volgens ICE is hij drie maanden terug van Sanaa naar Frankfurt gereisd, kort na de ondergang van Bin Laden.'

'En niet op de *no-fly*-lijst?' vroeg Fisk.

'Nee. Er is niets verdachts aan hem te vinden, behalve misschien nu we specifiek op zoek zijn.'

'Geniaal, zo'n profielschets,' zei hij cynisch. 'Wij maken van vierkante paaltjes ronde palen.'

Gersten rekte haar nek en voelde iets kraken. 'En hoe ziet jouw lijst eruit?'

Fisk wreef in zijn vermoeide ogen. 'Niks bijzonders. Twee gezinnen die heel laag scoren. Eigenlijk is er maar één man die ik nader zou willen bekijken. Studeert bouwkunde aan de Linnaeus-universiteit in het zuiden van Zweden. Komt oorspronkelijk uit Tunesië. Lauw. Zijn cv zit logisch in elkaar. Hij heeft officiële publicaties over windturbines op zijn naam staan.'

Gersten zei: 'Die Saoedi lijkt me wel een nader onderzoek waard.'

'Ja, misschien wel. Enig idee waar hij nu is?'

Ze pakte het vel met aantekeningen erbij. 'Vannacht om half één door de douane gegaan in Newark. Daarna niets meer.'

'Heeft hij de vlucht per creditcard betaald?'

Ze zocht het op. 'Ja.'

'Laten we de PATRIOT ACT dan maar eens inzetten om zijn rekening te bekijken.'

Barry Dubin, het hoofd van Intel, was vroeg op zijn werk, zoals bijna iedere dag. Hij was kaal als een biljartbal, met een verzorgd, grotendeels grijs sikje. Als voormalig geheim agent was hij stabiel en competent, maar humorloos. Hij hing zoals altijd zijn jasje over de rugleuning van zijn bureaustoel. Fisk zag dat het speldje van de Amerikaanse vlag op z'n kop zat.

'Ik ben gisteravond naar de wedstrijd van de Mets geweest. Na de vijfde inning ben ik ertussenuit geknepen om een dutje te doen, maar toen kwamen ertussendoor nieuwsbeelden over de verijdelde kaping. Het dak ging eraf bij Citifield, zo hard werd er gejuicht.'

Fisk zei: 'Dat zijn ze hier niet gewend, applaus van enthousiast publiek.'

Dubin knikte glimlachend, ook al was het Fisk duidelijk dat hij de grap niet begreep. 'En héét dat het was. Maar hoe is het hier?'

Gersten kwam naast Fisk staan. Fisk kon er maar niet achter komen of Dubin wist dat ze iets met elkaar hadden. Ze hadden er alles aan gedaan om hun relatie verborgen te houden, voornamelijk uit praktische overwegingen – maar dit was natuurlijk wel een inlichtingendienst.

Fisk zei: 'De FBI wringt zich in de gekste bochten. Wie mag de baas spelen? Maar ik... we hebben hier geen goed gevoel over.'

'Ik neem aan dat dat ergens op gebaseerd is.'

'Inmiddels wel.'

Dubin luisterde naar Fisk zonder hem in de rede te vallen: zijn verhaal over het verhoor, zijn indruk dat de Jemenitische kaper niet al te intelligent was, en het feit dat hij al heel snel was doorgeslagen tijdens het verhoor.

'Het ging te gemakkelijk,' zei Fisk. 'Die jongen is heel plooibaar. Dat vind ik nog het engste van alles. We denken dat hier misschien – met de nadruk op "misschien" – meer achter zit.'

'Dat er meer mensen bij betrokken zijn?' Dubin dacht er even over na. 'Misschien zaten er maatjes uit zijn terreurcel in dat toestel? Die zijn afgehaakt toen het daar achter de cockpit in het honderd liep? Misschien hebben ze besloten om een beter moment af te wachten.'

'Daar hebben we ook aan gedacht, maar die Abdulraheem is niet het type om dicht te klappen. Het zou natuurlijk kunnen dat hij het kwade brein is en heel goed kan acteren, maar dat geloof ik niet. Ik hoorde iemand die bang en trots tegelijk was. Hij denkt dat dit een succesverhaal wordt, terwijl hij de rest van zijn leven in Guantánamo gaat doorbrengen.'

'Juist. En waar zijn jullie nu naar op zoek?'

'We hebben één potentiële handlanger, een Saoedi die...'

'Welke smaak?' viel Dubin hem in de rede.

Gersten antwoordde: Dat weten we nog niet. In zijn paspoort staat de naam Baada Bin-Hezam.'

Dubin zei: 'Laten we even aannemen dat dat zijn echte naam is. Het klinkt als een oorspronkelijk Jemenitische *kindiet*.'

Fisk knikte. 'Net als Bin Laden.'

Dubin zei: 'Het is wat vergezocht, maar ik volg je. Loop het eens met me door?'

Fisk knikte en paste al pratend de puzzelstukjes in elkaar. 'We weten dat Bin Laden voordat hij werd uitgeschakeld genoeg had van "simpele bommenwerpertjes" zoals die Abdulraheem. We hebben heel goed materiaal binnengekregen van de NSA nadat ze de spullen uit zijn huis hadden doorgespit. Het was OBL niet te doen om grote aantallen dodelijke slachtoffers, maar om doelwitten van aanzien, met een grote symbolische waarde. Hij heeft verklaard dat dat de heilige route was naar het ultieme doel: één wereld onder de extremistische moslimvariant van Gods wet en de Koran.'

Dubin schokschouderde. 'Al Qaida ligt volkomen op z'n gat nu OBL er niet meer is. Wie zegt dat de dader niet een schietgrage eenling is, een ontspoorde jihadist?'

'Alles wijst erop dat hij wel degelijk is opgeleid tot moedjahedien, in een trainingskamp. Maar goed, misschien is hij niet meer dan een komeet die door de jihadkosmos schiet. Een eenzame fanatiekeling. Of is hij een echte spilfiguur? Maakt hij deel uit van een operatie – misschien wel een waarvan hij zelf niet op de hoogte is – die nog in de planning zit?'

Dubin zei: 'Je bedoelt dat hij wel eens een speerpunt zou kunnen zijn die niet eens weet dat hij onderdeel is van een speer?'

Gersten vroeg: 'Waar haalt een mangoboer uit Jemen het geld voor een businessclassticket vandaan?'

Dubin haalde zijn schouders op. 'Zeg jij het maar. Wat zei hij daarover?'

'Iets in de trant van "God is goed voor me".'

'Maar wat levert het hem op, zo'n mislukte of voortijdig afgebroken kaping?'

Fisk zei: 'Hij maakte een hoop lawaai en richtte de aandacht op zichzelf. Misschien heeft iemand hem daartoe aangezet als afleidingsmanoeuvre, om de ware dader veilig het land binnen te krijgen.'

'Bliksemafleider zonder dat hij het wist. Een tikkeltje vergezocht, maar vooruit. Fisk, ik hoop niet dat je van plan was dit weekend naar het strand te gaan. Jij leidt de zoektocht naar die Saoedi. Ik blijf niet graag met onbeantwoorde vragen zitten, uitgerekend dit weekend.'

Fisk en Gersten knikten allebei. Ze wisten precies waar hij op doelde: de Freedom Tower.

'We hebben de plechtige opening van het nieuwe One Trade Centergebouw en van tevoren het vuurwerk vanwege Independence Day, wat logistiek gezien altijd al op een potje Twister lijkt. Ik wil geen drama. Geen onnodige afleiding. Zorg dat je hem snel te pakken hebt. Als hij makkelijk te vinden is, is er niks aan de hand en scheelt dat jullie een zwaar weekend. Mocht hij moeilijk op te sporen zijn...'

'Komt voor elkaar,' zei Fisk, en ze maakten aanstalten om te vertrekken.

'Gersten, kun jij nog even blijven?'

Gersten bleef verbaasd staan. 'Ja hoor,' zei ze, zonder een blik op Fisk, die heel even halthield, wegliep en de deur achter zich dichttrok.

Drie minuten later stond Gersten in de deuropening van zijn kantoor. Ze zag er verslagen uit, alsof ze door de teleurstelling eindelijk ook de uitputting had toegelaten.

'O, shit,' zei Fisk. 'Wat is er?'

'Het grote oppasavontuur. Speciaal voor mij. Ik mag babysitter spelen voor de passagiers en de stewardess.'

'Wat? Op bevel van Dubin?'

Ze kwam zijn kamer binnen, zodat ze niet afgeluisterd zou worden. 'Vrouwen zijn immers heel geschikt als oppas.'

Fisk deelde haar teleurstelling. Toch probeerde hij het goed te praten. 'Het moet gebeuren,' zei hij. 'Ik bedoel, zij zijn de enige getuigen in deze zaak. De opstelling van de media is bijna net zo belangrijk als het onderzoek zelf, want die bepaalt de bereidwilligheid van het publiek om medewerking te verlenen.'

'Laat Publieke Zaken dan maar voor oppas spelen.' Ze maaide met haar hand door de lucht, alsof seksisme een vlieg was die ze wilde wegslaan. 'Ik vind het écht...' Ze zette haar handen in haar zij. 'Ben ik verdomme politieagent of niet?'

'En een goede ook. Wat is de opdracht precies?'

'Vierentwintig uur per dag bewaking, in drie ploegen. Samen met Patton en DeRosier. Die zes zitten in het Hyatt naast Grand Central Station, en we moeten vanaf tien uur vanochtend hun handje vasthouden. Dan geven ze hun eerste persconferentie. De burgemeester en de commissaris.'

'Nou ja, dan...' begon hij.

Ze schudde haar hoofd om hem het zwijgen op te leggen. 'Ga nou niet zeggen dat ik verkeerde conclusies trek en dat de opdracht ook naar twee mánnen is gegaan.'

Fisk zette ook zijn handen in zijn zij. 'Ik wilde alleen maar zeggen dat de opdracht ook naar twee mannen is gegaan en dat je misschien de verkeerde conclusies trekt.'

Ze staarde hoofdschuddend langs hem heen, met haar voet tikkend.

Fisk zei: 'Je wilt met mij op zoek naar de Saoedi. Geloof me maar: ik zou je graag bij me hebben.'

Hij deed een stap in haar richting om haar te troosten, maar ze hief haar armen en deinsde achteruit. 'Ik stel me niet aan, Jeremy. Ik ben verdomme hartstikke pissig en ik wil nu niet getroost worden.'

Fisk gaf een knikje. 'Goed.'

'Ik ben het zat om hier steeds als een stagiaire behandeld te worden.' Ze liep naar de deur en draaide zich toen met een ruk om. 'Maar zo'n opdracht is een bevel. Zal ik je eens wat zeggen? Fuck Dubin. Ik neem dit weekend uitgebreid een warm bad en ik ga de minibar van het Hyatt plunderen, om onze helden vervolgens glimlachend rond te leiden, als een schooljuf tijdens een uitstapje naar een tv-studio.'

Ze draaide zich om en liep zijn kantoor uit. Fisk wist dat hij haar maar beter kon laten gaan. Veel van de opdrachten die ze kreeg stonden haar niet aan, maar ze deed altijd braaf wat er van haar werd verwacht, en dat deed ze zonder uitzondering uitstekend.

'Dames en heren, de burgemeester van New York: Michael Bloomberg.'

Het hoofd public relations van het stadhuis, een jonge vrouw in een vuurrood mantelpakje, liep al klappend achteruit het podium af, met de microfoon schuin naar beneden gericht.

Burgemeester Bloomberg nam haar plaats in en wachtte glimlachend tot het applaus was weggeëbd. 'Ik denk dat ik gerust mag zeggen dat dit een dag is die de New Yorkers nooit zullen vergeten,' begon hij. 'Dat herinnert me aan het volgende: hoewel New York een stad is die de duisterste momenten in de geschiedenis van ons land heeft meegemaakt, heeft onze stad ook enkele van de mooiste momenten voortgebracht. Momenten van triomf en verheffing. Van pure heldendom. En aan de gelederen van helden kunnen we nu de mannen en vrouwen toevoegen die hier dadelijk het podium op komen.'

Gersten, die zich snel had omgekleed en wat spullen in een weekendtas had gegooid, stond in de coulissen aan de andere kant van de plek waar De Zes hun entree zouden maken. Ze keek naar de verzamelde pers en de toeschouwers – onder wie hotelpersoneel en de bouwvakkers die bezig waren met een renovatie – en ze voelde de energie in de balzaal. Ze had de impact van de daden van De Zes op het publiek onderschat.

Bloomberg vervolgde: 'Zoals u allen inmiddels wel weet, heeft gistermiddag even na twaalven een kaper, die gewapend was met een mes en beweerde een bom bij zich te hebben, een poging gedaan om de cockpit te bestormen van vlucht 903 van Scandinavian Airlines, een half uur voor de landing in Newark. Deze crimineel, met de Jemenitische nationaliteit, is niet in zijn opzet geslaagd omdat zes mensen met een verschillende achtergrond, mannen en vrouwen van drie nationaliteiten die zonder dit gevaarlijke incident misschien nooit samengekomen waren, weigerden te buigen voor terreur. De FBI heeft, samen met de Intelligence Division van de NYPD, bevestigd dat de kaper van plan was om beide piloten te vermoorden en met behulp van de automatische piloot het toestel te besturen. Deze man was niet in staat zelf een vliegtuig aan de grond te zetten, en dat was hij ook niet van plan. Als zijn poging geslaagd was, hadden we hier vandaag misschien een heel andere persconferentie gehad. Dan zouden we nu het aantal doden en gewonden en de geschatte schade melden. In plaats daarvan vieren we het leven en de onoverwinnelijke vrijheid.'

Hij herschikte zijn papieren en legde ze toen weg.

'Laten we het niet langer uitstellen: hier zijn de helden van vlucht 903.'

Nog voordat hij de zin had kunnen afmaken, barstte er een oorverdovend applaus los in de balzaal van het Hyatt Grand Central. Gersten had de hevigheid van deze emotionele ontvangst niet zien aankomen. Gejuich en gejoel bij de bouwvakkers achterin. Journalisten die gingen staan. Ze had deze intuïtieve reactie onderschat – zozeer dat ze zich bekeken voelde omdat ze zelf niet klapte en uiteindelijk ook maar meedeed, terwijl er een glimlach op haar gezicht verscheen.

De zes helden van SAS-vlucht 903 kwamen in ganzenpas naar voren, eveneens zichtbaar onder de indruk van de reactie. Ze liepen langs NYPD-commissaris Kelly, die zo hard klapte dat hij steenkool tot diamant had kunnen vergruizen. Burgemeester Bloomberg stapte van het podium af, overspoeld door luidkeels gejuich uit het publiek van journalisten en burgers.

Na een hele poos nam hij zijn plaats weer in. 'Het is me een groot genoegen om deze helden aan u voor te stellen. We hebben van ieder van hen een korte biografie opgesteld, die de meesten van u bij binnenkomst hebben gekregen. Wacht u alstublieft met applaudisseren tot ik klaar ben met mijn introductie.

Als eerste, meteen links van commissaris Kelly, SAS-stewardess Margaret Sullivan, die purser was op deze vlucht.'

Op aandringen van de anderen deed Maggie een stap naar voren. Gersten zag dat ze haar best had gedaan met haar make-up, maar je kon zien dat ze die nacht niet of nauwelijks had geslapen. Ze had een schoon Scandinavian Airlines-uniform aangetrokken en haar gezicht was bijna net zo bleek als het verband in haar hals, maar haar glimlach was breed en oprecht.

'Dan hebben we Alain Nouvian, musicus bij het New York Philharmonic, geboren en getogen op Long Island.'

Nouvian boog het hoofd alsof hij een geslaagde voorstelling had gegeven. Het leverde hem een applausje op, ondanks Bloombergs waarschuwing.

'Naast de heer Nouvian zit Joanne Sparks, die als manager van een Ikea-filiaal in New Jersey, aan de andere kant van de rivier, waarschijnlijk de helft van alle appartementen hier in de stad van meubilair heeft voorzien.'

Het leverde hem een gulle lach op. Sparks had haar reiskleding verwisseld voor een gebroken wit broekpak. Er werd zelfs naar haar gefloten door enkele van de hotelmedewerkers achter in de zaal.

'Douglas Aldrich komt uit Albany, waar hij dertig jaar lang een bedrijf in auto-onderdelen heeft gehad, voordat hij met pensioen ging om zich te wijden aan zijn kleinkinderen, van wie er een in Zweden woont.'

Aldrich nam de introductie in ontvangst met een opgestoken hand naar Bloomberg en wuifde even grinnikend naar het publiek.

'Naast meneer Aldrich zit de man die als eerste de confrontatie met de terrorist aanging, door hem het vermeende ontstekingsmechanisme van een op scherp staande bom uit handen te rukken, waarbij hij zijn eigen pols heeft gebroken. Magnus Jenssen uit Stockholm.'

Een daverend applaus in de zaal. Jenssen reageerde er amper op, niet uit onbeleefdheid maar eerder bescheiden: hij wendde zijn blik af van de cameralampen en hield met zijn goede hand zijn in gips gestoken linkerarm vast. Zijn gezicht, dat iets ruigs kreeg door zijn stoppelbaardje, stond strak; passief en verlegen. Gersten had eens gelezen dat de mensen nergens ter wereld spaarzamer waren met gezichtsuitdrukkingen als een glimlach, een frons of een boze blik dan in Zweden. Jenssen droeg dezelfde vrijetijdskleding die hij had gedragen toen hij in Bangor van boord was gegaan: een zwarte coltrui, waarvan één mouw was afgeknipt vanwege het gips, een lichtbruine broek en grijze hardloopschoenen.

'En tot slot,' vervolgde de burgemeester, nadat hij een paar keer op de microfoon had getikt om de aanwezigen tot stilte te manen, 'meneer Colin Frank. Hij is een van u: geboren en getogen in New York. De heer Frank is verslaggever.'

Frank, nog altijd in zijn zwarte pak en witte overhemd waarvan het bovenste knoopje openstond, leek de enige te zijn die enig besef had van de onwerkelijkheid van het moment. Hij zette zijn bril af en zwaaide opgelaten naar het publiek, met een lachje om aan te geven hoe absurd het allemaal was.

Bloomberg zei: 'Dames en heren, dit zijn uw zes helden.'

Gersten keek toe hoe ze het applaus in ontvangst namen. Op een statief vlak bij haar stond een monitor, en ze bekeek het zestal op camera. Ze kon al zien hoe ze de komende achtenveertig uur aan de wereld gepresenteerd zouden worden, bijna als deelnemers aan een realityserie. Maggie, de vrouw met lef. Nouvian de artiest. Sparks de zakenvrouw. Jenssen de knappe buitenlander. Frank het brein. En Aldrich de bescheiden grootvader.

'Zoek de acteurs voor de tv-film maar vast uit,' mompelde ze, en ze wilde dat Fisk haar nu kon horen.

Commissaris Kelly nam nog even kort het woord. Hij maakte een mooi bruggetje van de moed van De Zes naar het belang van waakzaamheid als onderdeel van het dagelijks leven van de New Yorkers.

'Angst is een ziekte die ons kan lamleggen,' zei hij. 'Het medicijn tegen die ziekte is waakzaamheid.'

'Goed,' zei Bloomberg toen hij het podium weer had betreden. 'Zijn er vragen? Andy, jij eerst.'

Bloomberg had gekozen voor het type 'gewone man', een verslaggever van NY1, het populaire plaatselijke televisiestation.

'Meneer Jenssen. Ik zie in uw biografie dat u naar de States kwam om een fietstocht te maken en daarna de marathon van New York te lopen. Moet u die plannen nu bijstellen?'

'Daar ziet het wel naar uit,' zei Jenssen, terwijl een medewerker van het hotel naar hem toe sloop met een microfoon. 'Dat kans dat ik hiermee een flink eind kan fietsen is niet zo groot.' Hij gaf een klopje op het gips. De toehoorders reageerden met een enigszins kinderlijk ontzag op zijn licht Zweedse accent. Amerikanen vinden een accent altijd interessant, en een echt Zweedse tongval hoorde je zelden in de massamedia.

'Wat gaat u nu dan doen?' vervolgde de NY1-reporter.

Jenssen leek het spelletje niet te willen meespelen. 'Ik zou graag beginnen met wat nachtrust. En dan ga ik maar wandelen, denk ik.'

'Bent u getrouwd?' riep een vrouw achter in de zaal.

Jenssen hoorde met samengeknepen ogen het bijbehorende gelach aan, maar gaf geen antwoord.

'Nog één,' zei de verslaggever, met lichte stemverheffing om zijn kans te grijpen voordat de burgemeester verder zou gaan. 'Waarom hebt u – u allemaal – uw eigen leven en dat van uw medepassagiers op het spel gezet door uit uw stoel op te springen en een man te lijf te gaan die beweerde dat hij een bom had?'

Jenssen hield zijn hoofd een beetje schuin en keek op de reporter neer met een oprecht verbaasde blik. 'Er is geen waarom. Het ging te snel. Ik heb een wedervraag voor u: waarom hebt u vandaag dat overhemd aangetrokken?' Hij keek toe hoe de verslaggever een blik wierp op zijn eigen overhemd. 'Precies. Het was geen beslissing. Je kon er niet over nadenken. We moesten gewoon handelen.'

De NY1-reporter maakte een armgebaar, maar Bloomberg schudde zijn hoofd. Jenssen was trouwens al bij de microfoon vandaan gelopen.

'U daar in die gele jurk. Ja, u. Ga uw gang.'

'Ik heb een vraag voor mevrouw Sullivan. Dacht u dat u zou sterven toen de kaper het mes op uw keel zette?'

Sullivan slaakte een kreetje en bracht onder verwoed camerageklik een hand naar haar keel. 'Het worden een paar lange dagen, geloof ik,' zei Maggie met een nerveus lachje. 'Ik... Goh, ja, ik geloof wel dat ik dacht dat ik dood zou gaan. Is dat niet raar? Ik dacht dat het ter plekke met me gedaan was. Ik dacht: oké, zo kom ik dus aan mijn einde. Hij sneed meteen al en ik... ik voelde de wond, maar ik wist niet hoe ernstig die was. Mijn leven trok niet als een film aan me voorbij of iets dergelijks. Het enige wat aan me voorbijtrok was meneer Jenssen, die naar die... die... druiloor rende om hem te tackelen.'

De aanwezigen lachten om haar zelfcensuur, het vermeden scheldwoord.

'Hij heeft uw leven gered,' zei de journaliste in het gele jurkje.

Maggie perste haar lippen op elkaar in een poging de plotseling opkomende tranen terug te dringen. Ze knikte alleen maar. Jenssen zag er nogal opgelaten uit.

Toen kwam de journaliste met een opmerking in plaats van een vraag. 'We zijn allemaal heel blij dat u er nog bent,' zei ze.

Gersten kromp ineen bij die mierzoete opmerking, maar er ging een golf van applaus door de zaal. Zulke dingen hoorde je te zeggen op een persconferentie waar de geïnterviewden beroemdheden waren – en dat waren De Zes nu.

Een andere verslaggever. 'Maggie, verheug je je erop om naar huis te gaan?'

'Zodra we hier weg mogen,' zei ze met een lachje. 'Iemand zei iets over talkshows, maar mocht het zo ver komen, dan wil ik eerst een flinke poos voor de spiegel doorbrengen.'

Weer een gulle lach.

Er volgden nog meer vragen, en gestamelde antwoorden van onwennige burgers die bijna letterlijk voor het voetlicht geworpen waren. Het was allemaal positief en luchtig, en toch was de opluchting voelbaar – voornamelijk omdat niemand iets heel doms of aanstootgevends had gezegd om de goede pr te verpesten – toen burgemeester Bloomberg aankondigde dat het tijd was voor de laatste vraag. Hij wees een televisieverslaggeefster aan die werd geflankeerd door haar cameraploeg en producent.

'Hallo, Colin,' zei ze.

'Jenny,' zei Frank met een veelbetekenend lachje toen hij de vrouw herkende.

'De verslaggever wordt zelf het verhaal. Is het niet raar om aan die kant van de gebeurtenissen te staan? Ik ben benieuwd of je denkt dat hier een boek in zit.'

Begripvol gelach van de rest van de verzamelde pers.

Er schoten Frank zeker tien felle opmerkingen te binnen, die hij allemaal inslikte. 'Ik ga nu iets zeggen waarvan ik nooit had gedacht dat ik het zelf nog eens zou zeggen, Jenny: geen commentaar.'

Iedereen barstte in lachen uit, zelfs de burgemeester.

Fisk kwam aan bij het Grand Hyatt op het moment dat enkele journalisten de lobby uit liepen terwijl hun collega's vlak achter de draaideur aan het filmen waren. Hij deed een stap opzij en wapperde met de panden van zijn jasje in een poging zichzelf koelte toe te wuiven. Zijn overhemd was aan alle kanten klam. Hij bewoog het heen en weer om de lucht in beweging te houden. Het jasje kon hij niet uittrekken, vanwege zijn dienstwapen. Waarschijnlijk zou hij net een beetje opgedroogd zijn als hij weer naar buiten moest.

Hij nam de korte roltrap naar de receptie en bekeek het liftenblok. De helft van de enorme lobby was afgeschermd wegens renovatiewerkzaamheden. Hij ging even bij het winkeltje langs om een appel of een banaan te kopen, en natuurlijk kwam hij vervolgens naar buiten met een reep chocolade.

Hij pakte zijn telefoon om Gersten te sms'en, maar toen zag hij DeRosier en Patton, op hetzelfde moment dat zij hem zagen. 'Alles goed?' vroeg DeRosier.

'Het is afwachten. We zijn bezig met het afronden van een aantal vragen. Welke verdieping?'

'Zesentwintigste. Die wordt nog volop verbouwd. Wat vind je van de hitte buiten?'

Fisk rolde met zijn ogen. 'Geniet je van de airco hier?'

DeRosier drukte de liftknop in. 'Bevalt prima.'

Ze stapten in een van de liften. Fisk drukte op 26, en er gebeurde niets. Patton haalde zijn sleutelpasje door de gleuf en de lift ging omhoog.

Mike DeRosier, breed gebouwd en met een kaalgeschoren hoofd, was top-ijshockeyer geweest aan de universiteit van Boston en had drie jaar in de AHL en in Europa gespeeld voordat hij zijn ijshockeydroom had laten varen om zijn reservedroom na te jagen: een carrière bij de politie.

Alan Patton was kleiner dan DeRosier en onderscheidde zich verder van hem door zijn volle bos zwart haar, met een dun streepje zilvergrijs dat begon in de lok midden op zijn voorhoofd; een 'stinkdierstreep' waar hij buitengewoon trots op was.

Patton zei: 'Gersten heeft trouwens heel goeie zin.'

Fisk glimlachte bij zichzelf. Hij speelde zijn rol. 'Het is best een leuke klus.'

'Vind ik niet,' zei Patton. 'Maar ach, van Gersten pik ik die grote mond wel.' Patton wendde zich tot DeRosier. 'Ze heeft die lichtbruine broek zonder kontzakken aan.'

Fisk keek naar hen in de weerspiegeling van de goudkleurige deuren. DeRosier knikte. Ze waren bijna op de zesentwintigste verdieping. 'Die ken ik maar al te goed.'

'Ik geloof dat ik er twintig dollar voor over zou hebben om haar in een yogabroek te zien,' zei Patton. 'Man, ik ben gek op yogabroeken.'

'O ja?' zei Fisk. 'Hoeveel heb je er?'

DeRosier moest lachen.

Patton vroeg: 'Je weet toch dat Jeter zijn onenightstands een gesigneerde honkbal geeft? Als ik hem was, zou ik een kledinglijn met yogabroeken uitbrengen. Dan zette ik een rek neer bij de deur van mijn penthouse en gaf ik elk lekker ding er meteen na binnenkomst een.'

DeRosier zei: 'Wat ben je toch een neerwaartse hond.'

De liftdeuren gingen open op 26. De gang was aan de rechterkant afgezet met doek en tegen de muur stonden een scheefgezakte steiger en een rij verfblikken; de renovatie was tijdelijk stilgelegd.

Ze liepen naar links. De twee agenten in uniform die de gang bewaakten stopten snel hun privételefoons weg.

Er waren twee aangrenzende kamers ingericht als ontvangstruimte. Links was een klein buffet met koffie, croissants, frisdrank en luxe cupcakejes uit het winkeltje beneden. Aan de wand hing een kleine televisie, waarop deskundigen door de beelden van de persconferentie van De Zes heen praatten.

'Jezus, ik zie er niet úít!'

Het kwam uit de aangrenzende kamer; Fisk herkende de stem van stewardess Maggie. Haar uitroep werd gevolgd door gelach van haar medehelden. Fisk keek naar binnen en zag dat ze naar een tweede televisie keken, zittend of staand; ze dronken cola light, roerden in een beker thee of aten cake.

Fisk trok Gerstens aandacht, en ze liep voor de televisie langs naar de eerste kamer, waar ze zich bij hem voegde. DeRosier en Patton bleven binnen gehoorsafstand staan. Ze had inderdaad de lichtbruine broek aan, met haar politiepenning aan een lus van de riem bevestigd.

'Hoe gaat het hier?' vroeg hij.

Ze keek achterom door de deuropening. 'We komen een beetje op adem,' zei ze, 'en wachten de volgende stap af.' Ze draaide zich weer om naar Fisk. 'Hoe wil je dit aanpakken?'

Hij keek om zich heen. 'Deze kamer is prima. Ik spreek ze gewoon een voor een. Ik hou het informeel, ontspannen. Binnen en buiten.'

Patton zei: 'Aha, de bekende binnen-en-buitenaanpak.'

Gersten zei: 'Het is maar goed dat je er nu al bent. Als de roem eenmaal toeslaat, zullen ze ongetwijfeld sterallures krijgen. Dit wordt een mediaknaller. Die persconferentie...'

Fisk: 'Ik heb er een gedeelte van gezien.'

'Als het maar half zo goed overkomt als daar in die zaal, gaan we een heel druk weekend tegemoet.'

Fisk pakte twee stoelen. 'Ik wil nergens diep op ingaan tijdens de gesprekken. We houden het algemeen.'

'Daarnaast,' zei ze, 'zou ik ervoor waken om te veel vragen bij hen op te roepen, als dat enigszins te vermijden is. Ik weet dat de burgemeester bezig is een paar tv-optredens te regelen en dit zijn geen profs. Het laatste wat we willen is dat we midden in een interview moeten ingrijpen om iemand de mond te snoeren.'

Fisk was het met haar eens. 'Eén vraag per person,' zei hij.

Pattons telefoon ging. Hij deed een stap opzij, en DeRosier greep zijn kans om op zoek te gaan naar de koffiebroodjes.

Toen ze even alleen waren, vroeg Fisk met gedempte stem: 'Gaat het?'

'Ja hoor,' antwoordde ze, en ze rolde geërgerd met haar ogen. 'Tijdelijke inzinking. Het gaat wel. Whatever.' Ze knikte naar de deur. 'Ik moet zeggen dat hun opwinding enigszins aanstekelijk werkt.'

'Mooi. O ja: Starsky en Hutch zijn erg gecharmeerd van de broek die je vandaag aanhebt.'

Ze rolde weer met haar ogen. 'Kontgluurders.'

Fisk haalde zijn schouders op. 'Ze hebben er wel kijk op.'

Bij die woorden draaide ze zich om en liep de aangrenzende kamer in, door hem nagekeken. Hij dwong zichzelf de glimlach van zijn gezicht te halen en zette de tv in het vertrek uit, zodat niemand zou worden afgeleid.

Gersten bracht Maggie als eerste voor hem mee. Fisk stelde zich opnieuw aan haar voor, bood haar de vrije stoel aan en bleef zelf staan, bij het raam met zonwerende schermen.

'Ik heb nog één korte vraag,' zei hij. 'We zijn bezig met de losse eindjes en ik vraag me af of u zich een Saoedische zakenman herinnert die ook aan boord was. Hij zat op 8H, bij het raam.' Hij zag haar nadenken. 'Droeg een koffiebruin pak. Grote man, met een platte moedervlek links op zijn kaak.'

Maggie deed haar ogen dicht om het interieur van het vliegtuig op te roepen. 'Jawel... vaag.' Haar ogen gingen weer open. 'Hoezo, wat wilt u weten?'

Fisk schudde zijn hoofd. 'Alles wat u me kunt vertellen.'

'Ik heb hem geen maaltijd geserveerd. Ik stond in economy.' Ze dacht diep na, om hem toch nog wat te kunnen vertellen. 'Hij was rustig...'

Fisk knikte. Het laatste wat hij wilde, was dat ze te hard haar best ging doen, dat ze iets zou verzinnen om het gevoel te krijgen dat ze een bijdrage leverde. 'Blijft u bij de feiten. Het is prima zo. Heel goed, dank u wel.'

'Echt?' Verbaasd kwam ze overeind. 'Dat viel mee.'

Fisk zei: 'Ik denk dat, in vergelijking met wat u gisteren hebt doorgemaakt, de komende tijd alles wel zal meevallen.'

Dat vond Maggie leuk om te horen, en ze knipoogde naar Fisk voordat ze zich omdraaide en terugliep naar de aangrenzende kamer.

Ikea-manager Sparks, voormalig auto-onderdelenverkoper Aldrich and cellist Nouvian konden zich de slanke Arabier geen van allen herinneren. Reporter Frank meende achter hem gestaan te hebben in de rij bij de gate, maar hij had Fisk ook niet meer te bieden dan de mededeling dat de man zijn eigen nekkussentje bij zich had gehad.

Fisk drong nog even aan. 'Ik vraag me af of u hem op enig moment voor het instappen samen met of in de buurt van de kaper hebt gezien.'

Frank keek naar het plafond. Fisk had het gevoel dat hij dolgraag deel zou willen uitmaken van het onderzoek, uit beroepsmatige nieuwsgierigheid. 'Nee,' zei hij, teleurgesteld in zichzelf. 'Het spijt me.'

'Ik geloof van wel, ja,' zei Jenssen, de gewonde Zweed, in antwoord op diezelfde vraag, waarbij hij peinzend naar de hoge staande lamp keek.

Fisk vroeg: 'Bij de gate?'

'In de businessclasslounge op het vliegveld. Eerlijk gezegd kan ik me helemaal niet herinneren hem aan boord gezien te hebben... maar in de lounge wel, dat weet ik zeker.' Jenssen liet een restje thee door zijn bijna lege porseleinen kopje walsen. 'Ik weet nog dat ik op warm water wachtte. Nu ik erover nadenk: volgens mij hebben ze nog even met elkaar staan praten aan het buffet daar.'

'Wie zijn "ze"?'

'De man in kwestie en de kaper.'

Fisk keek aandachtig naar Jenssen. De nuchterheid van de docent beviel hem wel. Hij kon zien dat dit een man was die het niet zou pikken dat een kaper het vliegtuig waarin hij zat in handen kreeg, net zomin als hij het zou pikken dat iemand voordrong wanneer hij in een rij stond.

Maar dit was belangrijk. Fisk wilde hem een kans geven om het verhaal een beetje op te poetsen, voor alle zekerheid. Hij moest het zeker weten. 'Meneer Jenssen, weet u het zeker?'

'Ja, ik weet het zeker. Ik neem aan dat u het niet zomaar vraagt?'

Fisk schudde zijn hoofd om hem gelijk te geven, maar weidde niet uit. 'Kunt u zich nog andere details herinneren? Denkt u eens goed na.'

Jenssen richtte zijn blik op de niet-brandende lamp, alsof hij zich daar een beeld vormde en dat vervolgens bestudeerde. Het duurde een halve minuut voordat hij het woord weer nam.

'Ze stonden op zo'n manier bij elkaar dat ik de indruk kreeg dat ze familie waren of zo. Of op z'n minst bekenden. Misschien omdat ze niet zo veel tegen elkaar zeiden. Het had iets vertrouwds. Ze hadden maar weinig woorden nodig.' Hij sloot zijn ogen. 'Volgens mij liet de man in het bruine pak de kaper iets zien in het tijdschrift dat hij aan het lezen was. Kort daarna werd er omgeroepen dat we moesten instappen.' Hij deed zijn ogen weer open en keek Fisk aan alsof hij wilde vragen: Verder nog iets?

Fisk vroeg: 'Hoe zeker bent u van wat u me zojuist hebt verteld? Zou u zeggen vijftig procent? Vijfenzeventig? Honderd procent?'

'Hoe zeker ik ervan ben dat ik die twee mannen samen heb gezien in de lounge?' zei Jenssen. 'Honderd procent.'

Fisk knikte. 'Nog één vraagje. Hoe is het met uw pols?'

Jenssen keek glimlachend naar het gips. 'Dat weet ik over een week of drie, vier.'

Baada Bin-Hezam was vaak genoeg in New York geweest om te weten dat de snelste manier om van Newark Airport naar de stad te komen de New Jersey Transit-trein naar Pennsylvania Station was.

Hij baande zich een weg tussen de honderden mensen door die achter de douane stonden te wachten op de passagiers van SAS-vlucht 903. Sommigen van hen hadden een camera en een microfoon bij zich, waarmee ze zich stortten op iedere dodelijk vermoeide passagier die ook maar enigszins de indruk wekte hun aanval te zullen tolereren. Bin-Hezam dook niet voor hen weg, maar beende door de menigte heen als een drukke zakenman wiens vlucht veel te laat was aangekomen. Niemand had belangstelling voor een man van Arabische afkomst.

Een van de afhalers had een tros rode folieballonnen bij zich, allemaal in de vorm van een hartje. De conservatief geklede man probeerde zijn ballonnen uit te delen onder de geredde passagiers. Andere feestvierders hadden borden en spandoeken bij zich, veelal in de onjuiste veronderstelling dat de stewardess en de vijf passagiers die de kaper hadden overmeesterd nog aan boord waren van vlucht 903. Ze waren gekomen om hen als helden te ontvangen.

NOOIT VERGETEN!! 9/11
WE LOVE YOU!!!
BEDANKT, HELDEN!!
USA USA USA

Bin-Hezam meed rechtstreeks oogcontact en wurmde zich uit de menigte vandaan, waarbij hij vanuit zijn ooghoeken scherp in de gaten hield of er ergens tekenen waren die politiesurveillance verrieden. Een iets te lange blik... een oortje... een plotselinge beweging op het moment dat hij naar de roltrap liep...

Hij nam de steile, mechanische trap naar boven, het gewoel uit en de aankomsthal in. Boven liep hij naar de tram die hem naar het treinstation moest brengen.

Er was niemand bij hem. Althans, nog niet.

De volgende trein vertrok over vijfentwintig minuten. Hij ging naar de hotelzuil, een schuine glasplaat vol verlichte advertenties voor tientallen geselecteerde hotels. Hij had besloten dat het beter was om niet van tevoren onderdak te regelen, om zo weinig mogelijk elektronische sporen na te laten. Zijn enige vereiste voor de komende nacht was dat zijn hotel zo ver mogelijk van iedere bekende moslimwijk vandaan lag.

De keuze viel op Indigo aan West Twenty-eighth Street in Manhattan, een klein boetiekhotel dat onopvallend halverwege een huizenblok lag, in een buurt die bekendstond als het hart van het bloemendistrict.

Ook tijdens de treinreis bleef hij onopvallend gespitst op alles wat er om hem heen gebeurde. Op Pennsylvania Station stapte hij uit, en hij wachtte een paar minuten in een boekwinkel om zijn medepassagiers te laten voorgaan, waarna hij de straat op ging.

De late middagwarmte voelde onmiddellijk onbehaaglijk. Hij was niet gewend aan vochtige lucht. Water en nattigheid hoorden verlichting te brengen, maar op het eiland Manhattan was de vochtigheid drukkend; hij raakte erdoor gedesoriënteerd.

Het hotel lag op slechts drie straten lopen van Penn Station, maar Bin-Hezam nam voor de zekerheid een omweg. Zijn bagage was niet zwaar, maar in die hitte was alles wat hem in zijn bewegingen belemmerde een last. Toen hij zeker wist dat hij niet werd geschaduwd, zette hij koers naar het hotel.

Op Twenty-eighth Street kwam hij langs vele openstaande winkeldeuren en bloemenstalletjes, met bezwete verkopers die druk aan het werk waren op de laatste dag van de week.

En zo hoort het ook, dacht Bin-Hezam. Nog voor het weekend voorbij was, zou er veel behoefte zijn aan een bloemengroet.

Voor de chroom-met-glazen ingang van het hotel stond een piccolo van Latijns-Amerikaanse afkomst en achter de receptiebalie zat een jonge vrouw. Ze had donkere krulletjes en een valse opgewektheid die Bin-

Hezam hoogst irritant vond. Een Jodin, uiteraard. Deze buurt grensde aan het kledingdistrict, van oudsher een zionistisch bolwerk, dat nu langzaam overging in Aziatische handen.

Bin-Hezam verborg zijn afkeer, bette zijn voorhoofd met een zakdoek en meldde zich. 'Ik wil graag een suite voor twee nachten,' zei hij met zijn verfijnde Britse kunsthandelarenstem.

'Hebt u gereserveerd?'

'Nee.'

'We zitten dit weekend namelijk nogal vol, vanwege de festiviteiten rond Independence Day.' Ze glimlachte met een enthousiasme dat nergens op sloeg en ratelde op haar toetsenbord, op zoek naar vrije kamers. 'We hebben nog een junior penthousesuite op de bovenste verdieping.'

'Dat is prima.'

'Heel goed,' zei ze stralend, alsof hij iets heel knaps had bereikt door haar aanbeveling te accepteren. 'Mag ik dan een creditcard van u, en een rijbewijs of een ander identitieitsbewijs met foto?'

'Ik betaal contant,' zei Bin-Hezam.

Het meisje aarzelde, uit haar routine gebracht.

'Tenzij dat een probleem is,' zei Bin-Hezam.

'Nee, natuurlijk niet.' Ze zette haar glimlach weer op, samen met het zangerige toontje. 'De kosten voor de junior penthousesuite bedragen achthonderd dollar per nacht. Als u geen creditcard wilt gebruiken, vragen we een borgsom van tweehonderd dollar, die u bij vertrek terugkrijgt – met aftrek van eventuele onverwachte uitgaven.'

Bin-Hezam graaide in het borstzakje van zijn verkreukelde maar dure bruine jasje en haalde er een dunne, zwartleren portefeuille uit. Hij telde zestien knisperende briefjes van honderd uit, schoof die tussen zijn lichtgroene Saoedi-Arabische paspoort en reikte haar dat aan.

Glimlachend telde ze de briefjes voor zijn neus na. In Manhattan was het niet ongebruikelijk dat een buitenlandse bezoeker grote coupures aan Amerikaans geld bij zich droeg.

'En de borgsom?' vroeg ze; haar toon benadrukte het vraagteken.

'Er zal geen sprake zijn van onverwachte uitgaven,' zei Bin-Hezam, met een geforceerd lachje dat zijn vastberadenheid overbracht.

Ze aarzelde weer, keek hem in zijn theekleurige ogen – een hebberige Jodin, natuurlijk – en zette toen zonder klagen de vermeende regels van het hotel voor hem opzij. 'Dat is goed, meneer Bin-Hezam.' Ze telde de zestien briefjes nog een keer na voordat ze ze opborg in een geldlade onder de toonbank. 'Wilt u zich aansluiten bij ons vasteklantenprogramma?'

'Dat aanbod sla ik af.'

Ze knikte glimlachend. 'Geen probleem.' Weer een reeks zwierige aanslagen op het toetsenbord en toen printte ze een bon uit en gaf Bin-Hezam zijn paspoort terug. 'Wilt u een of twee sleutels van de kamer?'

'Een.'

Ze activeerde de sleutel en stopte die in een mapje, waar ze het kamernummer op schreef. 'Dan wens ik u een prettig verblijf toe.'

Bin-Hezam kreeg de gelegenheid om te slapen, iets waar hij niet op had gerekend. Hij had zijn tijd strak ingedeeld, ervan uitgaande dat hij langer zou worden vastgehouden in Bangor of op het vliegveld van Newark. Meer vragen. Strengere computercontroles. Hij was immuun voor kritisch onderzoek.

Nu lag hij uren voor op schema. De slaap zou hem scherper maken voor de taken van de volgende dag. *Insha'Allah* zou het allemaal soepel verlopen.

Zijn kamer was zo opzichtig dat het pijn deed aan zijn ziel: een inrichting die riekte naar een wedstrijd onder ontwerpers om te laten zien wie de meest waanzinnige kleuren kon combineren in de meest afstotelijke patronen. In dit geval waren het verschillende tinten paars, met rode contrasten en turkooizen details. Hij keek uit het raam voordat hij het gordijn dichtdeed: de lichten van de stad zagen er vredig uit, nietsvermoedend.

Bin-Hezam zette zijn handkoffertje met wieltjes op het bagagerek. Hij trok de rits open, maar pakte zijn spullen niet uit. In de badkamer, weer zo'n aanval van vorm versus functie, kleedde hij zich snel uit. Zijn pak liet hij over het handdoekenrek hangen terwijl hij een douche nam, in de hoop dat de stoom de kreukels en een deel van de transpiratievlekken zou verwijderen.

Na het douchen trok hij een dunne katoenen *dishdasha* uit het koffertje aan en knielde neer om te bidden; hij vroeg God hem bij te staan om zijn kalmte te bewaren te midden van de chaos. Om zijn taak waardig en vernuftig te kunnen uitvoeren. En om op het laatst sterk en moedig te zijn.

Hij kroop in bed. Daar, onder de lakens, gaf Bin-Hezam zich over aan een herinnering aan de avond dat hij was opgeroepen. Dat deed hij altijd wanneer hij lag te wachten tot de slaap kwam.

Zoals velen vóór hem was Bin-Hezam ooit door Mohammed bezocht in een droom. De profeet had hem laten zien dat de hel net zo echt was als de aarde, en dat hij daar na zijn dood naartoe gestuurd zou worden als hij het ooit waagde ongehoorzaam te zijn aan zijn vader.

Mohammed liet Bin-Hezam vuur zien, dat honderd keer heter was dan de middagzon. Het brandde zijn vel eraf, dat zwartgeblakerd weer aangroeide, om er telkens opnieuw weer af geschroeid te worden. De pijn was hels. Hij hield zijn eigen ingewanden in zijn handen terwijl hij aan een ketting van scheermesjes aan het plafond hing, met zijn voetzolen vlak boven de vloer, laag genoeg om gebeten te worden door lachende schorpioenen.

Zijn droge mond smeekte om zoet water, maar het enige wat hij te drinken kreeg was zijn eigen bloed, dat maar bleef stromen.

De volgende morgen had de jonge Bin-Hezam geredeneerd dat, aangezien de hel echt bestond, hij niet alleen moest geloven dat er geen andere god was dan de enige ware God en dat Mohammed zijn profeet was... maar dat hij het ook niet kon tolereren als andere mensen er anders over dachten. Dat was een zonde. Hij besloot dat hij alles moest doen wat in zijn macht lag om niet-gelovigen uit te roeien, ten gunste van de mensheid en van Mohammed.

Een paar jaar later had hij weer dezelfde droom gehad; hij was ervan overtuigd dat die was veroorzaakt door de walgelijke foto's die de misstanden in Abu Ghraib aantoonden. Jonge mannen zoals hij in die afschuwelijke gevangenis, verkracht en onteerd, gemarteld door Amerikaanse fanatiekelingen, onder wie ook vrouwen.

Het was een teken. Hun pijn werd zijn pijn, hun ketenen zijn ketenen.

De Amerikanen hadden geprobeerd de hel naar deze aarde te halen. De jihadisten in zijn moskee in Harad leerden hem dat de anti-islamstrijders en hun Joodse bazen niet zouden rusten voordat ze de laatste moslim hadden uitgeroeid en ze het hellevuur hadden ontketend.

Uiteindelijk gingen zijn gedachten naar zijn lieve ouders: hij dacht terug aan zijn moeders vreugde telkens wanneer ze precies de juiste dadels had gevonden op de markt, aan zijn vaders strenge aanpak van Baada en zijn vijf broertjes en zusjes. Zijn moeder een godin der goedheid, die de lekkerste *fatir* bakte die hij ooit had gegeten – en zijn vader de schoenmaker, een vroom man, maar hij was nooit opgeroepen als jihadstrijder.

Bin-Hezam bad voor hen. Zeker van zijn doel, behoed voor de hel, viel hij onder het mompelen van de namen van zijn ouders in een droomloze slaap.

'Oké, Fisk,' zei Dubin bij de deuropening, en hij wenkte hem zijn kantoor in. 'Je kent de commissaris, neem ik aan?'

Fisk stak zijn hand uit naar de compacte voormalig marinier met zijn kortgeschoren haar, die de hele NYPD leidde. Commissaris Kelly stond erop alle 36.000 agenten persoonlijk te ontmoeten, en Fisk had hem al drie of vier keer eerder de hand geschud. Maar dit was de eerste keer dat hij de commissaris op het hoofdkwartier van Intel in Brooklyn zag.

'Goed je weer eens te zien, Fisk,' zei de commissaris, om onmiddellijk weer te gaan zitten en zijn benen over elkaar te slaan, klaar om over te gaan tot de orde van de dag.

Fisk nam plaats. Dubin bleef tegen zijn bureau geleund staan.

'Ik wil dat je de commissaris persoonlijk op de hoogte brengt van de situatie rond vlucht 903,' zei Dubin. 'Er speelt zo veel dit weekend, we mogen geen enkel risico nemen.'

Fisk knikte; hij kon niet vaststellen of Dubin de zaak hogerop wilde schuiven of er gewoon zijn handen vanaf trok. Probeerde hij zich laf in te dekken of geloofde hij echt dat er genoeg bewijsmateriaal was om zich achter Fisk te scharen?

'Vertel hem wat je mij ook hebt verteld,' zei Dubin. 'Je theorie. De lange versie.'

Fisk richtte zich tot de commissaris. 'Het niveau van een echte theorie heeft het nog niet bereikt, maar ik zal de verschillende punten aan u voorleggen; misschien bent u het met me eens dat er best eens een verband zou kunnen zijn.'

De commissaris zei: 'Wees specifiek. Waarom denk je dat de gebeurtenissen in dat vliegtuig wel eens het begin van iets anders zouden kunnen zijn, in plaats van het einde?'

Fisk zette even zijn gedachten op een rijtje voordat hij van wal stak. Hij wist dat hij maar één kans had om de commissaris te overtuigen van zijn vrees.

'Allereerst,' begon Fisk, zijn tempo rustig om zich ervan te verzekeren dat alles wat hij zei goed zou doordringen. 'Het grote geheel. Als hij alleen handelde, had kaper Awaan Abdulraheem een missie waarvan de kans van slagen op z'n zachtst gezegd... gering was. Het is tegenwoordig uitgesloten dat iemand op eigen houtje, een man alleen, een verkeersvliegtuig met bestemming Amerika kan overmeesteren met een nepbom en een klein mes. En dan laat ik de mogelijkheid dat hij een troef achter de hand had nog even buiten beschouwing.'

Hij zweeg even. De commissaris liet niks blijken, hij gaf geen krimp.

'Ten tweede. Alles wijst erop dat hij jihadist is, opgeleid in Pakistan, met het bijbehorende terroristenjargon – en toch heeft hij zelf geen financiële middelen. Als iemand hem heeft getraind en zijn kosten heeft betaald, waarom was hij dan niet beter voorbereid?

Ten derde. Hij heeft bekend. Binnen tien minuten sloeg hij door. Ik zeg niet dat hij door anderen is misleid, maar ze selecteren die lui zorgvuldig en trainen ze om ons het hoofd te bieden. Ze krijgen een script. Wij hebben de tijd dat te doorbreken. Het is heel normaal dat ze die types afzonderen, zodat ze niet het hele netwerk kunnen verraden. Maar jihadisten worden gedegen voorbereid, en die Abdulraheem sloeg meteen door. Hij was doodsbang. Ik zou hem graag een IQ-test willen zien afleggen. Volgens mij is het een marionet, een onnozel ventje. Zelf was hij ervan overtuigd dat dit tot een heroïsch martelaarschap zou leiden – maar hij was de enige die dat geloofde.'

Nog altijd geen woord of knikje van de commissaris. Fisk keek naar Dubin, maar daar werd hij ook niet wijzer van.

'Vier. Hij is afkomstig uit dezelfde stam als Bin Laden. Dat zegt genoeg.

Vijf. Hij is afkomstig uit dezelfde stam als een andere passagier op dezelfde vlucht, ene Baada Bin-Hezam. Bin-Hezam komt uit Saoedi-Arabië en is kunsthandelaar, althans dat beweert hij.'

Bij die woorden trok de commissaris zijn wenkbrauwen op. 'Hoe kom je aan de informatie over die stammen?' vroeg hij.

'Van onze eigen analytische eenheid. Dat is vandaag nagetrokken.'

'Ga door, Fisk,' zei de commissaris.

'Zes. Ik heb in Ramstein met de inboedel van Bin Laden gewerkt. Ik had vrije toegang tot al het onderzoekswerk van de NSA, de CIA en de rest. Ik was een van de mensen die de rotzooi uit zijn zakken hebben geschud. Voordat we de boel uit Duitsland verstuurden hebben we nog wat verkeerd gecodeerde teksten gevonden tussen een serie foto's van zonnebloemen. De NSA heeft nog veel meer. Aanwijzingen die niet duiden op operaties als een kaping door een eenling. Bin Laden was behoorlijk woest over de aanslagen op Bassam Shah; was tegen alle opzichzelfstaande aanslagen. Gebrek aan discipline noemt hij dat. OBL wilde een doelwit van grote symbolische waarde. Hij vroeg zich openlijk af waarom zijn aanhangers niets hadden geleerd van eerdere fouten, waarom ze niet op onze onderzoeksmethoden hadden geanticipeerd. Klamp ik me daar nu te veel aan vast? Ik weet het niet. Maar hier móét meer achter zitten dan een lichtgewicht Jemeniet met een nepbom in een vliegtuig. Dat druist in tegen alles wat Bin Laden heeft gezegd. Ik schat de kans dat we om de tuin geleid worden op vijftig procent.'

'Dat is nogal een stellingname, Fisk,' zei de commissaris. 'Is er een duidelijke link met Al Qaida? En voordat je antwoord geeft, moet ik je iets zeggen.' Kelly boog zich naar voren. 'Als je niet een keiharde, rechtstreekse link hebt en we doen hier wat mee, beginnen we dadelijk aan een van de lastigste klopjachten die de stad ooit heeft gekend – en in het diepste geheim. Want in dat geval zullen we de media niet inzetten, omdat we ons beslist geen vergissing kunnen veroorloven. We kunnen geen gebruikmaken van agenten van buiten Intel, want dat lekt onmiddellijk uit. We mogen geen paniek zaaien onder tien miljoen mensen die toch al onder spanning staan omdat de aanslag op het World Trade Center overmorgen precies tien jaar geleden is. En – dat is gewoon een feit – we moeten zuinig zijn op het optimisme en het vertrouwen dat de verijdelde kaping onze stad en het land heeft gebracht. Die ballon ga ik echt niet lekprikken, tenzij ik niet heel zeker weet dat hij toch al zal leeglopen. De mensen zijn gelukkiger en gezonder en zelfverzekerder wanneer ze zich onverslaanbaar wanen. Dan weet je hoe de zaken ervoor staan, Fisk.'

'Begrepen, commissaris.'

'Goed. Is er een link of niet?'

'Waar u eigenlijk naar vraagt zijn bewijzen, en die heb ik niet. U weet hoe we hier te werk gaan. Al Qaida is geen organisatie met vaste militaire eenheden. Ze hebben niet een standaardmethode die velen toepassen, het is eerder een georganiseerde groep soldaten die samenwerken. Er is wel sprake van hiërarchie, maar die is niet heel strak geordend. Het is verdomd lastig om twee slechteriken samen te treffen. Dus hoe sporen we ze op? Door op zoek te gaan naar onderlinge relaties en uit te zoeken welke trainingskampen ze hebben doorlopen – als ze al een trainingskamp hebben gevolgd. Die Abdulraheem had niet op de hoogte kunnen zijn van de dingen die hij ons heeft verteld over de training in Pakistan als hij er niet zelf was geweest. De locatie alleen al is een van Al Qaida's best bewaakte geheimen. Als mijn informatie juist is, wisten wij niet eens van het bestaan ervan voordat we Bin Laden oppakten.'

De commissaris knikte. 'Als we wisten dat die andere passagier, die Saoedi, in hetzelfde kamp had gezeten – dan was het bingo.'

'Daar kom je nooit achter,' zei Fisk. 'Of eigenlijk moet ik zeggen dat de kans uiterst klein is. Maar wat er nu gebeurd is: die Saoedi – Baada Bin-Hezam – is verdwenen. Hij is in Newark van boord gegaan en is nergens meer te vinden.'

Het gezicht van de commissaris werd nog zuurder dan gewoonlijk. 'Wat weten we over die man, hebben we behalve zijn paspoortgegevens nog iets anders?'

'Wat beeldmateriaal betreft: de camera bij de gate in Stockholm, waarop het instappen is vastgelegd. De opnamen van de mensenmassa in de douanehal en de paspoortcontrole op Newark Airport krijg ik vanavond binnen, als het goed is.'

Dubin ontvouwde zijn over elkaar geslagen armen. 'Kan er niet nu meteen iets hierheen gestuurd worden?' Vervolgens beantwoordde hij zijn eigen vraag door zijn telefoon te pakken en het fotolab te bellen. Hij gaf opdracht het beeldmateriaal uit Stockholm onmiddellijk naar zijn computer te mailen.

De commissaris ging staan en zette zijn handen in zijn zij. 'Goed, volgens mij hebben we geen andere keus dan achter hem aan te gaan. Ook al sporen we hem op en blijkt er niets aan de hand te zijn, dan heb ik nog het idee dat het de moeite waard is geweest. Dit zijn nu eenmaal dingen die we moeten natrekken.'

De commissaris keek naar Dubin, die diep inademde en knikte. Fisk kon bijna voelen hoe het hele apparaat brullend tot leven kwam.

'Het bevalt me niks dat we zo weinig aanknopingspunten hebben,' zei Dubin.

'Maar daarom doen we dit juist,' zei de commissaris. 'Omdat we niks hebben. Omdat die kerel op dit moment onzichtbaar voor ons is.' Hij wendde zich weer tot Fisk. 'Het is aan jou, Fisk, dus doe het op jouw manier. Maar hou het stil. Die kerel is onzichtbaar, dus voer het onderzoek ook onzichtbaar uit. Verzin maar een manier om het aan je informanten en andere bronnen te slijten als een routineklusje. Op dit moment weten alleen wij drieën dat we in het diepe springen – en hoe diep het water is. Laten we dat zo houden. Zet analisten op de verschillende puzzelstukjes. Alleen Intel-mensen krijgen foto's van de Saoedi te zien, puur ter informatie. Er wordt niet op straat met foto's gezwaaid – of zeer beperkt. En zijn naam wordt al helemaal niet rondgestrooid. Ik maak mezelf wijs dat we iets hebben geleerd van het Shah-verhaal. Begrepen?'

'Er is nog iemand op de hoogte,' zei Fisk, en hij keek Dubin aan. 'Gersten.'

De commissaris vroeg: 'Krina Gersten?' Fisk verborg zijn verbazing. 'Haar vader was een goede vriend van me, en een heel goede politieman. En haar moeder is een fantastische vrouw. Wat is haar rol in dit verhaal?

Fisk antwoordde: 'Ze is met me mee geweest naar Bangor. Ze leidt de Intel-bewaking van de stewardess en de vijf passagiers. Die bieden we nu bescherming, en we houden ook in de gaten wat ze loslaten aan de media of wie dan ook.'

'Goed, laat haar maar daar,' zei de commissaris. 'We hebben behoefte aan een scherp iemand daar. Laat haar weten waar ze naar moet uitkijken en zeg dat ze het onder de pet houdt. Ze moet op de hoogte zijn, voor het geval een van De Zes, zoals iedereen ze noemt – en ik heb nu al een hekel aan die naam – erachter komt waar we mee bezig zijn en zijn mond voorbijpraat.'

Sinds 'het mirakel op de Hudson' van Chesley Sullenberger was het niet meer voorgekomen dat Amerika zo snel mensen tot helden uitriep. De Zes, zoals ze langzamerhand bekend werden, hadden voornamelijk moeite met hun kersverse roem. De nieuwszenders die snakten naar opzienbarende berichten hadden hun heil gezocht op internet, op zoek naar de kleinste details over het leven van het zestal voormalig onbekende burgers; alles wat ze konden gebruiken om hun zendtijd te vullen, biografisch of anderszins.

TMZ kwam met een onthullende bikinifoto van Maggies Facebookpagina die zo'n tien jaar eerder was genomen. Toen ze zichzelf op tv zag, sloeg ze haar handen voor haar vuurrode gezicht terwijl de anderen erop reageerden – Frank, Nouvian en twee agenten joelden goedmoedig – maar ze kreeg er ook de slappe lach van.

'Aruba,' zei ze. 'Ik gaf toen aerobicsles.' En ze legde discreet de bagel met roomkaas weg die ze had zitten eten.

Burgemeester Bloomberg had vier uitzendkrachten van zijn eigen pr-afdeling ingezet en geposteerd in een kamer op de begane grond, om de media-aanvragen af te handelen. Het hoofd publiciteit, een lange, opgewekte vrouw met ingestudeerde maniertjes, nam het woord.

'Om te beginnen wil ik u zeggen wat een eer het is om hier samen met u te zijn. Wat u hebt gedaan is fantastisch, en het hele land is onder de indruk en is als een blok voor u allemaal gevallen.'

Ze liep over van oprecht enthousiasme, dat de meesten van hen beantwoordden. Jenssen en Nouvian sprongen eruit als de enige twee die niet erg blij waren met de hele situatie.

'We zijn overspoeld met verzoeken voor interviews en optredens, onvoorstelbaar veel. Heel spannend en ook terecht. Maar het zijn er zo veel dat we aan een maand nog niet genoeg zouden hebben als we ieder verzoek zouden inwilligen. De burgemeester heeft mij gevraagd om de zaken dit weekend voor u te coördineren, om u door de bijzondere omstandigheden te loodsen waarin u zich opeens bevindt.'

'Oprah,' fluisterde Maggie tegen de anderen; het werd gevolgd door verbaasd gegiechel.

'Oprah heeft nog niet gebeld,' zei de pr-dame glimlachend, 'maar ik zou raar staan te kijken als we niets van haar hoorden. Zoals ik al zei: er komen talloze aanvragen en mogelijkheden binnen, maar ik wilde u eerst ontmoeten en het over uw wensen en verwachtingen hebben.'

'Zoals?' vroeg Frank, de journalist.

'In een groepssituatie zoals deze wijzen mensen meestal één persoon aan die het woord doet namens de anderen. Het is gemakkelijker om één stem te hebben dan zes. Dus om te beginnen vraag ik u: zijn er vrijwilligers?'

Ze keken elkaar even aan. Toen stak Jenssen zijn goede hand op.

De pr-dame keek verbaasd. 'Zou u woordvoerder willen zijn?'

'Nee,' zei hij. 'Ik doe hier liever helemaal niet aan mee.'

'U wilt er helemaal buiten blijven?' vroeg ze.

'Dat is juist.'

Nouvian stak zijn hand half in de lucht. 'Ik... ik wil best mijn steentje bijdragen, maar ik heb over zes dagen een concert in Lincoln Center. Dat betekent dat ik minimaal zes uur per dag moet repeteren. Minimaal.'

'Goed.' De pr-dame wist het even niet meer. Ze keek vragend naar Gersten.

Gersten deed een stap naar voren. 'Het is voor u allemaal vast niet makkelijk te bevatten, zo met z'n allen in een hotel midden in Manhattan, maar u bent nu beroemd en waarschijnlijk ligt uw naam straks op ieders lippen. Of u het nu gelooft of niet, u bent een symbool geworden van de Amerikaan op zijn best, van moed en veerkracht. Ik zal het anders formuleren: u bent niet langer gewone burgers, die tijd is voorbij.'

Ze zag dat ze het probeerden te laten bezinken. Ieder op zijn of haar eigen manier.

'Nu kunt u zich daartegen verzetten. U kunt thuis de gordijnen dichtdoen, de telefoon eruit trekken en uw Facebook-pagina opheffen. Of u kunt... ik noem maar wat, de komende twintig jaar naar de feestelijke opening van ieder restaurant en iedere nachtclub gaan. De wereld ligt aan uw voeten. Het publiek wil u zien en horen en door u geïnspireerd worden. Dus waarom geeft u de mensen niet wat ze willen? Al is het maar alleen dit weekend.'

'Luister,' zei Colin Frank, niet tegen Gersten maar tegen zijn medehelden. 'Ik heb me op de vlakte gehouden, op het gesprek dat ik er met Joanne over had na.' Hij knikte naar de Ikea-vrouw. 'We zijn niet alleen beroemd, we kunnen ook nog eens rijk worden. Schatrijk, wij allemaal, als we dit op de juiste manier aanpakken. Nu zeg ik niet dat we de mensen naar de mond moeten praten. Integendeel, de waarheid komt toch wel aan het licht. Maar iedereen zal onze verhalen willen horen. Onze boeken willen lezen. Straks willen ze...' Hij wees naar Maggie. '... dezelfde biniki als wij.' Ze moesten lachen. 'Hetzelfde brood eten als wij. Shoppen in de winkels waar wij kopen. Het klinkt idioot, maar... snap je wat ik bedoel?'

'Wat voor bedragen?' vroeg Aldrich, de auto-onderdelenman.

'Dat weet ik niet. Dat is niet te zeggen. We moeten overleggen hoe we dit gaan aanpakken, als groep en ieder voor zich. Ik zeg niet dat we de nieuwe Kardashians worden, maar ik sluit het ook niet uit. Misschien heeft een van jullie een goed doel dat hij wil steunen, daar zou je dan geld voor kunnen inzamelen. Ik noem maar wat. Of ik hier een boek over ga schrijven? Reken maar. Er komen straks allerlei mensen op ons af, aasgieren en opportunisten, en daar hebben we hulp bij nodig, advies. We moeten advocaten en managers hebben, al besef ik dat dat idioot klinkt. Maar ik heb erover nagedacht, nu het allemaal een beetje is bezonken. Wij hebben iets wat maar heel weinig anderen hebben. We zijn niet alleen getuigen, we hebben actief geschiedenis gemaakt.'

De pr-dame onderbrak hem. 'En dat is een gesprek dat ik beslist onder u allen wil aanmoedigen. Als ik u op dat gebied ook maar ergens mee van dienst kan zijn, dan valt dat ook te bespreken, wanneer het juiste moment is aangebroken. Maar, meneer...'

'Jenssen,' antwoordde hij. Hij zat achteraan in de kamer, zijdelings op een stoel, met zijn benen over elkaar en zijn gipsen pols rustend op zijn schoot.

'Wat zegt u ervan? U gaf net aan dat u liever op de achtergrond blijft.'

Jenssen keek haar kwaad aan. 'Ik deel dit enthousiasme niet. Voor geld doen mensen alles. Nou heb ik niks tegen geld, iedereen houdt van geld. Maar... als je er te veel van hebt, kun je het weggeven. Dat ligt met roem wel anders. Dat heb je niet in de hand. Als je eenmaal in de lift van de roem stapt en de deuren gaan dicht... dan kun je omhoog of omlaag, maar nooit opzij.'

'Mooi,' zei Sparks. 'Ik kon wel wat opwinding gebruiken.' Ze wierp Jenssen haar kenmerkende glimlach toe. 'Ik heb zin om in die lift te stappen en op alle knopjes tegelijk te drukken.'

Jenssen zei: 'Van heroïne genieten mensen kennelijk ook enorm. In het begin.'

Gersten nam het woord. 'Ik vind dat u er maar eens over moet nadenken. Heb het er met elkaar over en probeer er samen uit te komen. Maar voor vanavond...'

Ze keek naar de pr-dame, die er professioneel op inhaakte.

'Voor vanavond zouden we heel graag één groot interview met u alle zes willen plannen. Ieder televisiestation heeft grote belangstelling getoond, maar er is er maar één met een hoog aangeschreven nieuwsprogramma op de late avond, en dat is *Nightline*. We zouden graag zien dat u vanavond uw televisiedebuut maakt.'

Nouvian stak zijn hand op als een schoolkind dat moet plassen. 'En als ik gewoon naar huis wil?'

De anderen keken verbaasd zijn kant op. Behalve Jenssen, die met zijn armen over elkaar geslagen het antwoord afwachtte.

De pr-dame keek Gersten aan.

Gersten zei: 'Naar huis gaan is op dit moment niet mogelijk.'

'Niet mogelijk?' zei Nouvian. 'Hoezo niet? Ik ben een vrij man.'

'U bent belangrijke getuigen van een kapingspoging door een terrorist, waar nog een actief onderzoek naar loopt.'

'Allereerst,' zei Maggie, 'zijn we geen getuigen maar deelnemers. Wij hebben hier ook wat over te zeggen. Ten tweede: hoezo "een actief onderzoek"? De kaping is achter de rug.'

Gersten zei: 'Ik beslis hier niet over. Ik volg alleen maar orders op.'

'Dat doen wij ook,' zei Jenssen. 'Althans, dat wordt van ons verwacht.'

Aldrich kneep zijn ogen dicht alsof hij iets kwalijks rook. 'Wat is hier aan de hand? Gaat u me nou vertellen dat als wij nu zouden opstaan en weglopen, met ons zessen, we gearresteerd of opgesloten zouden worden?'

Gersten glimlachte. Ze wilde geen ja zeggen.

'Nou zeg,' zei Maggie geschokt.

'En wie bepaalt dat?' vroeg Aldrich. 'Is dit Obama's werk? Haalt die uitholler van onze grondwet weer eens een idiote stunt uit?'

'De wet bepaalt,' zei Gersten. 'De PATRIOT ACT vergroot onze onderzoeksbevoegdheden.'

'Opsluitmogelijkheden zul je bedoelen,' zei Frank. Hij wendde zich tot Aldrich. 'Het ligt niet aan Obama, dit hebben we aan Bush te danken.'

Dat wilde Aldrich niet horen. Hij liep vuurrood aan, maar het enige wat hij kon uitbrengen, was: 'Dit is gelul.'

Jenssen zei: 'Dus we worden hier vastgehouden als gevangenen, maar jullie willen wel dat we op tv verschijnen en leuk naar de camera's lachen?'

Maggie richtte zich tot de anderen. 'Toe nou,' zei ze, 'zij kan er ook niks aan doen.' Ze verdedigde Gersten. 'Dit is duidelijk niet haar schuld. Ze zit hier echt niet voor haar lol op vrijdagavond om zich door ons te laten...'

Gersten glimlachte en zei niets.

Frank wreef over zijn ongeschoren gezicht en zei: 'Laten we voor vanavond het spelletje meespelen. Het kost ons niets. Feit blijft nu eenmaal dat we iets bijzonders hebben gedaan en dat we, tussen aanhalingstekens, helden zijn. Je moet er niet te lang bij stilstaan. Zelf voel ik me toch een beetje verplicht om het te doen, maar zelfs als jullie dat niet zo ervaren, beschouw dit dan als een unieke ervaring. Zoiets maak je toch nooit meer mee? Televisie is fascinerend, vanaf de andere kant bekeken. We vertellen vanavond ons verhaal en daarna nemen we onze broodnodige rust. De rest zien we morgen wel.'

De pr-dame sloeg haar handen ineen. 'Dat lijkt me een uitstekende oplossing.'

Sparks draaide zich om naar Jenssen, die nog steeds met zijn armen over elkaar zat. Ze gaf een kneepje in zijn knie. 'Wat zeg jij ervan, held?'

Gersten moest lachen: ze vond het ironisch dat de meest fotogenieke van allemaal de meeste schroom had voor een televisieoptreden.

Jenssen glimlachte traag; een deel van die glimlach was voor Sparks, de rest verlichtte de kamer met een fors wattage. 'Ach, ik heb vanavond toch niets beters te doen.'

De sfeer ging met sprongen vooruit. De pr-dame zei: 'Om acht uur vanavond zijn de opnamen in hun studio op Times Square. Als we dat willen halen, moeten we om half acht in de auto zitten. Tot die tijd kunt u iets voor uzelf doen of contact opnemen met uw familie. Roomservice is op de hoogte van ons rooster en er zal om half zeven een volledige maaltijd bij u in de kamer geserveerd worden, aan de eettafel. Ben ik duidelijk genoeg geweest?'

Knikjes en lachjes van iedereen.

Jenssen vroeg: 'Is er een fitnesszaal hier in het hotel?'

Gersten zei: 'Die is er wel, naar daar mag u vandaag helaas niet komen.'

De pr-dame zei: 'We kunnen proberen er morgen tijd voor in te ruimen.'

Nouvian zei: 'Wacht even. Is er al een rooster voor morgen ook dan?'

De pr-dame besefte dat ze te veel gezegd had. 'Misschien wel...' antwoordde ze, terwijl een van haar assistenten naar haar toe liep met een vel papier.

Maggie zei: 'Als ik vanavond op televisie moet verschijnen, heb ik een schoonheidsspecialist nodig. En wel nu meteen.'

'Ik ook,' zei Sparks. 'En kleding die niet twee dagen in een koffer gepropt heeft gezeten zou ook fijn zijn.'

De pr-dame had inmiddels het vel papier gelezen dat haar was aangereikt en keek glimlachend op. 'Dan zult u hier heel blij mee zijn. Barneys New York heeft u allen een rondje gratis shoppen aangeboden. U kunt op de website uw maat invullen en online de bestelling doen, dan zorgen mijn assistenten ervoor dat alles om zes uur hier is. En wat de make-up betreft: er zijn vanavond professionele visagisten aanwezig in de studio. Komt dat een beetje in de buurt van uw wensen, dames?'

Maggie en Sparks keken elkaar aan en juichten in stilte. Zelfs Nouvian grijnsde.

Aldrich vroeg: 'Barneys, wat is dat nou weer?'

De anderen begonnen allemaal te lachen.

De pr-dame zei: 'Ik zal meteen de website voor u instellen.'

'Coyote' was de codenaam voor de tactische veldoperatie, willekeurig uitgespuugd door de computer. En toch vond Fisk de naam op de een of andere manier wel passend. Hij zou boven iedere e-mail en op elk vel papier komen te staan. Fisk begon met een schets van zijn actieplan voor Dubin's databestanden. Hoe hij zijn mensen, zijn zoek- en identiteitsparameters en de informatiebeveiliging zou indelen. Je kon het bureaucratische gedoe maar beter alvast gehad hebben.

Hij mocht van zichzelf zijn hoofd niet op zijn bureau laten rusten voordat de foto's binnen waren. Dubin had hem opgedragen een paar uur te gaan slapen op een van de stapelbedden die voor nachtdiensten werden gebruikt, maar dit was niet Fisks eerste lange weekend, en hij kende zijn eigen grenzen van vermoeidheid zo goed als een atleet.

Zijn computer liet de *ping* horen die hij had ingesteld als aankondiging van dringende e-mail. De foto's van de camera hoog in de slurf naar het toestel in Stockholm verschenen op zijn scherm.

Een collage van zes zwart-witfoto's toonde een slanke man in een donker pak die strak naar de grond keek toen hij onder de camera door liep. Op zeker moment werd hij verrast door het ochtendlicht dat door een van de raampjes in de slurf naar binnen viel, waardoor hij omhoogkeek. Dat was de beste foto.

Het was een Arabier met een klassiek knap uiterlijk. Donkere wenkbrauwen in een hoekig, vierkant gezicht en brede schouders. De bouw van een man die later in zijn leven zwaarder zou worden, maar die nu kracht en zelfvertrouwen uitstraalde.

Ze hadden hier meer aan dan aan Bin-Hezams vier jaar oude paspoortfoto, waarop hij een baard had. Maar Fisk hoopte dat ICE Newark met iets beters zou komen en besloot dat af te wachten voordat hij deze foto's zou vrijgeven binnen Intel.

De volgende *ping* werd gevolgd door beelden van de douanehal in Newark. Het waren er twaalf, en op de meeste daarvan stond de Saoedi bij de bagageband. Terwijl de andere passagiers zichtbaar opgewonden of opgelucht waren dat hun onderbroken reis goed was afgelopen, zag Bin-Hezam eruit als een doodgewone passagier na een doodgewone vlucht op een doodgewoon vliegveld waar dan ook ter wereld. Uitdrukkingsloos gezicht, geen gedrentel, geen rek- en strekoefeningen. Het hoofd omlaag, zonder zich iets aan te trekken van de uitgelaten sfeer om hem heen.

De opname van de camera bij het douanehokje, op ooghoogte, was de beste van allemaal. Maar de Saoedi zag er niet anders uit dan de honderden jonge Arabische mannen die Fisk had gekend, al had deze – maar misschien zocht hij daar te veel achter – nog donkerder ogen, zo diep woestijnzwart dat het bijna onnatuurlijk was.

Fisk vergrootte het beeld naar 150 procent. De Saoedi had een moedervlek ter grootte van een muntje van tien dollarcent links op zijn kaaklijn; het zag eruit als een blauwe plek. Het gaf hem iets ruigs en maakte hem herkenbaarder, maar de hooiberg bleef absurd groot.

Fisk bestelde vijftig afdrukken van de uitvergrote gezichtsfoto en van de kleurenfoto van de man ten voeten uit bij de bagageband. Zijn plan van aanpak was allebehalve ingewikkeld en, zo vreesde hij, potentieel kansloos. Hij zou iedere harker en elke moskeevriend moeten terughalen van hun huidige opdracht en hen alle moslimwijken in Queens en Brooklyn laten uitkammen; hij mikte nu op de kans dat de Saoedi daar zou opduiken.

Bin-Hezam moest iemand kennen in New York. Hij zou toch ergens moeten verblijven. Bij vrienden of familie? De analytische eenheid had geen familie gevonden, maar in dit soort gevallen toonden verre neven en nichten vaak dezelfde loyaliteit als ouders of broers en zussen. Toch was ook een hotel niet uitgesloten, en Dubin had Baada Bin-Hezams creditcardgegevens doorgestuurd naar de FBI.

Fisks beste vrienden waren nu de mensen op straat en puur geluk. Hij opende de informantenformulieren en mailde de rechercheurs die een stuk of dertig surveillerende agenten in New York aanstuurden, met daarbij het strikte verbod de informatie nog verder te verspreiden. En toen, als een patiënt die zijn medicijn innam, dwong Fisk zichzelf om even het hoofd te ruste te leggen, en hij viel vrijwel onmiddellijk in slaap.

Vijftig minuten later werd hij wakker, en heel even was hij gedesoriënteerd. Hij had gedroomd dat er een coyote rondliep op het kantoor van Intel. Hij ging staan om de bloedsomloop op gang te brengen, en nog geen minuut later voelde hij zich weer alert en fris. Hij haalde een reep chocola uit de automaat in het pauzelokaal en klokte een cafeïnevrije cola light naar binnen.

De dagploeg had de schermen overgedragen aan de avondploeg, die tot middernacht werkte. Dubin had de overwerkkraan wijd opengedraaid en iedereen die bereid was te werken de straat op gestuurd. Dat betekende dat er drie keer zo veel politiemensen op zoek waren naar Baada Bin-Hezam als normaal gesproken het geval zou zijn geweest.

Het was vrijdagavond, even na zes uur. Het weekgebed van Jumu'ah was voorbij. Veel traditionale gezinnen bleven 's avonds dicht bij huis, behalve de verwesterde jongeren, die op deze warme zomeravond op straat te vinden waren, net als de rest van New York. Als het druk was op straat, was het voor zijn informanten makkelijker om mensen in de gaten te houden. Maar het was voor Bin-Hezam ook makkelijker om zich te verbergen. In dit geval dreef de hitte de mensen veelal naar buiten, dus het zat hem mee.

De agenten aan hun bureaus bekeken op hun monitoren sms-berichten en hielden via de GPS bij waar hun informanten zich bevonden, waarna ze hun updates en korte verslagen doorgaven aan Fisk. De harkers in de verschillende wijken hadden dankzij jarenlange ervaring op straat een zesde zintuig ontwikkeld voor mensen die er niet thuishoorden.

Tot dusver had nog niemand afwijkende activiteiten gemeld.

Bijna een miljoen van de acht miljoen inwoners van New York was moslim. Een op de acht. Er waren 130 moskeeën in de vijf wijken. Veertien islamitische scholen. Speciale parkeervergunningen in bepaalde buurten voor religieuze feestdagen. De winkels en restaurants deden denken aan hun tegenhangers in Bagdad, Jakarta, Riyaad, Kabul, Karachi en duizenden andere nederzettingen over de hele wereld waar geen andere god bestaat dan God.

De zoekactie op straat was een doorsneebuurtonderzoek. Door de komst van de smartphone waren de surveillanceregels volledig veranderd. De tijden van clandestiene bijeenkomsten tussen spionnen, informanten en tussenpersonen waren voorbij. Over Fisks scherm flitsten verslagen uit moslimgemeenschappen in Brooklyn, Queens en het zuidelijke deel van Manhattan.

Allemaal hetzelfde. Geen contact.

Het demografische landschap van New York is voortdurend in beweging. De verandering in de buurten is net zo constant en gestaag als de eeuwenoude gletsjers die het terrein onder de stad hebben gevormd; de etnische samenstelling transformeert door migratie, angst, willekeur en hebberigheid. Bay Ridge, Boerum Hill, Cobble Hill, Flatbush, Sunset Park en Greenwood Heights in Brooklyn huisvestten levendige clusters Arabieren en Turken, nog verder verdeeld in stam- en familieverbanden. De Afghanen en Pakistanen hadden zich gevestigd aan de buitenste rand van Queens, de meesten rondom de twee moskeeën in Flushing. De Bosniërs en Indonesiërs hadden Astoria in bezit genomen.

Fisk schakelde zijn toetsenbord in om de beelden van de surveillancecamera's op te roepen. Vijfhonderd digitale camera's stuurden beelden naar een bemanningscentrum in de voormalige marinewerf in Brooklyn. De twee foto's van Bin-Hezam waren met prioriteitspredikaat 'nationale ramp' naar het bemanningscentrum gestuurd, maar hadden geen nieuwe informatie opgeleverd. Alleen de medewerker die er het allerlangste werkte – en de hoogste rang had – had ooit eerder een verzoek met deze allerhoogste priorieit meegemaakt. Het wilde zeggen dat ze onmiddellijk alles behalve lopende meldingen van zware geweldsdelicten uit handen moesten laten vallen en de camera's werden ingezet voor de opsporing van één specifieke verdachte.

De reden hadden ze geen van allen te horen gekregen. En niemand zou ernaar vragen. Alleen de hoogstnodige informatie was beschikbaar, dat waren ze gewend.

Voor mensenogen vergde dit soort speurwerk achter de camera's dezelfde concentratie als die van verkeersleiders in de spits. Een van de softwareprogrammeurs van het centrum extraheerde de acht gezichtskenmerken van de close-up die was genomen op Newark; die had de computer nodig om de onbewerkte beelden van de camera's te screenen. Het filteralgoritme dat daaruit voortkwam werd vervolgens losgelaten op al het inkomende beeldmateriaal. Met die handeling werd het aantal mogelijke foto's van een gezochte persoon verkleind met een factor tienduizend.

De potentieel bruikbare foto's werden met tientallen tegelijk doorgespeeld naar dienstdoende agenten bij Intel. Deze zogenaamde screeners stuurden alle mogelijke hits door naar Fisk, die drie of vier gezichten per uur verwachtte te bekijken.

Bin-Hezam zat niet bij de eerste reeks. Dat verbaasde hem niet. Zo gemakkelijk ging het nooit.

Fisk merkte dat hij langzaam verviel in het geduldige, vertrouwde ritme van intensieve surveillance, en het verwerken van input uit de verschillende bronnen verspreid door New York. Het was een aangenaam gevoel, de vertrouwde opwinding van de jacht. Het waren impulsen die hij associeerde met Krina Gersten, en hij besefte dat hij haar wel eens mocht bellen. Haar mobiele nummer was voorgeprogrammeerd in zijn telefoon.

'Ha,' zei hij.

'Hé, hallo.' Er klonk een lichte opluchting door in haar stem.

'Alles goed?'

'Ja, hoor.' Hij hoorde haar lopen en stelde zich voor dat ze op zoek was naar een rustig plekje waar ze ongestoord kon praten. 'Ze zitten nu op een kamer met vrienden, familie, hun eigen gedachten of de tv. Straks laden we ze in auto's voor de opnamen van *Nightline* op Times Square. Er is een kleine opstand geweest, of in ieder geval de aanzet daartoe, maar voorlopig doen ze weer allemaal mee. Maar je belt vast niet om te vragen hoe het hier in de crèche gaat.'

'Dat hoef ik niet te vragen. De commissaris is heel tevreden. Hij kende je bij naam. Ik wist niet dat jij nauwe banden had met hogere sferen.'

'Daar schiet ik wat mee op,' zei ze. Ze hield de telefoon bij haar mond vandaan en zei tegen iemand: 'Ogenblikje.' Toen kwam ze weer aan de lijn. 'Ja, hij heeft met mijn vader samengewerkt. Vroeger op Staten Island.'

'Misschien kun je daar gebruik van maken. Als de boodschap overkomt, halen ze je vast wel van die hotelklus. Of anders kan ik misschien vragen...'

'Ten eerste: hij stuurt mijn moeder ieder jaar een kerstkaart, maar verder gaat het niet. Ten tweede hebben we er geen van beiden wat aan om het via Dubin te spelen. Voorlopig zal ik de spanning plaatsvervangend via jou moeten beleven, en nu maar hopen dat er gauw verandering in komt. Waar ben jij mee bezig? Hard aan de slag met Bin-Hezam, mag ik hopen.'

'Ja, *full speed*. Het hek is nu van de dam. We zoeken via livecamera's en luisteren gesprekken af. Nog niets. Zelfs met onbelemmerde toegang moet je nog het geluk hebben dat je er wat mee kunt.'

'Ik neem aan dat jullie de gebruikelijke stappen doorlopen,' dacht ze hardop. 'Laten we de mogelijke doelwitten eens doornemen. We hebben natuurlijk het weekend dat voor de deur staat. Het vuurwerk.'

'Daar kijken drie miljoen mensen naar, verspreid over heel westelijk Manhattan, langs de Hudson. En dan is er de volgende dag de plechtigheid bij One World Trade Center.'

'Vanaf nu het hoogste gebouw van Amerika.'

'De president is ervoor in de stad. De ceremonie is al over zesendertig uur.'

'Het vuurwerk wordt afgestoken tussen Twentieth en Fifty-fifth Street; het duurt in totaal iets van twintig minuten.'

'Vijfentwintig.'

'Dat moet haast wel uitlopen op een nachtmerrie. De ceremonie daarentegen heeft een beveiligd gebied van wel een kilometer doorsnee.'

'Zoiets, ja. Twee dikke, vette doelwitten. Of wat dacht je hiervan: afwachten tot alle beveiliging is geconcentreerd rond de plechtigheid, met alle bijbehorende hoogwaardigheidsbekleders, en dan is de rest van Manhattan ongekend kwetsbaar.'

'Jezus,' zei ze. 'Had ik maar niks gevraagd.' Ze dacht even na. 'Het moet een belangrijk, zeer zichtbaar doelwit zijn. Yankee Stadium?'

'De Yankees spelen dit weekend uit, goddank. Tegen de California Angels. Maar vergeet niet dat het aantal dodelijke slachtoffers niet per se heel hoog hoeft te zijn. Het gaat om de impact op zich. Bin Laden wilde grote indruk maken en schade aanrichten.'

'Het Vrijheidsbeeld. Dat is zichtbaar vanuit zuidelijk Manhattan, vanaf het terrein rond Ground Zero. Dat zou verdomme een symbolische aanslag van de eerste orde zijn.'

Fisk zei: 'Dat is nogal wat. Maar inderdaad, als doelwit zou het heel geschikt zijn. Laten we wel wezen: we zouden een hele avond kunnen vullen met het opsommen van mogelijkheden binnen New York. Dat kan de eerste de beste tourist ook. Op dit moment brengt het ons niet dichter bij het waar en waarom. We weten alleen wie het is. Wie het misschien is. Dat moeten we als uitgangspunt nemen. We moeten iets bedenken om hem voor te zijn en hem te betrappen.'

'Antrax,' zei Gersten. 'Of een ander biologisch wapen.'

'Daar moeten we altijd op bedacht zijn. De honden op het vliegveld hebben niks gevonden, maar als hij hier zijn contactpersonen heeft, en daar ga ik wel van uit, dan zou het kunnen.'

'Hij moet toch wel hulp krijgen? Brengt hij misschien iets weg... of komt hij juist iets halen? Zijn bagage is doorzocht, die kunnen we uitsluiten. Is hij hierheen gekomen om ergens bij te helpen?'

Fisk zei: 'Je weet dat ik er een hekel aan heb om bij te dragen aan de paranoia.' Gersten en hij hadden het vaak gehad over het verknipte wereldbeeld dat je kreeg wanneer je zeven dagen per week op spookterroristen joeg. 'Maar misschien is hij hierheen gekomen om slapende cellen in actie te laten komen – potentiële terroristen die op een opdracht wachten. Dat klinkt niet onlogisch. Ik moet steeds denken aan de woorden van baardmans vlak voor zijn dood. Hij wilde een plan bedenken dat zo sluw in elkaar zat dat we het onmogelijk konden zien aankomen. Als Bin Laden voor zijn dood een groot plan in werking heeft gezet, heeft hij natuurlijk het beste van het beste willen gebruiken. De geheimste contactpersonen, de slimste aanhangers. Om het te laten slagen, heeft hij ongetwijfeld zijn vooraanstaande Al Qaida-mensen opgesnord.' Fisk hoorde zichzelf orakelen. 'Of, en die mogelijkheid is wat mij betreft ook nog niet van tafel: de Saoedi is gewoon een kunsthandelaar voor de jetset, wiens leven de komende tijd verwoest zal worden door de paranoïde instelling van één Intel-agent.'

'Ga nu niet aan jezelf twijfelen, Jeremy. Er broeit hier iets, er is iets loos. Kruip in het hoofd van die kerel, en onthoud daarbij goed dat áls er iets speelt, het iets groots moet zijn. Iets heftigs. Alles in het geweer, niet iets alledaags. Niet iets kleins. Dat was Bin Laden van plan, toch? Iets buitengewoons. Hij wilde de strijd op een hoger plan brengen, nog een stap verder dan 11 september.'

Fisk zat te knikken aan de andere kant van de lijn.

'Verdomme,' zei Gersten. 'En ik ben hier op een zijspoor gezet.'

'Niet waar,' zei Fisk. 'Ik heb veel aan je, je hebt me weer scherpgesteld. Mijn potlood geslepen.'

'Ja, dat zal wel.'

'Blijf meedenken,' zei hij voordat hij ophing.

Toen hij hun gesprek in gedachten nog eens doornam, glimlachte hij even. Het bureau van de National Security Agency in New York hield op verzoek van Intel de mobieletelefooncommunicatie in de gaten en leidde alle gesprekken van de zendmasten in Flatbush, Cobble Hill, Astoria en zuidelijk Manhattan om naar de grote computers van Fort Meade. Het was wettelijk en praktisch gezien onmogelijk om ieder gesprek af te luisteren, dus scanden ze digitaal op Arabische woorden en bepaalde terroristische sleutelwoorden. Hij bedacht lachend dat zijn eigen gesprek met Gersten ook als verdacht aangemerkt zou worden. De slang bijt zichzelf in de staart.

Paranoia aangewakkerd.

Zesendertig uur.

Als er dit weekend een terroristische aanslag op New York gepleegd zou worden, had Fisk twee nachten en een dag de tijd om één man te vinden in een miljoenenstad.

Gersten had zich kunnen afmelden en naar huis kunnen gaan toen haar dienst erop zat, maar haar gesprek met Fisk had de plichtsgetrouwe agente in haar wakker gemaakt. Ze besloot DeRosier, de minst onuitstaanbare van haar twee collega's, te vergezellen naar de televisieopname.

De locatie van het hotel waar De Zes verbleven was uitgelekt via de media en via internet, dus het eerste waar ze tegenaan liepen zodra ze het Hyatt uit kwamen – naast een vlaag warme avondlucht – was een bombardement aan gejuich en applaus van de menigte die zich op straat had verzameld om toe te kijken hoe ze over het trottoir naar de hotelbusjes liepen. Er was zo veel rumoer dat Gersten onmiddellijk alert was; op dat moment voelde ze zich meer Secret Service dan politieagent.

Maar de stemming onder de menigte was uitgelaten. Het was een ware heldenontvangst. De enige dreiging was dat er in hun enthousiasme mensen onder de voet gelopen zouden kunnen worden.

Eenmaal in het koele busje keken De Zes geschrokken en onder de indruk door de raampjes naar hun fans.

Aldrich schoof op een stoel en zei tegen de anderen, in zijn eigen woorden: 'Stelletje gekken.'

'Geweldig!' zei Maggie, en ze zwaaide alsof ze haar konden zien door het spiegelende glas. 'We houden ook van jullie!' zei ze lachend.

Frank sloeg de blocnote open die hij voortaan bij zich droeg en noteerde enkele observaties. Nouvian trok een gekweld gezicht, alsof hij last had van een hoge fluittoon in zijn oren.

Jenssen ging achterin zitten en keek uit het raampje als een man op safari. Sparks koos snel voor de stoel naast hem, zag Gersten met een glimlach.

Onder escorte van de NYPD reden ze de stad door, met loeiende sirenes bij ieder kruispunt. Gersten vond het fascinerend om te zien hoe de voetgangers zich in de julihitte haastten om een glimp op te vangen van de politie-escorte; zodra ze beseften wie er in het busje zaten, staken ze een hand op ter begroeting. De stad verenigde zich op die drukkende vrijdagavond.

Tegen DeRosier zei ze: 'Een inhuldigingstocht met fanfare lijkt me niet uitgesloten.'

Ze zaten samen vooraan in het busje. Hij stootte haar aan en wees naar achteren. 'Heb je dat gezien?'

Hij doelde op Sparks and Jenssen, die beiden gehuld waren in een nieuwe outfit, met dank aan Barneys New York. Mevrouw Sparks wees Jenssen onderweg van alles aan, als een stadsgids. Jenssen was best geïntereseerd, zowel in de stad als in mevrouw Sparks, maar zij was duidelijk de meest doortastende van het stel.

Gersten zei: 'Ik wil voor tien dollar wedden dat dat eindigt met ruzie.'

'Het eindigt altijd met ruzie,' zei DeRosier. 'Maar wat kan hem dat schelen? O, om als Zweed hier in New York te mogen rondlopen... Zou hij nog een goeie tweede man kunnen gebruiken?'

Gersten vroeg: 'Zou je vrouw dat wel op prijs stellen?'

'Mijn vrouw? Die zou vooraan in de rij staan om met hem te tongen. Puur uit vaderlandsliefde, natuurlijk. Om de heldhaftige soldaat welkom thuis te heten, zal ik maar zeggen. Wist je dat ik vroeger ook blond was?'

'Had je ook blauwe ogen?' vroeg Gersten.

DeRosier fronste zijn voorhoofd. 'Shit, wat ziet die druiloor er goed uit.'

Gersten ging aan het bellen om extra beveiliging rondom het Hyatt te regelen. De hekjes die er nu stonden waren ontoereikend. Ze hadden dranghekken nodig en agenten te paard om de menigte in bedwang te houden. Ze bestelde meteen extra vervoer, en wat minder opvallend. Dit leek verdorie wel een tourbus. Ze belde Patton en vroeg hem om voor hun terugkeer alvast de leveranciersingang van het hotel veilig te stellen.

Nightline werd normaal gesproken opgenomen bij het hoofdkantoor van ABC News op Lincoln Square in de Upper West Side. Voor deze speciale uitzending, met De Zes en een verhaal dat zich afspeelde in New York, keerden ze terug naar de iconografie van hun studio's op Times Square.

De producers die hen opwachtten bij de zij-ingang hadden niet gerekend op de grote belangstelling van toeristen en slimme New Yorkers. De Zes werden snel naar binnen geloodst, maar niet voordat ze een glimp hadden opgevangen van de grote tv-schermen over het hele Kruispunt van de Wereld, waarop beelden van hun eerdere persconferentie te zien waren.

Binnen werden ze bewonderend bekeken door de producers en diverse anderen die bij de uitzending betrokken waren. Tegen de wanden stond het vol met mensen, en het was Gersten duidelijk dat niet iedereen die hoopte een glimp van De Zes op te vangen ook daadwerkelijk bij de tv-studio hoorde. Zelfs gewoonlijk onverschillige tv-mensen lieten zich door alle opwinding meeslepen.

De Zes gingen de make-up in, kregen een microfoontje opgespeld en werden naar de studio gebracht, die uitkeek op Broadway. Ze werden voorgesteld aan de presentatoren Cynthia McFadden en Terry Moran, die het programmaonderdeel van een kwartier samen zouden leiden. Gersten deed een stapje terug en ging achter de studiolampen staan, op de gladde, glimmende vloer waar de enorme camera's soepel overheen reden.

Toen ze op hun plaats zaten, kwam de grote zenderbaas binnen en stelde zich aan ieder van hen apart voor. Toen hij weg was, brak Cynthia McFadden het ijs door De Zes te verzekeren dat de grote baas normaal gesproken niet zomaar langskwam om iedereen te begroeten.

De studioverlichting gaf De Zes een honingkleurige gloed. Ze zaten op hun hoge regisseursstoelen in een halve cirkel tegenover McFadden en Moran. Moran las zijn aantekeningen door terwijl de opnameleider aftelde, en toen zette McFadden het programmaonderdeel in. Ze refereerde aan het ontstaan van *Nightline* in de tijd van de Iraanse gijzelcrisis, waarmee ze die terreurdaad verbond aan de heldendaden van SAS-vlucht 903. Ze vervolgde met een kort fragment van het vliegtuig dat veilig landde in Bangor, waarna de gereedstaande brandweerwagens en ambulances toesnelden. Er werden geluidsfragmenten uitgezonden afkomstig van de pas vrijgegeven gesprekken tussen de gezagvoerder en de luchtverkeersleiding, en toen gingen de rode lampjes weer branden en begon het live interview.

Zoals te voorspellen was geweest voerden de presentatoren De Zes weer mee door de details van de kaping en vroegen ze hun te beschrijven wat er door hen heen was gegaan. Het viel Gersten op dat de antwoorden in de loop van de afgelopen vierentwintig uur een beetje opgepoetst waren, zoals dat met alle goede verhalen gebeurt. In plaats van onzelfzuchtig en bescheiden te beweren dat ze hadden gehandeld zonder erbij na te denken, gaven De Zes hun heldendaden langzamerhand een vastberaden draai. Vooral Frank, die vertelde dat hij 'had geweten dat hij iets moest doen', omdat er 'een tragisch verlies van mensenlevens' had gedreigd.

Gersten kreeg een vieze smaak in de mond toen ze de journalist zijn verhaal aan de man zag brengen.

Het meest indringende moment van het interview was toen Maggie Sullivan met tranen in haar ogen beschreef hoe bang ze was geweest op het moment dat de kaper haar overmeesterde. Haar emoties waren oprecht, nog rauw, en dreigden haar de baas te worden. Ze stak een gloedvol betoog af over Jenssen en beschreef de daden van de man die zich als eerste in het portaal had begeven en zich op de Jemeniet had gestort om hem het vermeende ontstekingsmechanisme uit handen te rukken, waarbij hij zijn eigen pols had gebroken. Toen de tranen vrijelijk stroomden en ze verder bij niemand terechtkon, wendde ze zich tot Jenssen, die naast haar zat, en hij sloeg een arm om haar heen en troostte haar zonder woorden.

DeRosier dook achter Gersten op en fluisterde: 'Hoe lang zal het nog duren voordat ze hun eerste hitsingle uitbrengen?'

Ze lachte, maar Maggies behoefte aan troost raakte haar – en ze wist dat de miljoenen kijkers van die avond er ook door geraakt zouden worden, net als de vele miljoenen anderen wereldwijd die het fragment dat weekend op internet zouden bekijken.

Baada Bin-Hezam keerde terug naar Pennsylvania Station gekleed in een spijkerbroek, een T-shirt en een sportief bruin colbertje, met zwartleren schoenen eronder. Hij droeg een dure zwarte bril en een dun snorretje, dat geverfd was in exact dezelfde kleur als zijn haar. Dat had hij heel kort geschoren, en hij had de aandacht van zijn gezicht verder afgeleid met een modieus sjaaltje. De hitte was niet zo sterk afgenomen als hij had gehoopt, en hij voelde zich meteen weer onaangenaam plakkerig. Maar zo op het eerste oog was hij een jonge, moderne Arabier in goeden doen op weg naar een avondje in de stad.

Hij betrad de muil van de metro onder het immense station. Lijn A, de sneltrein, stopte niet in 116th Street, waar hij naartoe wilde. De trein die hij moest hebben was lijn C, de stoptrein. Verwarrend, maar hij had in gedachten vaak geoefend voor deze dag, en alle instructies uit het hoofd geleerd.

Hij wist niet wie hij zou treffen. Hij had een mobiel nummer en een wachtwoord: *Helilmoya*. Dat betekent 'maak het water zoet'. De reactie zou *Samak Allah alim* zijn: 'vissen die God het beste kent'.

Lijn C kwam aanrijden. De open deuren verwelkomden hem.

Bin-Hezam haakte een arm om de stang in het overvolle, schokkende metrostel toen de trein in noordelijke richting door de tunnel onder Eighth Avenue reed. Het was spitsuur en bijna weekend. Iedere passagier had zo'n dertig vierkante centimeter om te staan of te zitten, het rijtuig was zo volgepakt dat de scheidslijnen tussen het ene lichaam en het andere niet duidelijk waren.

Bin-Hezam dwong zichzelf om te wennen aan de aanraking door bezwete vreemdelingen en zijn gebruikelijke waakzaamheid als het om zijn eigen lichaam ging tijdelijk opzij te zetten, terwijl hij vocht tegen de claustrofobie. Hij deed zijn ogen dicht en stelde zich het rustgevende avondlicht onder een halvemaan voor.

Hij was blij toen de trein bij 116th Street aankwam, en hij liep de trap op naar de buurt die tegenwoordig bekendstond als 'Le Petit Senegal'. De straat, waar hij nooit eerder was geweest, kwam hem vertrouwd voor dankzij het grondig bestuderen van het onvolprezen Google Street View. Op een andere site had hij munttelefoons in de omgeving gevonden, een uitstervend goed.

De eerste die hij zag was kapot: de hoorn was doormidden gebroken en de bedrading stak eruit. Hij stak de straat over naar een kleine overdekte markt waar binnen een munttelefoon hing, boven een pinautomaat waar op het scherm dollartekens oplichtten.

Hij gooide een paar kwartjes in de telefoon en toetste het nummer in. Een mannenstem zei nors: 'Hallo?'

'*Helilmoya.*' Bin-Hezam sprak alle lettergrepen zorgvuldig uit, want hij achtte het onwaarschijnlijk dat degene die hij aan de lijn kreeg het Arabisch als moedertaal had.

'*Samak Allah alim.*' Toch wel. Het klonk accentloos.

Bin-Hezam zei: 'Mijn instructies graag.'

De man gaf hem een ander telefoonnummer, lokaal. Bin-Hezam paste zijn vaste trucje toe: hij zag het nummer in gedachten voor zich, zodat hij het kon onthouden. Daar was hij als kind al heel goed in geweest.

'Herhalen,' zei de mannenstem.

Bin-Hezam zei het nummer op. De verbinding werd verbroken.

Zo veel botheid had Bin-Hezam niet verwacht, maar hij liet zich niet van zijn stuk brengen. Misschien was het behoedzaamheid, en behoedzaamheid was goed. Deze mensen behoorden tot een andere wereld, bedacht hij. Ze waren niet meer dan huursoldaten. Hij was juist blij als ze zich professioneel opstelden.

Bin-Hezam gooide nog wat kwartjes in de telefoon en toetste het volgende nummer in. Hij noemde het codewoord en werd verzocht dat te herhalen voordat hij een bevestiging kreeg. Deze keer bespeurde hij wel een accent.

'Loop één blok in oostelijke richting naar Seventh Avenue. Ga daar op de stoep staan voor herenkapper Meme Amour. Met je rug naar de zaak en je gezicht naar de straat.'

Weer werd er opgehangen. Goed zo. Bin-Hezam verliet de overdekte markt en begon onmiddellijk in oostelijke richting te lopen. Toen hij zichzelf vluchtig in een etalageruit zag, schrok hij even van zijn eigen voorkomen; hij was vergeten dat hij een valse snor droeg.

Maar waar het om ging: er liep niemand met hem mee.

De kapperszaak was klein, en voor het raam hingen foto's van lachende mannen van uiteenlopende bevolkingsgroepen. Bin-Hezam gluurde even naar binnen. Geen licht. De zaak zag er gesloten uit.

Hij ging vlak bij de stoeprand staan, met zijn gezicht naar de straat zoals hem was opgedragen. Hij voelde zich onmiddellijk zichtbaar en kwetsbaar, en daarom haalde hij zijn telefoon tevoorschijn en scrolde langs de verschillende applicaties, zogenaamd druk bezig.

Een naderende automobilist minderde vaart, en in zijn zenuwen was Bin-Hezam er bijna naartoe gelopen. Het voertuig, bestuurd door een vrouw, trok weer op en reed door. Het was niet zijn contactpersoon. Bin-Hezam was ervan overtuigd dat die hem nauwlettend in de gaten hield en hem beoordeelde.

Tien minuten verstreken als een half uur. Was hier sprake van pure behoedzaamheid, of werd hij op de proef gesteld? In het laatste geval zou hij diep beledigd zijn. Zou zijn contactpersoon op zijn beurt een test doorstaan?

Toch stapte hij niet op. Beleefdheid was in deze kwestie net zo overbodig als ongeduld. Het drong tot hem door dat hij zich moest overgeven aan anderen. Hij vertrouwde op God.

Achter hem klonk een mannenstem.

'*Assalamu alaikum.*'

Toen Bin-Hezam zich omdraaide, stond daar een nors kijkende zwarte man wiens kolossale omvang nauwelijks werd verhuld door het zwarte nylon Adidas-trainingspak dat hij aanhad.

'*Walaikum assalam,*' antwoordde Bin-Hezam.

De man liep weg zonder nog een woord te zeggen, en Bin-Hezam volgde hem. In plaats van de kapperszaak binnen te gaan, ging hij Bin-Hezam voor naar een deur pal rechts daarvan.

Ze betraden een smalle, ononderbroken gang, een soort tunnel die het pand in liep, donker op het daglicht na dat door de matte glas-in-loodramen van de deuren aan weerskanten viel. Bin-Hezam volgde de waggelende man in het schemerdonker naar een kleine, omheinde binnenplaats die was bezaaid met gebruikte en afgedankte apparaten. Magnetrons, televisies, bakoventjes, maar ook oude fietsen en ouderwetse computermonitoren. Ze liepen een meter of tien over een kronkelpaadje dat werd omzoomd door deze rommel, tot ze bij de achterkant van een lage garage kwamen.

De dikke man ontgrendelde het slot met een sleutel die hij uit zijn zak had gehaald en deed een stap opzij om Bin-Hezam erdoor te laten.

In de garage maakte de chaos van de uitdragerij plaats voor een overdreven nauwgezet opgeruimd en geordend gereedschapshok. Aan beide kanten stonden werkbanken, tegenover elkaar, die bijna de gehele lengte van de garage in beslag namen. Aan geperforeerde wandplaten en aan de balken hing een breed assortiment gereedschap.

Dit was het terrein van een schroothandelaar. Een ontmanteld elektromotortje. Een televisie met een gigantische beeldbuis. Twee laptops, met elkaar verbonden.

Bin-Hezam deed het dunne sjaaltje af, stopte het in de zak van zijn colbert en keek om zich heen, zogenaamd uit nieuwsgierigheid, maar in werkelijkheid stelde hij een ontsnappingsroute op, voor het geval hij die nodig mocht hebben. Het rook binnen naar smeerolie en tomatensaus. De garage had geen ramen en het was er koel.

'Goede zaken,' zei de man uiteindelijk tegen Bin-Hezam, zich bewust van zijn speurende blik. 'Bij ons in Dakar wordt niets verspild. Hier gooien de mensen alles weg. Ze zetten hun spullen als cadeaus aan de straat. Een volk dat zijn eigen apparaten niet begrijpt, is ze niet waard.' De dikke Senegalees verfrommelde een papieren verpakking en gooide die in een pedaalemmer onder de toonbank. 'En nu onze zaken.'

Hij pakte latex handschoenen uit een soort tissuedoos en bood Bin-Hezam ook een paar aan, die hij aannam.

De man liep naar de tegenovergelegen werkbank. Daar schoof hij een berg grauwe lappen van de plank onder het werkblad en haalde er een gereedschapskist achter vandaan, die hij openmaakte met een sleutel die aan zijn sleutelbos hing. Hij verwijderde de bovenste laag met gereedschap uit de kist en pakte er een stoffen zak uit.

Uit de zak kwam een vernikkeld pistool met een zwart rubberen greep, die hij in zijn geopende hand aan Bin-Hezam voorhield ter inspectie.

'.38-special. Een revolver. Blokkeert nooit.' De man klikte de vergrendeling open en schoof de cilinder opzij om Bin-Hezam te laten zien dat het wapen niet geladen was. 'Deze moest ik voor je klaarleggen.'

Bin-Hezam nam het wapen in zijn hand. Goed gewicht, gepolijst, maar niet gloednieuw.

'Munitie?' vroeg Bin-Hezam.

De man stak zijn hand weer in de gereedschapskist en haalde er een papieren zak met koperen patronen uit.

'Zes, hadden ze gezegd,' zei hij. 'Dit zijn er twaalf. Ik neem aan dat je er meer wilt, voor de zekerheid.'

Bin-Hezam zei: 'Ik wil er precies zes.'

De man bood hem nog even de tijd om zich te bedenken en gaf zich toen gewonnen. 'Zes dan,' zei hij.

De man telde met zijn in latex gestoken handen zes kogels uit en zette ze rechtop op de werkbank. Bin-Hezam legde de .38 ernaast.

'Holster,' zei de Senegalees, en hij pakte een draagriem van Cordura met klittenband van een plank. 'Voor over de schouders,' zei hij, met een gebaar alsof hij de holster omdeed – wat niet zou lukken, want de banden waren veel te kort voor zijn enorme gestalte. 'Met de kolf naar beneden, zodat je snel je wapen kunt trekken.'

Bin-Hezam knikte. Hij keek toe hoe de dikke man de holster op de werkbank legde, maar vond het niet nodig het ding aan te raken of uit te proberen.

'Achtduizend,' zei de dikke man.

Bin-Hezam keek even opzij. 'Acht? Ik heb er drie. Er is me verteld dat het wapen drieduizend zou kosten.'

'Dat was de bodemprijs. Het verzoek was een niet na te trekken .38, het nieuwe model, met rubberen greep. Geen serienummers, zelfs niet als ze met chemicaliën te verwijderen zijn. Dat betekende dat we het wapen rechtstreeks van de maker moesten betrekken. En het moest getest worden, binnen en buiten, om de nauwkeurigheid, betrouwbaarheid en duurzaamheid vast te stellen. Voor een wapen met zulke precieze specificaties vraag ik minimaal achtduizend dollar. Dat is een redelijke prijs.'

Bin-Hezam lachte noch fronste. 'U had kunnen weten dat ik niet zo veel geld bij me heb.'

'Hoe moet ik dat weten, broeder?'

Bin-Hezam was niet iemand die zijn emoties toonde. Onderdeel van zijn voorbereiding op deze reis was een oefening in zelfbeheersing geweest. Om te doen wat hij ging doen was het hoogste niveau van discipline vereist. Hij was één brok zelfbeheersing.

'Ik heb dat bedrag niet,' zei Bin-Hezam. 'U verspilt mijn tijd.'

De Senegalees trok zijn schouders op. 'Ik ben hier nog de hele avond.

U kunt vast wel ergens vijfduizend dollar regelen.'

'Dat zal wel lukken,' zei Bin-Hezam. 'Maar dan krijg ik er vijfduizend vragen en vijfduizend klachten bij.'

De dikke man schokschouderde nogmaals. 'Ik ben de beste. Daar is de prijs naar.'

Bin-Hezam trok de latex handschoenen uit en liet ze in de zak van zijn jasje glijden. Hij liep terug naar de deur. 'Ik laat mezelf uit?'

De dikke man waggelde met een zucht langs hem heen en deed de deur naar de schroothoop open. Bin-Hezam haalde hem in, vertraagde zijn pas en wachtte tot de dikke man de deur op slot gedaan had. Toen ging Bin-Hezam hem voor over het pad naar het voorste pand. Hij maakte zelf de deur open, liep de gang in en bleef daar opnieuw staan tot de dikke man bij hem was. Bin-Hezam wachtte tot hij de zware deur achter zich hoorde dichtvallen, met een klik die hen insloot in de tunnelachtige gang.

'Ik hoop dat u niet beledigd bent...' begon de dikke man.

Bin-Hezam draaide zich met gekromde arm razendsnel om en ramde met zijn elleboog tegen de neus en bovenlip van de Senegalees.

Bin-Hezam liet er een klap tegen zijn keel op volgen, waarbij de zweterige kin van de dikke man bijna zijn hand opslokte. Het hoofd van de Senegalees sloeg tegen de zijwand en zijn kolossale lijf gleed naar achteren.

Hij deed zijn mond open om te gillen, maar het enige geluid dat hij met zijn geteisterde gehemelte wist uit te brengen was 'Mmmuuunnhh!'

Bin-Hezam zette met zijn volle gewicht zijn schoenzool tegen de buitensporig dikke nek van de man. Hij duwde, steeds opnieuw, met korte stootjes, tot hij voelde dat de halswervel het begaf. Er welde schuim op uit de verwoeste mond, een roze mengeling van speeksel en bloed. Zijn geopende ogen puilden uit en verstarden.

Bin-Hezam bleef een hele poos geknield naast de man zitten. Onzeker van zijn omgeving spitste hij zijn oren op ieder geluid dat ontdekking zou kunnen betekenen.

Boven hem was het stil. Hij keek neer op de dode, die zacht werd beschenen door het licht dat door het glas-in-lood in de deur viel.

Voor Bin-Hezam was het gegraai in de zweterige broekzakken van de dode onaangenamer dan het plegen van de moord. Hij vond de bos sleutels en haalde die tevoorschijn. Ze voelden warm in zijn hand. Vervolgens begon hij aan de arm van de dode te rukken tot de man op zijn buik in de gang lag. De omvang van het lijk belemmerde hem bij het omdraaien.

Toen Bin-Hezam overeind kwam, was ook zijn eigen overhemd drijfnat van het zweet. Hij had nooit eerder iemand gedood. De door de eeuwen heen overgeleverde technieken had hij onder de knie, maar hij had het niet voor mogelijk gehouden dat hij ze ooit zelf zou toepassen. Hij was nu een ander mens. Een man met een missie. De overgave aan dat ene doel, en aan God, had zijn ziel bevrijd.

Bij het verlaten van het pand schoof hij zijn hand in de mouw van zijn jasje voordat hij de deurknop beetpakte, en hij liep terug in de richting van de kapperszaak. Buiten bleef hij even staan luisteren, waarna hij snel terugliep over het pad tussen de rommel op de binnenplaats door. Na wat draaien en wrikken kreeg hij de sloten open met de sleutel. Ook hier zorgde hij ervoor dat er geen vingerafdrukken op de metalen deurknop achterbleven.

In de garage annex werkplaats trok Bin-Hezam zijn jasje uit en deed de schouderholster om. Hij stak het vuurwapen erin en sloot de klittenbandsluiting. Toen hij zijn jasje weer aantrok, voelde hij dat het wapen voldoende aan het zicht onttrokken werd.

De zes patronen verdwenen in zijn jaszak als waren het evenzoveel klompjes goud. Hij ging nog een keer na of het colbert normaal viel, met het wapen weggestopt onder zijn ene arm. Hij prevelde een dankgebed, liep weer de garage uit en draaide de deur achter zich op slot.

De sleutels nam hij mee het voorste pand in, waar hij nog een laatste blik op het lijk van de dikke man wierp. Verplaatsen zou moeilijk worden, verstoppen misschien wel onmogelijk. Hij besloot dat het er niet toe deed en vervolgde schielijk maar gestaag zijn weg door de gang naar de voordeur.

Nadat hij met zijn mouw over zijn hand geschoven de deurknop had omgedraaid liep hij het trottoir op. Hij hoorde een sirene en begon te lopen toen hij de blauwe zwaailichten zag naderen.

Het gejank van de sirene bereikte een hoogtepunt... en toen was de wagen voorbij. Hij baande zich zigzaggend een weg door het drukke verkeer in noordelijke richting.

Bin-Hezam kon niet de metro terug nemen. Niet met een ongeregistreerd vuistwapen op zijn lichaam. De sleutelbos en zijn gebruikte handschoenen gooide hij in de eerste vuilnisbak die hij zag. Vervolgens liep hij naar het dichtstbijzijnde hotel, twee straten verderop; ook hiervan had hij de locatie met behulp van Google Maps in zijn hoofd geprent. Bij het hotel nam hij een taxi die hem zou terugbrengen – maar niet rechtstreeks – naar Hotel Indigo.

Na de terugkeer in het Hyatt via de achteringang – gereserveerd voor leveranciers of vips, afhankelijk van de omstandigheden – begeleidde Gersten De Zes naar boven. De opwinding die ze vóór het interview hadden ervaren was op de terugweg weggeëbd als een suikerkick, en De Zes brachten de paar straten tot aan Times Square vrijwel zwijgend door.

Boven bleven Frank en Sparks achter in de ontvangstruimte om zich nog wat te ontspannen, zonder te praten. Er was een honkbalwedstrijd op televisie, maar Patton, de andere Intel-agent die was achtergebleven, was de enige die er echt naar keek.

Maggie Sullivan kwam een paar minuten later binnen met twee miniflesjes Bacardi uit de minibar op haar kamer. Ze goot de inhoud in twee glazen cola light en bood Sparks er een aan, die het aannam en er zwijgend van begon te drinken. Maggie ging bij het raam zitten en staarde met haar kin in de hand naar de donkere nacht.

Jenssen, een geeuwende Aldrich en Nouvian mompelden allemaal 'welterusten' en vertrokken stilletjes naar hun kamer.

Dat was voor Gersten het teken om hen over te dragen aan DeRosier en Patton. Gerstens eigen kamer was een van de laatste aan het einde van de gang op de zesentwintigste verdieping. Toen ze langs Nouvians deur liep, hoorde ze cellomuziek uit zijn kamer komen, en in gedachten zag ze hem wijdbeens op het bed zitten, met zijn instrument tussen zijn knieën, studerend in zijn ondergoed. Ze stelde zich zo voor dat het stramien van het repeteren als een balsem voor hem was; hij was een man wiens hele leven werd geschraagd door routine. Waarschijnlijk studeerde hij dagelijks voor het slapengaan. Gersten had eerder die avond een blik opgevangen van zijn echtgenote, een muizige vrouw die over haar toeren was geweest alsof haar man was omgekomen.

Gersten stak de sleutelkaart in de gleuf, ontdeed zich van haar politiepenning en wapen, legde die op het dichtstbijzijnde tafeltje en liep toen terug om de hoteldeur van binnenuit te vergrendelen.

Met het licht nog gedempt pakte ze haar toilettas uit aan de wastafel en liet het bad vollopen. Nadat ze haar voicemail had afgeluisterd en had vastgesteld dat er geen berichten bij waren die ze meteen moest beluisteren of beantwoorden, kleedde ze zich uit. Haar kleren gooide ze op het opgemaakte bed, waar ze bijna de gestalte van een zwaargewonde aannamen. Ze pakte een van de dikke witte Hyatt-badjassen uit de kast, trok hem aan en slaakte een diepe zucht. Er ging niets boven zachte, pasgewassen katoen.

In de badkamer zette ze de ventilator aan als achtergrondruis, om even alles uit te schakelen. De stoom van het warme water bleef rond de gedimde plafondlampen hangen als ochtendnevel. Toen het bad bijna vol was, draaide ze de kraan uit, maar in plaats van zich meteen in het water te laten zakken, bleef ze op de badrand zitten. Ze haalde een hand door het water en trok traag een aantal achtjes. Haar handen en haar gezicht werden klam van het vocht. Ze had zo naar dit bad uitgekeken, maar nu... nu het zo ver was, voelde het niet goed. Ze maakte golfjes in de badkuip in de hoop dat de aarzeling van voorbijgaande aard was, en ze probeerde zich ertoe te zetten gewoon in het water te gaan zitten...

... maar het had geen zin. Ze kon het niet. Uiteindelijk stond ze op en liep terug de hotelkamer in, naar het raam. De zesentwintigste verdieping bood geen indrukwekkend uitzicht op de stad, maar ze kon wel binnenkijken in het gebouw aan de overkant, naar alle mensen achter de ramen, en ze bekeek de auto's en de voetgangers beneden op straat.

Het kwam door hen dat ze niet van haar bad kon genieten, besefte ze. Door de mensen op straat, die op een warme vrijdagavond in juli de deur uit gingen. De mensen die Gersten wilde zijn.

Ze pakte haar telefoon nog een keer om te kijken of er nieuwe berichten waren. Die gewoonte was moeilijk af te leren. Ze hoopte op nieuws van Fisk, iets waarmee ze haar rusteloze gedachten kon afleiden. Het liefst had ze hem gebeld, maar op dit moment zou ze hem alleen maar tot last zijn. Ze klapte haar laptop open aan het bureau, maar er was nu niets productiefs wat ze zou kunnen aanpakken.

Soms haatte ze de baan waar ze zo van hield.

Ze keek naar haar kleren op het bed, naar de lege persoon die ze vormden. Ze dacht na over haar toekomst bij Intel, haar toekomst met Fisk. Wat stond haar te wachten?

In grote lijnen was ze tevreden, al ontbrak de voldoening soms. Net als bij al die mensen die vanavond op straat liepen, besefte ze glimlachend. Het leek allemaal te kloppen, zowel op het persoonlijke als het professionele vlak. Was dat genoeg?

Het drong tot haar door dat dit juist de gedachten waren die mensen bekropen wanneer ze in het weekend in hun eentje in een hotelkamer zaten.

Ze betrapte zich erop dat ze knopen legde in de ceintuur van haar badjas en ze dwong zichzelf daarmee op te houden. Opnieuw liep ze naar het raam, als een gevangene die hoopt op inspiratie. Na het weekend, beloofde ze zichzelf, zou ze knopen doorhakken. Een plan maken. Ze zou haar wensen en ambities op een rijtje zetten en ernaar handelen.

Maar vanavond maakte ze zich zorgen om de nabije toekomst van de mensen daar op straat; ze had te veel zorgen om iets anders te doen.

Ergens daar beneden liep de man die ze zochten.

Zaterdag 3 juli

ONDERSCHEPPINGEN

Bin-Hezam nam een douche, schoor zich en trok om zes uur die ochtend zijn dishdasha aan.

Vóór zijn vertrek uit Ryad had hij de website met gebedstijden geraadpleegd voor New York. Fajr, het ochtendgebed, was om 6.03 uur. Hij rolde zijn kleedje uit en schepte er genoegen in dat hij dit moment, de salat, deelde met anderhalf miljard gelovigen over de hele wereld.

En toch, tussen die anderhalf miljard mensen, voelde hij het bijzondere licht van God op hem alleen gericht.

Na het bidden rolde Bin-Hezam het kleedje op en maakte zich gereed voor de dag. Een blauwe stonewashed spijkerbroek, een zwarte katoenen trui met korte mouwen, een ruimvallend donkerblauw windjack en zwarte Adidas-sneakers. Het pistool, de munitie en de schouderholster had hij opgeborgen in het kluisje van zijn hotelkamer. De combinatie had hij ingesteld op de maand en het jaar van de geboorte van Mohammed: 04570.

Bin-Hezam had ruimschoots de tijd om aan zijn verplichtingen te voldoen voordat hij op tijd voor de *dhuhr*, om 12.35 uur, zou terugkeren naar zijn kamer. Bijna te veel tijd. Hij wilde handelen, niet nadenken. De tijd leek zich vertraagd te hebben. Tegen het einde zou alles anders zijn, daar was hij voor gewaarschuwd. Daarom probeerde hij de vreemde ervaring over zich heen te laten komen in plaats van zich ertegen te verzetten. Maar het was voor hem belangrijker dan ooit dat hij de gebeden niet oversloeg, die momenten van bezinning en verbondenheid die hem kracht gaven.

Toen hij klaar was, verliet hij zijn kamer en nam in zijn eentje de lift naar beneden, waar hij via de lobby het hotel uit liep. Op Twenty-eighth Street sloeg hij rechts af. Het was nu al heet, maar niet vochtig – nog niet.

Op dat vroege tijdstip in het weekend gingen de bloemenwinkels net open: de uitbaters droegen emmers met kamerplanten naar het trottoir om hun koopwaar aan te prijzen. De smalle straat was een kloof van felle kleuren en zwoele geuren. Zijn zintuigen stonden op scherp, bijna alsof er filters verwijderd waren die hij in het dagelijks leven altijd had gebruikt. Hij lééfde nu meer dan ooit. Hij verplaatste zich, en het was alsof de wereld met hem meedraaide.

Bin-Hezam liep een koffiezaak binnen. Hij had geen behoefte aan voedsel, maar hij wist dat hij moest eten. Hij wees een croissant aan in de vitrine bij de kassa en bleef staan kijken toen de verkoopster die pakte, om zich ervan te verzekeren dat ze daarvoor een vetvrij papiertje gebruikte. Hij nam er een beker thee bij en betaalde contant. Bin-Hezam zag dat er twee beveiligingscamera's hingen, één gericht op de verkoopster en de kassa om diefstal tegen te gaan, de andere hoog aan de wand achter de toonbank, gericht op de klant.

Bestudeerd zelfverzekerd meed Bin-Hezam een rechtstreekse blik in de camera. Hij liet zich niet filmen. Het was een opluchting om vandaag zonder vermomming rond te lopen.

Hij nam plaats aan een vrij tafeltje naast het schap met de suikerzakjes en de lepeltjes. De brosse croissant stak hij zonder boter of jam in zijn mond. Hij wendde zijn blik af van de voetgangers die langs het raam liepen, om niet de aandacht te trekken van de mensen die naar binnen keken, en hij maakte geen oogcontact met de andere klanten in de zaak. Bin-Hezam stelde zich voor dat hij het middelpunt van de ruimte was; de anderen waren slechts bijfiguren, als anonieme figuranten in een film. Hij speelde een rol, in zekere zin.

Slechts één ding drong door tot de roes van zijn solipsisme: een televisie die schuin naar beneden gericht aan het plafond hing. Het geluid stond zacht en was slechts nu en dan hoorbaar.

Na het zoveelste weerbericht over de hittegolf van dat weekend werden er weer beelden getoond van het vliegtuig waarin Bin-Hezam had gezeten, gevolgd door een filmpje van de vijf passagiers en de stewardess die de kaping hadden verijdeld. Ze stonden voor de camera's als patiënten die een pijnloze doch intieme radiologische behandeling ondergaan. Weer kwam het toestel in beeld, deze keer aan de grond in Newark. De passagiers stapten uit.

Bin-Hezam keek gespannen toe en verwachtte al half en half zijn eigen paspoort op televisie te zien... maar toen was het item voorbij zonder dat hij in beeld was geweest.

Uit de bijschriften maakte hij op dat de beelden deel uitmaakten van een vooraankondiging van een studio-optreden door de groep helden, die in de media De Zes werden genoemd.

Bin-Hezam bleef uiterlijk onbewogen, maar innerlijk moest hij lachen om het nieuwsbericht. Hij kon niet het hele scenario overzien, maar hij begreep intuïtief dat op dat moment alles precies verliep zoals het moest verlopen.

De thee had te lang getrokken en was smerig. Hij dronk er zo veel van als hij kon wegkrijgen, stond op en gooide de papieren beker en het servetje van de croissant weg. Na het verlaten van de koffiezaak liep hij in een ruime boog die meerdere straten besloeg via Eighth Avenue naar Ninth, met zijn gedachten bij de bekende Street View-beelden van Google Maps. Het was alsof hij door het landschap van een videogame liep waarin hij de speler was.

Bin-Hezam had geleerd dat ieder moment de som van je leven was. Dat was nog nooit zo waar geweest als vandaag, met iedere stap die hij zette.

Hij had op de website gezien dat de winkel in foto- en videoapparatuur in handen was van chassidim, de ultraorthodoxe joden. En toch was het bij binnenkomst een schok voor hem dat er zo veel waren. Tientallen, leek het wel. Ze liepen speurend door de gangen, stonden achter de glazen toonbanken en zaten op hoge krukken bij de kassa's achter glas. Een nest Hebreeërs.

Ze droegen allemaal een gekreukeld wit overhemd met een zwarte stropdas, een zwarte broek en van die belachelijke krulletjes haar aan weerskanten van hun gezicht. Bin-Hezam moest grote moeite doen om zijn afkeer te verbergen, en hij werd overspoeld door een golf wantrouwen. De chassidim, dat waren 'de anderen'. Dat waren geen mensen, ze waren minderwaardig. Alleen het vertrouwen dat zijn eigen God hun god kon overwinnen, en daarmee één wereld onder de islam kon scheppen, maakte dat hij zich wist te hernemen en zijn kwalijke missie kon voortzetten.

Behoedzaam liep hij de enorme winkel door, tot hij aan de rechterzijde de cameratassen en koffers had gevonden. Daar stond precies wat hij zocht: twee zwarte koerierstassen van een soort die je in New York zo veel zag dat ze vrijwel onzichtbaar waren.

De man achter de kassa nam de tassen aan zonder een woord te zeggen. De jood voerde de streepjescode met de hand in. Toen het bedrag in beeld verscheen, wees hij er alleen maar naar, te onbeschoft om zijn mond open te doen.

Bin-Hezam wilde graag geloven dat deze geringschattende houding een etnische oorsprong had, maar hij was er vrijwel zeker van dat de verkoper niet eens had opgekeken. Bin-Hezam schoof hem het geld toe, waarna de man wisselgeld uittelde en zijn aankopen in een tas deed. Die schoof hij over de toonbank, om onmiddellijk op te staan van zijn kruk en iets anders te gaan doen.

Bin-Hezam was diep teleurgesteld. Hij wilde zijn eigen intense haat weerspiegeld zien. Hij wilde iets op de man aan te merken hebben. Hij wilde het wantrouwen van de jood voelen. Hij wilde genoegdoening.

Hij wilde alles behalve genegeerd worden. Hij wilde dat de chassidist in de ogen zou kijken van de gezegende.

Weer buiten op het trottoir voelde hij zich als een spin die zojuist was teruggekeerd uit een nest vliegen zonder herkend te zijn. Hij schreef hun gedrag toe aan culturele lafheid en een hoge dosis zelfvoldaanheid, die typerend was voor hun soort. Allemaal dingen die dit weekend in Bin-Hezams voordeel zouden werken.

Zijn volgende stop was om de hoek, in Thirtieth Street. Een hobbywinkel. Hier geen chassidim. Aan de kassa zat een dikke man in een grijs werkhemd met een machinistenpet op zijn slordige witte haar. Vanaf een verhoogd uitsteeksel achter een glazen vitrine hield hij in zijn eentje toezicht op een winkel vol modeltreintjes, radiografisch bestuurbare vliegtuigen en helikopters, en bouwpakketten voor vliegtuigjes, boten en autootjes. Een kleine ventilator met wapperende blauwe linten eraan blies hem van achteren lauwwarme lucht toe.

Aan de buizen en leidingen onder het hoge plafond van de smalle zaak hingen schaalmodellen van straalvliegtuigen, helikopters en straaljagers en iets nieuws: legerdrones. Tegen de achterwand zag Bin-Hezam bouwpakketten en benodigdheden voor modelraketten liggen. De man achter de toonbank zag hem ernaar kijken.

'Raketten?' vroeg hij met opgetrokken wenkbrauwen, alsof hij op het punt stond Bin-Hezam toe te laten tot een geheime club.

'Ja. Ik wil er een kopen voor mijn zoon. Hij wordt volgende week negen. Zijn hele leven draait om dinosaurussen en raketten.'

'Hoe groot?

'Mijn zoon?'

'De raket.'

'Tot welke maat zijn ze er?'

De man glimlachte. 'Er zijn behoorlijk grote te koop.'

Bin-Hezam verborg zijn minachting voor deze ongewassen man en zijn onfrisse geur. 'Hoe groot noemt u een dieselmotor?'

'Behoorlijk groot. Kijkt u zelf maar even.' De man was blij met Bin-Hezams belangstelling, maar aarzelde om zijn positie te verlaten. 'We hebben vrijwel alles. Geef maar een gil als u hulp nodig hebt.'

Bin-Hezam liep langs de flesjes lijm en de tubes rubbercement naar de achterwand. Het rek was enorm, en toch had hij zo gevonden wat hij zocht.

Een ontbrander voor een Estes-raketmotor. Een lanceerbediening.

In een naastgelegen wandrek vond hij dozen brandstofkorrels op basis van kaliumnitraat. Om zich aan zijn verhaaltje te houden koos hij een duur pakket met meederdere onderdelen, van 350 dollar. Het bevatte beide componenten plus een lanceerstandaard, en de raket zelf: een witte kartonnen buis van een meter met driehoekige staartvinnen en een spitse neus van plastic.

De man op de kruk begon te stralen toen Bin-Hezam terugkwam. Een snelle omzet zonder inspanning. 'Driehonderdvijftig dollar alstublieft. Plus btw.'

Bin-Hezam telde vier briefjes van honderd uit en legde die op de glazen toonbank. De wind uit de ventilator achter de man op de kruk beroerde de biljetten.

'Bent u Saoedi?' vroeg de winkelier met een belangstellend lachje.

'Waar ziet u dat aan?' vroeg Bin-Hezam, die aannam dat de man doelde op de grote coupures waarmee hij betaalde.

'Ik heb meer dan twintig jaar voor Chevron gewerkt. Heb daar veel gezeten. Het was wel even wennen, want de eerste jaren vond ik jullie allemaal op elkaar lijken. Oliegeld, daar kan niks tegenop. Dan zeggen ze dat wij boffen dat we hier in Amerika geboren zijn, maar daar lach ik om! Boffen is leuk, maar als je echt de jackpot wilt winnen, moet je in Saoedi-Arabië geboren worden, of niet dan?'

De observatie van deze man deed hem goed, en hij lachte hartelijk.

'U zegt het mooi,' zei Bin-Hezam terwijl hij wachtte op zijn wisselgeld.

De winkelier haalde een grote tas tevoorschijn. 'U moet wel toezicht houden, hoor. Negen is een beetje jong voor zo'n raket. Een mens wil toch alle tien zijn vingers houden, nietwaar? Weet u hoe de beveiliging werkt?'

Bin-Hezam liet de man met de machinistenpet de werking uitleggen van de veiligheidssleutel, een metalen staafje dat in de lanceerbediening gestoken moest worden om het circuit van de stroomtoevoer te sluiten, wat nodig was om de ontbrander te verhitten en de motor te lanceren. Hij toonde hem ook de gleuf waarin de sleutel gestoken moest worden.

'Dank u wel,' zei Bin-Hezam.

'Graag gedaan. Ik hoop u nog eens terug te zien,' zei de man. 'En sterkte met de hitte buiten.'

Hij zou zich Bin-Hezam herinneren, daar twijfelde hij niet aan.

Nog een laatste stop die ochtend. Bij een leverancier van medische benodigdheden op West Twenty-fifth Street – geen drogist, maar een winkel waar verpleegkundigen en medewerkers van de thuiszorg hun inkopen deden – kocht hij wit gaasverband geïmpregneerd met sneldrogend gips. Hij nam ook een doos katoenen watten en een vel dunne glaswol, opgerold tot een buis van zo'n dertig centimeter lang. De totale aankoop kwam op achtendertig dollar.

Bin-Hezam keerde terug naar zijn hotelkamer. Die was al schoongemaakt, en alles leek in orde te zijn.

Hij hing het bordje NIET STOREN aan de deurknop en trok snel zijn colbertje en sneakers uit, met de televisie luid afgesteld op een onzinnig entertainmentkanaal van het hotel. Zijn aankopen spreidde hij uit op het bed, met het geladen pistool uit de kluis erbij op het hoofdkussen.

Heilige artikelen. Gewijde totems. Hij had deze breed verkrijgbare voorwerpen aan de vergetelheid ontrukt, zoals God ze had aangewezen. Weldra zouden ze de heilige status bereiken door zijn toedoen.

Zijn belangrijkste taak was nog niet vervuld.

Hij zette het geluid van de televisie uit en verrichtte op de juiste tijd de dhuhr. Vervuld van dankbaarheid voor het vlotte verloop van deze dag vroeg hij om Gods zegen voor het vervolg ervan. Tot nu toe was alles perfect gegaan; Bin-Hezam was in Gods eigen voetspoor getreden. Bij de gratie Gods zou dat zo doorgaan, en weldra zouden hun wegen daadwerkelijk samenkomen.

Halverwege de ochtend van zaterdag 3 juli was Fisk nog even ver verwijderd van het vinden van de Saoedi van vlucht 903 als de dag ervoor. Baada Bin-Hezam was verdwenen in – of uit – New York.

Om zeven uur die morgen stelde Fisk een blokkadeteam samen voor Flatbush Avenue in Brooklyn. Een Arabier die voldeed aan de uiterlijke kenmerken van Bin-Hezam had zijn auto geparkeerd op een laad-en-losplek en was met een grote tas een gebouw in gelopen. Fisk leidde de operatie vanuit het hoofdkwartier van Intel, waar hij meeluisterde hoe de speciale eenheden de straat afzetten. De man werd bij het verlaten van het gebouw probleemloos ingerekend. Hij beweerde een juwelier te zijn die zijn oude moeder een bezoekje had gebracht voordat hij een vroege bus naar Atlantic City zou nemen, waar hij deelnam aan een pokertoernooi met een minimale inzet van vijfduizend dollar.

Het natrekken van zijn verhaal kostte bijna twee uur. In die tijd belde de verontruste moeder van de man een goede kennis wiens dochter advocaat was en bij de burgerrechtenorganisatie ACLU in Brooklyn werkte. Dus boven op de teleurstelling van de persoonsverwisseling kreeg Fisk ook nog eens te maken met deze advocaat, met wie hij tien kostbare minuten verspilde aan de telefoon. Hij probeerde eerst de vriendelijke aanpak en vervolgens bood hij ronduit zijn excuses aan, maar ze wilde er niets van weten. Zijn inderdaad wat onhandige beroep op haar vaderlandsliefde werd eveneens hooghartig afgeketst. Pas toen hij de naam van haar baas liet vallen, met wie Fisk een paar maanden terug te maken had gehad in een surveillancezaak, kon hij haar ervan weerhouden met het verhaal van haar cliënt naar de media te stappen.

Althans... dat hoopte hij maar. Fisks enige echte succes tot nu toe, midden in een van de grootste klopjachten die de stad ooit had beleefd, was dat de media – en daarmee het grote publiek – er nog altijd geen lucht van hadden gekregen.

Zijn mensen op straat hadden niets voor hem. Tien uur kwam en ging, en geen van de verslagen die zijn harkers in de moslimbuurten ieder uur uitbrachten leverde iets op. Niets. Fisk vroeg zich af, niet voor het eerst, of hij misschien een zoektocht in gang had gezet die het einde van zijn carrière zou betekenen.

Misschien was die Abdulraheem, de kaper, inderdaad een doodgewone jihadist die uit was op zijn gloriemoment, in een wereld waarin vaak meer aandacht was voor het kwaad dan voor het goede. Misschien was Saoedi Bin-Hezam wel echt kunsthandelaar.

Ze hadden uiteraard ook zijn verleden nagetrokken. Het onderzoek was nog pril, maar ze waren gestuit op deals waarbij hij had bemiddeld. Bin-Hezams naam stond onder een aantal transacties, niets met zes nullen. Zijn reisgedrag strookte met de verkopen en festivals. De paar klanten die hij aanhield bleken legitieme beeldhouwers, schilders en een handjevol galerieën te zijn.

Op papier was het allemaal legaal. De vraag was alleen of dit niet slechts een schaduwcarrière was, speciaal bedoeld om dit soort onderzoek naar zijn achtergrond te dwarsbomen. Of was Bin-Hezam eenvoudigweg een van de kleine jongens, zoals de meesten van ons, met zijn eigen tekortkomingen, frustraties en zwakheden?

Dit was een belangrijk onderdeel van Fisks werk: hij was een zoekende die een individu moest opsporen in een enorme mensenzee en hem zo snel mogelijk in het vizier moest zien te krijgen, in een poging te bepalen of hij al dan niet tot de vredelievenden behoorde.

Van de andere kant kon hij zich niet voorstellen dat het feit dat Abdulraheem, Bin-Hezam en Bin Laden van dezelfde stam afkomstig waren puur toeval zou kunnen zijn. Niet in de echte wereld. Het was natuurlijk niet uitgesloten – en op dat punt verbrak Fisk de cirkelredenering die hem als een strak drukverband in haar greep hield – maar realistisch gezien was de kans wel erg klein.

Als hij in zijn dertien jaar als speurder in het criminele circuit iets had geleerd, dan was het wel dat toeval voornamelijk voorkwam in Russische literatuur en in tv-comedy's. Wanneer mensen ogenschijnlijk zonder reden met elkaar te maken kregen, kwam dat alleen doordat de objectieve kijker – Fisk – de reden niet kon achterhalen.

Fisk klikte verder langs de stroom beelden van de politiescamera's die hem waren toegezonden. Hij had de hele nacht en het eerste deel van de dag op zijn computer zitten kijken naar plaatjes van mannen die vaag iets weg hadden van Bin-Hezam. Hij heeft zich natuurlijk vermomd, dacht Fisk. Dat zou ik in zijn geval ook doen.

De camera's konden wel rekening houden met bepaalde duidelijke vermommingen: een pruik, een snor, een zonnebril. Maar hij wist dat de kans dat ze de Saoedi puur via cameratechnologie zouden opsporen uiterst klein was.

Een paar minuten later ging Fisks telefoon eindelijk. Een van zijn beste harkers had informatie over een taxichauffeur die beweerde een klant in zijn auto gehad te hebben die voldeed aan de beschrijving van Bin-Hezams, maar dan met een dun snorretje en een bril. Veel was het niet, maar op dit punt was iedere tip meegenomen.

De harker, die in Brooklyn bij een taxicentrale werkte, vertelde dat de bewuste chauffeur een sikh uit Koeweit was. 'Ik kan u de naam geven van het hotel waar hij die klant heeft opgepikt. Hij verbleef daar niet, kwam vanaf de straat aangelopen. Hij viel de chauffeur op omdat hij een snor en een bril droeg, maar ook een net colbert. Er klopte iets niet.'

'Ga door,' zei Fisk.

'Normaal gesproken zou hij de man geweigerd hebben, want ritjes die het hotel zelf aanvraagt leveren veel meer op dan willekeurige klanten van de straat, maar dit was een mede-Arabier. Volgens hem was de man zichtbaar opgelucht toen hij het portier achter zich dichttrok, al was hij niet buiten adem of iets dergelijks. Hij gaf een adres op, maar dat heeft de chauffeur niet onthouden. Ze zijn er ook niet naartoe gereden. Ergens in de buurt van Sixtieth Street stopte de man hem bij een rood stoplicht geld toe en stapte uit. Bij welk kruispunt het was, weet de chauffeur niet meer, want er stapte meteen een nieuwe klant in.'

Grote kans dat de Saoedi een paar straten verderop een nieuwe taxi had aangehouden. 'Ik stuur iemand met foto's die jouw chauffeur even kan bekijken. Geef me intussen alvast de naam van dat hotel.'

Fisk voelde de adrenaline stromen. Dit kon wel eens raak zijn.

In de lobby van het Capricorn Hotel hingen oosterse tapijten aan de muren. Er was geen restaurant, alleen een kleine sportbar waar op dat tijdstip nog een beperkte ontbijtkaart werd gevoerd.

Fisk liet zijn pasje zien en legde uit waar ze voor kwamen. Zijn verklaring lag dicht in de buurt van de waarheid. Hij liet zijn medewerkers het gastenregister printen en de namen snel invoeren in de database van Intel. Fisk posteerde twee man in de lobby, voor alle zekerheid. De geregistreerde gasten voldeden geen van allen aan de beschrijving van Bin-Hezam, en geen van de hotelmedewerkers reageerde echt bevestigend op de scan van Bin-Hezams paspoortfoto of een van de andere vergrotingen waarop digitaal een snor en een bril waren aangebracht.

De taxichauffeur daarentegen leverde wel een positieve identificatie. Fisk had graag chauffeurs als getuige, net als iedereen bij de politie. En juryleden in de rechtbank.

Fisk liep het hotel uit en ging naar de taxistandplaats, die op dat uur van de ochtend verlaten was. Hij keek naar de passerende auto's en mensen, met zijn ogen tot spleetjes geknepen tegen de zon, die nu al heet was.

Baada Bin-Hezam had zo'n twaalf tot vijftien uur eerder op dezelfde plek gestaan.

De vraag was nu: waar was hij op dat moment vandaan gekomen?

Gersten werd zaterdagochtend vroeg wakker, gewekt door haar trouwe telefoonalarm. Ze keek of er nachtelijke berichten waren van Fisk, maar dat was niet het geval.

Hij heeft het te druk, hield ze zichzelf voor. Hij heeft écht werk te doen.

Ze verheugde zich al op een nieuwe dag als leidster van het schoolkamp. Ze trok een hardloopbroek, New Balance-sneakers en een nylon windjack aan en viste haar koptelefoontje uit haar weekendtas. Haar vuurwapen borg ze op in het kluisje van haar hotelkamer, waarna ze de lift naar beneden nam en naar buiten liep. Zelfs zo vroeg in de ochtend was de klamme julihitte al drukkend. Op een willekeurige andere dag zou ze zich misschien bedacht hebben of een taxi hebben genomen naar haar sportschool, maar ze had nu behoefte aan de straten, de afstand, de beweging.

Weekend Edition, het radionieuws van NPR begeleidde haar naar Park Avenue en rechtdoor naar Sixty-first, waar ze links afsloeg en toen weer in noordelijke richting Fifth Avenue volgde, over het brede trottoir langs de mooiste woningen van de stad, tegenover Central Park.

Op Seventy-ninth Street ging ze linksaf het park in, terug in zuidelijke richting over East Drive. Overal waar dat kon, liep ze in de schaduw. Toen zette ze een andere radiozender op, draaiend aan het knopje tot ze discomuziek had gevonden. Op een van de voorgeprogrammeerde stations hadden ze 'Summer of '76'- weekend en dat was precies waar ze nu zin in had. Het ritme joeg haar het park door.

Het was een typische zaterdagmorgen: joggers, wandelaars, kindermeisjes en fietsers. De hemel was strakblauw en de opkomende zon zou binnen een paar uur meedogenloos zijn. Typisch zo'n dag waarvoor de airconditioning was uitgevonden.

Bij Fifty-ninth Street liep ze het park weer uit, nog steeds in zuidelijke richting, en bij Grand Central hield ze even halt voor een koude proteïneshake voordat ze de glas-met-chromen lobby van het Grand Hyatt betrad en de lift naar de zesentwintigste verdieping nam. Nog verhit van het lopen, maar rillerig van de kunstmatig koele lucht knikte ze naar de twee agenten die de gang bewaakten en liep langs de openstaande suitedeur naar haar eigen kamer helemaal achterin.

Toen ze langsliep ging er een deur open, en Gersten zag Maggie Sullivan de gang op glippen, nog in de kleding die ze de vorige avond had gedragen voor het interview met *Nightline*. Haar haar zat door de war en ze had haar schoenen in haar hand.

'Eh... goedemorgen?' zei Maggie, en ze wierp haar een vreemde blik toe, ergens tussen beschaamd en frivool in.

Toen begreep Gersten dat de Scandinavian Air-stewardess niet haar eigen kamer uit kwam. Bij het langslopen gluurde ze gauw even naar binnen, en ze ving nog net een glimp op van Magnus Jenssen die bij het tafeltje aan het voeteneind van zijn bed stond, met ontbloot bovenlijf en in boxershort, zijn linkerpols in het blauwe gips gestoken. Toen hij opkeek van zijn horloge ving hij Gerstens blik, precies in de flits waarin ze langsliep.

Zijn gezicht was onaangedaan, gespeend van zowel schuldgevoel als de overduidelijke vreugde die Maggie had getoond.

De deur viel met een klik dicht.

Gersten bleef staan en keek om naar Maggie, die haar *walk of shame* naar haar eigen kamer voltooide, onhandig de sleutelkaart in het slot stak, met haar heup de deur openduwde en naar binnen glipte. Gersten glimlachte, oprecht gechoqueerd. Waar was Joanne Sparks gebleven, vroeg ze zich af. De Ikea-vrouw had de vorige avond nogal vastberaden achter Jenssen aan gezeten, maar kennelijk had ze de strijd verloren aan de kleinsteedse stewardess.

Gersten liep door naar haar eigen kamer, en bij binnenkomst vond ze het jammer dat ze niemand had om deze sappige roddel aan te vertellen. Meteen keek ze op haar telefoon, maar er waren nog steeds geen berichten, op de gebruikelijke werkmail na. Die bekeek ze liever op haar laptop.

Goed gedaan, Maggie-met-het-warrige-haar, dacht Gersten toen ze zichzelf tijdens het uitkleden even bekeek terwijl de douche warmliep. Ze had niet alleen een knappe, goedgebouwde Zweed versierd, maar ook nog eens het bed gedeeld met de man die haar leven had gered. Niet slecht, zo'n overgang van het lezen van goedkope romannetjes naar het naspelen ervan.

De douche was heerlijk, en Gersten liet haar gedachten de vrije loop, net als haar hand: ze bezorgde zichzelf een orgasme met een fantasietje waarin de halfnaakte Jenssen een rol speelde, in een afgesloten hotelkamer met een bubbelbad en goede champagne. Na het douchen las ze in badjas de Intel-rapporten van de afgelopen nacht op haar laptop.

Geen nieuws over de jacht op Bin-Hezam. Als ze Fisk niet had, zou ze helemaal van niets weten, aan haar lot overgelaten in dit hotel in de stad.

Ze kleedde zich aan en verliet haar kamer om te gaan ontbijten, en om Patton af te lossen. Er was een buffet opgesteld langs de wand van een van de twee aangrenzende kamers, en de eerste die Gersten zag was Maggie. Ook zij had zich gedoucht en omgekleed, en ondanks de wallen onder haar ogen zag ze er weer fris uit, vol energie. Ze waren alleen.

'Goedemorgen,' zei Gersten glimlachend.

'O, god,' zei Maggie hoofdschuddend, met een samenzweerderig lachje.

'Goed geslapen?' vroeg Gersten.

'Verrukkelijk,' zei Maggie, terwijl ze twee eieren en een snee geroosterd brood op haar bord schoof. 'Ongeveer twee uur.'

'Wat is er gebeurd?' wilde Gersten weten.

'Te veel rum,' antwoordde Maggie. 'Te veel spanning, te veel emoties.'

'Ik bedoel het niet lullig,' zei Gersten, met een snelle blik om zich heen, 'maar ik dacht dat die vrouw van Ikea...'

'Dat dacht ik ook,' zei Maggie. 'Dit... dit is eigenlijk niks voor mij, normaal gesproken. Volgens mij was ze in slaap gevallen of zo, ik weet het niet. Hij zette de eerste stap, en ik dacht: kom maar op.' Ze hoorde het zichzelf zeggen en begon te giechelen. 'O, wat erg.'

'Je had natuurlijk gewoon medelijden met hem. Vanwege dat gips en zo.'

Maggie lachte weer. 'Ik was mezelf niet gisteravond. Maar degene die ik wél was is nu heel, heel tevreden. Zal ik het daar maar bij laten?'

'Nee,' zei Gersten. 'Je moet me alles vertellen, tot in de kleinste details.'

Maggie liep lachend weg en begon aan haar ontbijt; ze had het nodig.

Patton kwam naar haar toe. Hij wilde nog niet weg. 'Waar hadden jullie het over?'

'Vrouwenpraat, dat interesseert jou niet.'

'Vraag eens of ik goed geslapen heb?'

'Als een roos natuurlijk.'

'Juist. Niet, dus.'

'Is het hier een beetje uit de hand gelopen gisteravond?'

'Een klein beetje maar. Een hoop gegiechel daarginds. En daarna gesnurk. Ik had de Yankees opstaan, een late wedstrijd aan de Westkust.'

'Gewonnen?'

'A-Rod bereikte de thuisplaat met twee honklopers in het veld. Met 3-4 verloren.'

Gersten keek hoe Maggie haar ontbijt zat te verslinden. 'Tja, je kunt niet altijd als winnaar uit de bus komen.'

'Dat kan wél,' zei Patton. 'We zijn niet voor niets de Yankees.' Hij griste een muffin van de tafel. 'Er is iemand aan wie ik je moet voorstellen voordat ik ga.' Hij liep naar een man in een iets te groot colbert. Hij zag eruit als iemand die een groot deel van zijn werkdagen doorbracht in de sportschool, en toch was zijn borstkas maar net iets breder dan je van nature zou mogen verwachten. Gersten had hem al ingeschat als Secret Service nog voordat ze hem een hand gaf.

'Tim Harrelson,' zei hij.

Gersten stelde zich voor. 'Ik neem aan dat het hier interssant begint te worden,' zei ze.

'Daar ziet het wel naar uit,' zei hij met een zelfverzekerde glimlach.

Patton liep handenwrijvend naar de deur. 'Veel plezier, kinders. Tot de volgende keer.'

Gersten excuseerde zich, waarna Harrelson terugliep naar het hoofd van de buffettafel. Ze smeerde roomkaas op een halve sesambagel en nam die mee naar de aangrenzende kamer. CNN vertoonde fragmenten van het optreden van De Zes bij *Nightline*, maar het geluid stond zacht. Nouvian stond bij het raam met zijn handen in de zakken van zijn wollen pantalon. Aldrich zat een reep gebakken spek weg te werken, chagrijnig als altijd. Frank scrolde door de berichten op zijn telefoon; misschien stak hij zijn voelhoorns al uit om te peilen of er belangstelling was voor een boek of tv-serie.

Joanne Sparks, messcherp gekleed in een broek met wijde pijpen en een strakke blouse, zat op de gestoffeerde armleuning van Jenssens stoel en nam een hapje van een Engelse muffin. Jenssen keek op toen Gersten binnenkwam, zonder te glimlachen of haar te groeten. Hij keek alleen maar.

Gersten wilde niet naar Sparks kijken. Ze wist kennelijk niets van het bezoek dat Jenssen die nacht had gehad. Maggie zat bij het raam sinaasappelsap te drinken, met haar benen over elkaar geslagen. Dit kon inderdaad nog wel eens interessant worden.

De pr-dame van burgemeester Bloomberg stond in een hoekje ogenschijnlijk in zichzelf te praten, maar ze bleek via haar bluetoothoortje een telefoongesprek te voeren.

'Goed, mensen,' kondigde ze aan toen ze het gesprek had afgerond, en ze deed een stapje naar voren. 'Ik heb jullie agenda voor vandaag. Het wordt leuk, iets om de rest van je leven nooit meer te vergeten.'

De reactie was sceptisch in plaats van enthousiast. Aldrich en Nouvian keken wantrouwend naar Harrelson, die via de tussendeur was binnengekomen.

'We vertrekken hier binnen een half uur en gaan dan naar de studio van *Today*, een paar straten verderop, voor een live-interview met Matt Lauer, die speciaal voor jullie in het weekend komt werken, mensen. Dat is ongekend, heb ik me laten vertellen. Omdat jullie grote sterren zijn, snap je? Jullie verdienen het beste van het beste.'

Sparks rechtte enthousiast haar rug, maar verder wachtte vrijwel iedereen alleen maar af wat er nog meer kwam.

'Jullie moeten weten dat ik stapels aanbiedingen heb afgeslagen, heel maffe dingen, maar ook interessante. Maar we willen jullie niet overspoelen of te zwaar belasten. Dus na *Today* komen we hier terug in een van de ontvangstruimtes, die dan ingericht zal zijn voor een gespreksronde met de gedrukte pers. Dan heb ik het over de *New York Times*, de *Wall Street Journal*, et cetera. Zij sturen één journalist per krant om jullie allemaal samen te interviewen, in plaats van het verhaal uit te smeren over tien, twaalf of misschien wel twintig interviewtjes. Daar word je ontzettend gaar van, kan ik jullie vertellen.'

Aldrich zei: 'Ik wil best met de *Wall Street Journal* praten, maar niet met de *New York Times*.'

De pr-dame knikte en bleef glimlachen. 'En natuurlijk mogen jullie zelf kiezen welke vragen je wel of niet beantwoordt. Maar de antwoorden mogen wel gebruikt worden door alle deelnemende nieuwsverspreiders.'

Aldrich keek nors, maar leek tevreden te zijn dat hij zijn zegje had gedaan.

'En dan nu de gebeurtenis van de dag,' zei de pr-dame. 'Waar jullie politieke voorkeur ook mag liggen, ik neem aan dat jullie allemaal trots en vereerd zullen zijn met deze uitnodiging: vanmiddag zijn we te gast bij de president van de Verenigde Staten.' Ze praatte door voordat iemand – Aldrich – haar in de rede kon vallen. 'Hij heeft gevraagd of jullie hem en mevrouw Obama willen vergezellen aan boord van het vliegdekschip Intrepid, dat zoals jullie misschien wel weten permanent voor anker ligt in de Hudson. President Obama zal daar dit Independence Day-weekend een toespraak houden om de mannen en vrouwen van onze gewapende strijdkrachten te eren. Zoals jullie natuurlijk wel weten, is hij in de stad vanwege de plechtigheid bij One World Trade Center morgenochtend, op 4 juli dus.'

Vervolgens introduceerde ze agent Harrelson, die aan kwam benen en volkomen ontspannen naast haar ging staan, duidelijk gewend aan grote groepen vreemden. 'Allereerst wil ik zeggen: petje af voor u allemaal,' begon hij. 'Aangezien ik zelf beroepsmatig mensen bescherm, weet ik dat er oneindig veel moed nodig is voor wat u in dat vliegtuig hebt gedaan. Ik wil me dus graag aansluiten bij de rest van de bevolking en u allen persoonlijk bedanken voor uw moed, uw onbaatzuchtigheid en het feit dat u een daad hebt gesteld. Daar heb ik groot respect voor.'

De Zes waren onder de indruk van Harrelsons oprechtheid en voelden zich zeer vereerd door zijn woorden. Gersten meende een vleugje vleierij te bespeuren in zijn presentatie, waarmee hij waarschijnlijk een stapje dichter bij het bereiken van zijn doel zou komen.

En voor dat beoogde doel hield hij nu zes formulieren omhoog. 'Ieder van u moet zijn of haar persoonlijke gegevens hierop invullen, een standaardprocedure voor mensen die rechtstreeks in contact komen met de president. Ja, ik weet dat u de afgelopen tijd al vragen hebt beantwoord en dat u waarschijnlijk ook soortgelijke formulieren hebt ingevuld, maar toch moet ik u vragen het nog één keer te doen. Eén bladzijde maar, met doorsneevragen: uw volledige naam, geboortedatum en -plaats, de namen van uw ouders en kinderen, beroep, uw woonadressen van de afgelopen twaalf jaar en de namen van drie mensen die geen familie van u zijn en die u al minimaal tien jaar kennen.'

Agent Harrelson deelde al pratend de vellen papier uit. Ieder van hen nam er zonder verder commentaar een aan. Met name Aldrich was schijnbaar voldoende gesust door Harrelsons lof en uitte geen bezwaren tegen een audiëntie bij de Democratische opperbevelhebber.

'Vanwege het korte tijdsbestek wil ik graag dat u ze nu meteen invult, zodat we iedereen op tijd kunnen vrijgeven voor het evenement van vanmiddag. De toespraak bgint om drie uur, meen ik...?' Hij keek de pr-dame aan voor bevestiging.

'We vertrekken hier uiterlijk om half twee,' zei ze. 'Agent Harrelson maakt vanaf nu deel uit van ons team, totdat we eind van de middag terugkeren van het schip.'

Harrelson voegde eraan toe: 'Hier hebt u misschien wat aan,' en hij deelde hotelpennen uit aan De Zes alsof het feestsigaren waren.

Aldrich, wiens vaderlandsliefde was gewekt, begon onmiddellijk met invullen. De anderen lazen het formulier eerst door. Verrassend genoeg was Alain Nouvian, de cellist, degene die bezwaar maakte. Zijn stem trilde een beetje van de emoties of van onzekerheid.

'En als we nu eens... als we hier nu eens niet langer deel van willen uitmaken?'

Harrelson en de pr-dame keken elkaar aan. De pr-dame gaf als eerste antwoord.

'Meneer Nouvian, of u het nu prettig vindt of niet, u bent een publieke persoon geworden. Ik vind dat u in tijden als deze uw politieke voorkeur...'

'Het heeft niets met politiek te maken,' zei hij, en hij wreef met de muis van zijn hand over zijn voorhoofd. 'Ik heb met veel plezier op Obama gestemd, alleen...' Hij wapperde met het formulier. 'Waar is dit voor nodig?'

Harrelson toonde een licht professioneel wantrouwen. 'Omdat ik het u moet vragen, meneer. Het moet gebeuren.'

'En als ik gewoon naar huis wil?' Nouvian richtte zich nu tot Gersten. 'Ik heb al gezegd dat ik moet studeren voor een uitvoering... en ik ben erg moe. We leven in een vrij land, of niet soms?'

Jenssen keek op van zijn formulier en kwam ertussen met zijn Zweedse accent. 'Dat geldt blijkbaar niet als je iets hebt waar dit vrije land op aast.'

Sparks keek weer naar Jenssen, verbaasd en een tikkeltje verwijtend. 'Ik vind het helemaal niet erg om mijn bijdrage te leveren,' zei ze, 'maar ik ben het met hem eens dat dat gedoe met die persoonsgegevens nergens op slaat. Ik bedoel, wie zijn wij nou helemaal?'

Nouvian vroeg: 'Hoe ver moeten we gaan met het verstrekken van gegevens?' Hij schudde zijn hoofd. 'We komen nu bijna op een punt dat we worden gestraft voor het verijdelen van een vliegtuigkaping.'

'Gestraft?' Frank tuurde over zijn brilmontuur.

Nouvian schudde zijn hoofd en richtte zich rechtstreeks tot Gersten. 'Ik kom niet graag op televisie. Ik hoef geen ontmoeting met de president. Waar ik behoefte aan heb, is tijd om cello te studeren, om alleen te zijn. Is dat zo moeilijk te begrijpen?'

Gersten zei: 'Meneer Nouvian, uiteraard staat het u vrij om advies in te winnen van een advocaat. Om eventueel een habeas-corpusakte in te dienen. Maar ook dat kost tijd. En zonder bevelschrift, áls u dat al zou krijgen, verandert er niets. De ceremonie van vanmiddag aan boord van het USS Intrepid is vanzelfsprekend een hele happening. En zoals dat geldt voor alles waarbij de president betrokken is, is de veiligheid van het allergrootste belang. U hebt de keuze om bij de groep te blijven en van de middag te genieten óf anders maar in het hotel te blijven, lijkt me. Maar eerlijk gezegd zal uw afwezigheid alleen maar aandacht voor uw persoon opleveren, zeker met betrekking tot de reden van uw weigering.' Gersten keek Harrelson even vragend aan voordat ze vervolgde: 'Bovendien zullen we toch uw gegevens moeten natrekken.'

Harrelson knikte ernstig.

'Is dat soms het probleem, meneer Nouvian?'

'Nee.' Nouvian schudde zijn hoofd. 'Nee, het gaat me om de bemoeienissen die...'

'Het spijt me, maar het kan niet anders. We hebben een drukke ochtend en middag voor de boeg, maar zoals het er nu uitziet, is de avond nog helemaal vrij.'

Frank, de journalist, had zijn bril afgezet en richtte zich tot Nouvian en Jenssen. 'Als ik er even tussen mag komen...' Hij ging staan om het groepje toe te spreken. 'Het gaat hier om één weekend. Een feestelijke gelegenheid, en wij blijken ook nog eens – ongelooflijk maar waar – de gevierde personen te zijn. Ik ben er groot voorstander van dat we nog even volhouden, het spel meespelen, de mensen zijn die ze in ons willen zien, aannemen wat ze ons te bieden hebben... en aan het eind van het liedje zouden wij, De Zes, wel eens allemaal voor de rest van ons leven binnen kunnen zijn. Heb jij kinderen, Nouvian?'

Nouvian knikte.

'Jij?' vroeg Frank aan Jenssen.

Jenssen schudde glimlachend zijn hoofd. De glimlach leek een reactie te zijn op Franks carrièredrang.

'Het kost ons niets om hieraan mee te doen, maar het levert wel gigantisch veel op.' Frank richtte zich tot Gersten. 'Maar ik heb een vraag. Die kranteninterviews, hoe diep gaan die?'

Gersten haalde even haar schouders op. 'Dat is niet mijn feestje.'

Hij keek naar de pr-dame.

'De gesprekken zijn zo diepgaand als jullie willen,' zei ze.

Frank wuifde het weg. 'Maakt ook niet uit. We kunnen van tevoren overleggen. Ik vind dat we de persoonlijke kant tot een minimum moeten beperken. Dat wil het publiek natuurlijk weten: onze menselijke kant, het verhaal achter de helden. Maar die... Ach, laat maar even. Laten we eerst maar eens kijken hoe het gaat.'

Hij ging verder met het invullen van zijn formulier. Nouvian keek met een zucht uit het raam en pakte toen zijn pen en begon het formulier in te vullen.

Vanuit de aangrenzende kamer kwamen er een arts en een verpleegster binnen, en Gersten kon wel raden wat ze kwamen doen. 'Meneer Jenssen,' zei ze, 'zo te zien moet u weer naar uw arm laten kijken. Misschien kunt u het formulier meenemen?'

Jenssen keek naar zijn in blauw gips gestoken pols en werkte zich via de armleuning omhoog, waarna hij achter de arts aan liep.

'Hebt u pijn?' vroeg Gersten.

'Nauwelijks,' antwoordde hij. 'Maar het jeukt wel.'

'Dat zal vandaag niet meevallen met die hitte,' zei ze, en ze liep met hem mee naar het aangrenzende vertrek, waar de arts een onderzoekshoekje had ingericht. Gersten deed een stapje opzij om hem erdoor te laten. Van zo dichtbij was hij indrukwekkend lang en breed. Hij bewoog zich heel soepel.

'Ben je hardloper?' vroeg hij in de deuropening.

'Ik loop wel eens, ja,' antwoordde ze, en ze bedacht dat hij haar die ochtend had gezien, toen ze Maggie uit zijn kamer zag komen.'

'Ook marathons?

'Nee, nooit gedaan,' antwoordde ze. 'Niks voor mij. Ik houd meer van triatlons.'

Hij knikte goedkeurend. 'Je bent duidelijk in topvorm.'

Gersten glimlachte om het compliment en de duidelijke vleierij die erachter stak.

Jenssen stak zijn gips omhoog. 'Een triatlon zit er voor mij helaas niet in, maar misschien wil je een keer met me gaan hardlopen voordat we hier afgewerkt zijn.'

Eigenlijk moest ze weer lachen, deze keer om zijn ogenschijnlijk schaamteloze geflirt, maar ze hield zich in. Ze hoopte maar dat hij de pretlichtjes in haar ogen niet zou zien. 'Dat lijkt me geen goed idee,' antwoordde ze beleefd maar vastberaden.

Een scheef lachje, dat zijn Scandinavische aantrekkelijkheid ondermijnde. Van zo dichtbij waren zijn ijsblauwe ogen net spiegelende lenzen. Daarachter, besefte ze, ging een nerveus jongetje schuil. 'Ik zoek alleen maar een goed sportmaatje,' zei hij.

'Ik dacht dat je al iemand had gevonden.'

'Ik hou van afwisseling als het om lichaamsbeweging gaat,' zei hij, en hij liep verder de andere kamer in.

Gersten ging terug naar de ontvangstruimte, vereerd maar ook verward door Jenssens plotselinge belangstelling. Misschien kwam het doordat ze hem had gezien na zijn nacht met Maggie. Ze had hem ergens bij betrapt. Hij bleek ook een schofterige kant te hebben, iets wat zijn charmante gedrag verhulde. Misschien kickte hij erop dat ze die kant had gezien.

De anderen vulden zwijgend hun formulieren in, met als enige geluid het gerinkel van hun koffiekopjes wanneer ze er een slok uit namen. Gersten leunde tegen de met goudbrokaat behangen muur en probeerde het rare gevoel van zich af te zetten dat ze had overgehouden aan haar gesprekje met Jenssen. Toen hij zijn blauwe ogen had afgewend, had ze dat als een bevrijding ervaren. Zijn aantrekkingskracht bezorgde haar een ongemakkelijk gevoel.

Weer keek ze op haar telefoon, maar nog altijd geen bericht van Fisk. Ze stuurde hem een sms die uit één word bestond: 'Hallo?' Pas toen ze het berichtje had verzonden, drong het tot haar door dat ze daarmee klonk als een verwaarloosd vriendinnetje.

Fisk zat net weer in zijn auto en reed met de airco op volle toeren weg bij het Capricorn Hotel toen het telefoontje binnenkwam. Binnen een paar minuten was hij bij het kruispunt van 116th Street en Seventh Avenue.

Een buurtbewoner had het alarmnummer gebeld nadat ze vanuit haar badkamerraam op de eerste verdieping had gezien dat beneden een kind, zo leek het, probeerde een man over het omheinde, met schroot bezaaide binnenplaatsje te sleuren. Het jongetje, zei ze, probeerde het lichaam van de man naar een garage te sjorren. De man leek dood of bewusteloos te zijn.

Eeen paar minuten voordat de politie arriveerde was er bij het alarmnummer een tweede telefoontje binnengekomen, afkomstig van de mobiele telefoon van een man die voor herenkapper Meme Amour op 116th Street stond te wachten. De man meldde dat er een rij klanten stond die naar binnen wilden voor hun zaterdagse knip- of scheerbuurt, maar dat de zaak gesloten was. Hij vertelde dat hij hier al zestien jaar wekelijks kwam en dat de kapperszaak altijd op tijd openging. De klanten maakten zich ongerust.

De agenten ter plaatse konden niets doen aan een gesloten zaak, maar algauw verschaften ze zich toegang via de naastgelegen deur, die via een smal, tunnelachtig gangetje uitkwam op de plaats erachter. Daar troffen ze Leo, een zevenendertigjarige Senegalese dwerg van een meter twintig die de kost verdiende als herenkapper. Hij transpireerde hevig en had rode ogen, en zodra hij de agenten zag, stak hij zijn korte armpjes in de lucht.

Hij toonde hun de garage, die was afgesloten. Toen ging hij hun voor naar de westelijke hoek van de binnenplaats, waar hij het lijk van de dikke Senegalees die het pand beheerde en de garage huurde naartoe gesleept had. Leo had de man tijdelijk afgedekt met kartonnen dozen, een taak die hem volledig had uitgeput.

Fisk, die kort daarna ter plaatse was, kreeg van Leo te horen dat de dikke man de vorige middag voor het laatst in leven was gezien, rond sluitingstijd van de kapperszaak. Leo had het lijk aangetroffen toen hij de volgende morgen kwam werken.

Leo biechtte op dat hij vermoedde dat zijn vriend, die hij kende als Malick, betrokken was bij enigszins duistere zaakjes, maar hij benadrukte dat het verder een prima kerel was geweest.

Er kwam een rechercheur van Moordzaken bij, en Fisk verspilde een paar minuten aan het verklaren van zijn aanwezigheid als Intel-agent op de plaats delict, zonder echt iets los te laten. Hij vroeg aan Leo wat er in de afgesloten garage lag. Leo, die zulke korte, dikke armpjes had dat hij ze amper over elkaar kon slaan, zei dat hij het niet wist, maar dat Malick de sleutel altijd bij zich had gedragen.

Fisk wilde net de handschoenen aantrekken om de zakken van het trainingspak van de dode man te doorzoeken, toen Leo opbiechtte dat hij al naar de sleutel had gezocht en dat die was verdwenen.

De rechercheur van Moordzaken was het met Fisk eens dat dit een gerede aanleiding was om de garage binnen te gaan. Fisk vond een stuk afgedankt betonijzer tussen het schroot en gebruikte dat om de grendel los te wrikken en de deur open te breken.

De aanblik van de keurige werkbanken verraste hem. Aan geperforeerde platen hing zwaar gereedschap, met daaronder elektronica in uiteenlopende reparatiestadia. Fisk trok handschoenen aan voordat hij naar binnen ging en stuurde iedereen weg bij de ingang. Hij was op zijn hoede voor boobytraps, ook al was het interieur goed zichtbaar in het ochtendlicht.

Hij ging als enige naar binnen. De garage was op het eerste oog niet overhoopgehaald, al stond er wel een geopende gereedschapskist op de werkbank, met een stoffen zak ernaast. Fisk bekeek de zak, die leeg bleek te zijn. Hij snoof eraan en rook poets- en oplosmiddel, een geur die hij onmiddellijk kon thuisbrengen: onderhoudsmiddelen voor vuurwapens.

Fisk liep weer naar buiten, waar Leo in klaarmakerszit op de grond een sigaartje zat te roken terwijl hij de vragen van de rechercheur beantwoordde.

Fisk ging op zijn hurken bij hem zitten. 'Moet je horen, Leo,' zei hij. 'Ik wil een eerlijk antwoord, en graag snel. Jij hebt geprobeerd een moord te verdoezelen en je hebt blijkbaar de plaats delict verstoord. Voor hetzelfde geld heb jíj die man vermoord.' Fisk wist dat dat niet het geval was – de emoties van de dwerg spraken boekdelen – maar hij moest nu doorpakken. 'Waarom heb je geprobeerd het lijk te verbergen?'

'Ik... ik raakte in paniek. Ik wil geen problemen. Ik wist niet wat ik moest doen.'

'De meeste mensen bellen in zo'n geval een ambulance, of het alarmnummer.'

Leo knikte instemmend. 'Maar ik ben de meeste mensen niet.'

'Waren jullie huisgenoten? Minnaars?'

'Nee! Geen van beide. We werken hier.'

'Zijn dood... de moord verrast u niet.'

Leo nam een lange trek van het sigaartje. 'Hij was niet het type man dat zich liet waarschuwen.'

Fisk knikte. 'Wijlen uw vriend Malick – in wat voor wapens handelde hij?'

Leo reageerde verbaasd maar niet geschokt. 'Het was een echte klusser. Hij kon alles uit elkaar halen en repareren, en als hij klaar was, was het nog beter dan voorheen.'

'Maar ik heb het hier niet over elektrische scheerapparaten,' zei Fisk. 'Malick is omgebracht door iemand die hij hier na sluitingstijd heeft getroffen. Iemand die niet wilde of niet kon betalen. Malick verkocht wapens. Wat nog meer?'

Leo schudde het hoofd, met tranen in zijn ogen. 'Daar weet ik niets van. Echt niet. Ik ben kapper.'

Fisk geloofde hem, en dat frustreerde hem nog meer. 'Wat is het laatste dat hij gisteren tegen u heeft gezegd?'

Leo dacht even na. 'Dat was "Au revoir". Met volle mond. Hij sprak altijd met volle mond.'

Fisk zei: 'Nog één vraag. Ik wil een eerlijk antwoord. Hebt u hier ooit chemicaliën gezien of iets vreemds geroken?'

Leo schudde weer het hoofd. 'Nee, alleen eten.' Hij drukte het sigaartje uit op de grond en begon te huilen. 'Word ik nou meegenomen?'

Fisk zei: 'Nee, er gebeurt u niets, u blijft gewoon hier. Zolang u me alles vertelt wat u weet over Malick en zijn compagnons.'

'Ik heb nog gezegd dat hij problemen zou krijgen.'

'De problemen hebben hem weten te vinden, ja.' Fisk kwam overeind en liep weer naar de dode man in het zwarte trainingspak. Met zijn handen in zijn zij keek hij om zich heen naar het schroot. Een moord op twee huizenblokken afstand van de enige plek waar Baada Bin-Hezam met zekerheid was gezien – vermomd. Dat kon geen toeval zijn.

Maar met een pistool? Het was een lomp wapen, eigenlijk onbruikbaar voor stadsterreur. Er moest meer achter zitten.

Zijn telefoon trilde op zijn heup. Het hoofdkwartier van Intel. 'Fisk,' zei hij.

Het was iemand van de surveillanceafdeling. 'We hebben straatcamerabeelden van iemand die wel eens jullie man zou kunnen zijn. Ik heb een foto gemaild, maar je kunt hem beter op je laptop bekijken, vanwege de resolutie.'

'Gezicht vol in beeld? Met snor en bril?'

'Zonder snor en bril.'

'Waar en wanneer?' vroeg Fisk.

'In Thirtieth Street, ter hoogte van Ninth Avenue. Volgens de tijdcode iets meer dan een uur geleden.'

Fisk holde al naar zijn auto.

De karavaan van drie zwarte Chevrolet Suburbans van de NYPD, aan de voor- en de achterkant omsloten door surveillancewagens met zwaailicht, zoefde door de afgezette straten en daalde af in de vipgarage onder Rockefeller Plaza nummer 30. Ze werden opgevangen door een assistent-producente die zelf ook weer een assistente met headset had; die laatste ging hun voor door een wirwar van gangen versierd met foto's van beroemdheden, tot ze bij de make-upruimte naast studio 1A waren aanbeland.

Toen De Zes het langgerekte vertrek met spiegelwanden en make-upstoelen betraden, begonnen de medewerkers die aan weerskanten stonden opgesteld te klappen. En al was het groepje nog niet bepaald gewend aan een spontaan applaus, het viel Gersten wel op dat ze er niet langer geschokt op reageerden; ze leken het saluut te aanvaarden.

Voor de uitzending van *Nightline* de vorige avond was er haastig iemand met de poederkwast over hun gezicht gegaan, maar hier bij *Today* werden ze met drie tegelijk op de zwartleren kappersstoelen voor een fel verlichte, wel tien meter lange spiegel gezet en uitgebreid met haarlak en make-up bewerkt.

Ze keken naar elkaar in de spiegel, de vrouwen meesmuilend terwijl ze deden alsof ze niet genoten van de aandacht. Doug Aldrich bromde iets toen een vrouw met een diamantje in haar neus een tissue in zijn kraag vouwde. 'Veel of weinig rouge?' vroeg ze, en Aldrich pakte de armleuningen beet alsof hij op het punt stond overeind te vliegen en ervandoor te gaan. 'Grapje!' zei de visagiste, en ze legde geruststellend een hand op zijn arm. 'Je krijgt alleen een basislaagje, zodat je er niet uitziet als een wandelend lijk voor het oog van tien miljoen mensen.'

'Tien miljoen?' vroeg Joanne Sparks, die de vorderingen via de spiegel bijhield.

De visagiste zei, terwijl ze Sparks' wangen poederde: 'Waarschijnlijk wel meer, hoor. Wat denk je? De mensen willen niets anders zien of horen dan jullie. Mijn moeder belde me vandaag toen ze hoorde dat jullie kwamen. En mijn moeder belt me nóóit.'

Sparks zei: 'Ik hoop wel dat een paar van mijn ex-vriendjes kijken.'

Colin Frank was stil. Hij zat in de *New York Times* een artikel over henzelf te lezen, met zijn benen over elkaar geslagen alsof hij dagelijks werd opgemaakt voor de televisie. Hij was, meer dan de anderen, zeer geïnteresseerd in de manier waarop hun verhaal werd gebracht door de media.

Maggie Sullivan kreeg de grijns niet van haar gezicht; ze vond het prachtig wat ze met haar onhandelbare haar deden en ze vroeg de prof om tips. Zo nu en dan gluurde ze via de spiegel naar Jenssen, waarschijnlijk om te zien of hij naar haar keek.

Toen Nouvian aan de beurt was om plaats te nemen in de stoel, pakte hij een sponsje en deed de huid rond zijn ogen zelf. Als beroepsmuzikant was hij het gewend een dun laagje make-up te gebruiken.

Jenssen sloot sereen zijn ogen terwijl twee van de visagistes in stilte uitvochten wie van hen zijn basismake-up mocht aanbrengen. Sparks keek vanuit haar stoel toe, gevangen onder een zwarte kapmantel; ze kon het duo wel schieten.

De kapper kwam tussenbeide en haalde de twee vrouwen met een voorzichtig elleboogstootje uit elkaar. Hij plukte aan Jenssens piekhaar. 'Goed tv-kapsel,' zei hij.

Jenssen, met zijn ogen nog steeds dicht, zei: 'Komt zeker door al die jaren televisiekijken.'

De kapper en de visagistes lachten alsof ze in hun make-upkamer nog nooit iemand zoiets grappigs hadden horen zeggen. Jenssen deed zijn ogen open en keek om zich heen alsof hij voor de gek gehouden werd.

Gersten glimlachte bij zichzelf. De komende tijd zou alles wat De Zes zeiden heel bijzonder, heel grappig of uiterst diepzinnig zijn.

Toen de microfoontjes waren bevestigd werd het groepje mee de straat op genomen, naar het afgezette gedeelte voor Rockefeller Center, voor de buitenopnamen. Voor iedereen behalve Jenssen, die nooit in de States had gewoond, was het een vertrouwd beeld: de toeristen van buiten de stad die zwaaiden naar hun vrienden en familie thuis. Vanochtend hadden vele van de toeschouwers spandoeken meegebracht met teksten om hen te eren, in afwachting van hun veelbesproken komst.

GOD BLESS YOU! GOD BLESS AMERICA!
DIT MOGEN WE NOOIT VERGETEN!
USA USA USA!
EENDRACHT MAAKT MACHT!!

Het plein lag in de schaduw van de omringende gebouwen, maar dat maakte de hitte er nauwelijks minder op. Toch zaten sommige mensen er al van voor zonsopkomst. Ze gingen uit hun dak toen De Zes achter de assistant-producente vandaan stapten, de warme lucht in. Flitsende camera's en geroep. Heel even verwachtte Gersten dat ze zouden proberen langs de plastic afzetlinten te komen.

Dat moment ging voorbij, maar aan het applaus leek geen einde te komen. Het enthousiasme was nog niet afgenomen toen Matt Lauer verscheen en het rode lampje op de camera aanging. Er werden zeven regisseursstoelen neergezet, ook al ging er niemand in zitten. Het enthousiasme van de toeschouwers verstoorde de introductie, en het interview werd gestart terwijl de gasten stonden. Lauer nam de verijdelde kaping nog een keer met hen door en bestookte hen met vragen om het gesprek op gang te houden, gevolgd door een sentimentele vraag voor ieder van de helden.

'Was u bang?'

'Dacht u er eigenlijk wel bij na?'

'Zou u het wéér doen?'

Toen, in een hereniging die schitterend was gepland door de producenten van het programma, kwamen de gezagvoerder van Scandinavian Air vlucht 903, Elof Granberg, en zijn copiloot Anders Bendiksen op, onder verrukte kreetjes van Maggie. Ontvangen met omhelzingen met veel tranen en stevige handdrukken van De Zes voegden ze zich bij hen. Het verhaal van de piloten werd in het kort verteld, opgeluisterd door Granbergs noodoproep, die was vastgelegd met de flightrecorder. Vervolgens werden ook zij aangespoord een bijdrage te leveren aan het koor van loftuitingen.

De komst van de mannen bracht nieuw leven in het groepje. Gersten ontdekte een patroon van pieken en dalen, en even had ze met hen te doen vanwege de emotionele achtbaan waarin ze zich ongevraagd bevonden. De momenten van oprechte bewondering waren fascinerend om te zien, niet alleen voor Gersten, maar voor het hele land – en Gersten kon zich maar moeilijk voorstellen, van zo dichtbij bekeken, hoe het zou zijn om daar het middelpunt van te zijn. In die paar ogenblikken zetten de groepsleden hun individuele karakter opzij en werden ze van gewone burgers de helden die de kijkers in hen wilden zien.

De enige wanklank ontstond toen Matt Lauer opmerkte dat er zich iemand van de Secret Service onder hun gevolg bevond. 'Gaan jullie je kandidaat stellen voor een senaatszetel?' vroeg hij lachend.

Tot ieders verrassing was Jenssen degene die antwoord gaf. 'We hebben straks een ontmoeting met president Obama,' zei de Zweed.

Matt Lauer vroeg: 'Bij de ceremonie op het USS Intrepid?'

'Juist.'

Gersten zag Harrelson steigeren na het vrijgeven van die informatie in het openbaar.

Matt Lauer vroeg: 'Hoe voelt dat nou? Vorige week was u nog gewone burgers en vandaag hebt u een ontmoeting met de president.'

De anderen stonden even met de mond vol tanden. Jenssen zei: 'Het is een hele eer, al was het natuurlijk wel fijn geweest als we er zelf ook iets over te zeggen hadden gehad.'

Matt Lauer haakte er onmiddellijk op in. 'Bedoelt u nu dat u de president liever niet ontmoet had?'

'Nee, dat bedoel ik niet. Helemaal niet. Maar sommige mensen hechten veel waarde aan hun privéleven en kijken ernaar uit de draad zo snel mogelijk weer op te pakken. We worden nu bewaakt in ons hotel en mogen daar niet weg, op dit soort optredens na. Dat is toch niet te geloven? Ik ben geen Amerikaans staatsburger, maar de anderen zijn dat wel, en kennelijk kun je dus brave burgers – en zelfs "helden" vasthouden.'

Matt Lauer sloeg zijn armen over elkaar en boog zich naar voren voor de genadeslag. 'Wordt u met z'n allen tegen uw wil vastgehouden?'

Colin Frank stoof op alsof Jenssen in brand stond en Frank de enige emmer water in handen had. 'Nee, nee. Deze omstandigheden zijn ongekend, Matt. Ik denk dat mijn vriend Magnus hier bedoelt dat bepaalde aspecten aan deze situatie onontkoombaar zijn, maar ik wil benadrukken dat wij graag bereid zijn eraan mee te werken.' Hij trok zich weer terug, glimlachend. 'Voor ons is het allemaal volkomen nieuw. Het is een gekkenhuis, Matt.'

Gersten zag de pr-dame van de burgemeester naar de hemel kijken alsof ze bad om een blikseminslag – alles om van onderwerp te veranderen. Ze pakte haar telefoon al voordat die de kans kreeg om te gaan rinkelen.

Matt Lauer rondde het lange programmaonderdeel af door iedereen te bedanken en een link te leggen tussen hun moedige optreden en Independence Day, de dag waarop de Amerikanen de onafhankelijkheid van hun land vierden. Het applaus van het publiek ging over in gejoel, dat heel lang aanhield, en Gersten keek op de monitor naar het shot dat almaar werd gerekt. De camera's volgden het publiek, stuitten op tranen en keerden dan terug naar de groep. Maggie Sullivan pakte spontaan Colin Franks hand en daarna die van Doug Aldrich, en ze stak ze in de lucht als teken van erkentelijkheid en waardering. Ze maakten een buiging alsof ze op Broadway stonden, stralend voor een dankbaar volk.

De anderen voegden zich bij de keten. Zelfs Magnus Jenssen, die om het groepje heen liep zodat hij zijn goede hand op Alain Nouvians schouder kon leggen. De producenten hielden het shot meer dan een minuut vast – een eeuwigheid in televisieland – voordat ze er eindelijk uit gingen voor de reclame.

Sommige bewakingscamera's op straat zagen eruit als radarsnelheidsmeters of stralingsdetectoren. Die stilstaande exemplaren waren voornamelijk bedoeld als verkeerscamera, nuttig voor het registreren van nummerplaten, automerken en de gezichten van bestuurders.

Andere camera's konden draaien en werden op afstand bediend. Die hingen meestal op hoge plekken in voetgangersgebieden, zoals op Times Square, of in de buurt van grote publiekstrekkers als Ground Zero.

De derde soort surveillancecamera van de NYPD was een bol. Deze bollen deden denken aan de antidiefstalcamera's die je vaak aan het plafond zag hangen in winkels. In de straten van New York hingen ze meestal aan een lantaarnpaal, als een groot verduisterd oog.

Fisk stond te kijken naar de camera die boven het kruispunt van Thirtieth Street en Ninth Avenue hing, vlak bij Penn Station. De bol hing daar open en bloot in het zicht. Hij keek even naar de kleurenprint in zijn hand, met in de linkerbenedenhoek het logo van de NYPD en helemaal onderaan een tijdstempel. Toen keek hij weer om zich heen, de straat door.

Baada Bin-Hezam had nog geen drie uur geleden op exact dezelfde plek gestaan.

Geen twijfel mogelijk. Fisk had een ingezoomde opname van zijn gezicht. Zonder vermomming. Fisk kon nog net de moedervlek op zijn linkerkaak onderscheiden, als een donkere schaduw. Bin-Hezam droeg een donkerblauw of zwart windjack, een spijkerbroek en zwarte Adidassneakers. Hij had een grote, merkloze plastic tas in zijn hand; de opdruk THANK YOU was duidelijk zichtbaar.

Fisk deelde een stapel foto's uit, waaronder een van alleen de tas, en stuurde twaalf Intel-agenten op pad om de directe omgeving uit te kammen, in een steeds grotere cirkel. Het was de bedoeling dat ze winkelpersoneel de foto van de tas lieten zien, en zodra iemand die herkende – maar alleen dan – mocht er een foto van Bin-Hezam getoond worden. Hij verwachtte dat veel verkopers de tas zouden herkennen, en hij hoopte op ten minste één positieve identificatie van het gezicht.

Maar wat hij nooit had verwacht, was dat hij zelf degene zou zijn die op die positieve identificatie stuitte. Die vond niet plaats in de winkel waar de tas vandaan kwam, maar was afkomstig van een winkelier die zich een man herinnerde die voldeed aan de beschrijving van Bin-Hezam en die een soortgelijke tas bij zich had gehad.

Dat was in The Moon, een hobbywinkeltje dat zat ingeklemd tussen een Ierse pub en een Thais afhaalrestaurant, op slechts enkele passen afstand van de surveillancecamera. De uitbater, een potige kerel met een zwart-wit gestreepte machinistenpet op zijn weerbarstige witte haar, keek op van een dampende kom noedels en zijn opengeslagen tijdschrift over modeltreintjes, en hij priemde met zijn eetstokjes naar de uitvergrote foto van de THANK YOU-tas.

'De Saoedi,' zei hij.

Fisk zette grote ogen op van verbazing. 'Pardon?'

De man keek nog een keer naar Fisks politiepenning. 'Nee, hè? Ga me nou niet vertellen dat het een slechterik is.'

De hobbyman reageerde bevestigend op de foto van Bin-Hezam. Hij beweerde zelfs te weten wat er in de plastic tas had gezeten: 'Een weekend- of schoudertas of zoiets. Volgens mij was het nepleer. Ik kon zo in dat tasje kijken. Zeg me alstublieft dat die kerel niet een of andere gestoorde bommenlegger is.'

'Ik weet niet wat voor iemand het is, meneer,' zei Fisk. 'Ik probeer alleen zijn identiteit vast te stellen.' Fisk excuseerde zich, belde om versterking en hervatte toen zijn gesprek met de man. 'Hoe laat is hij hier geweest, zou u zeggen?'

'O, even denken... een uur of drie geleden? Ik was net open. Normaal gesproken gaat de zaak om negen uur open, maar ik was aan de late kant. Gisteren tot laat flutprogramma's zitten kijken.'

Dit was geen malloot die zomaar wat zei. Fisk had iemand gevonden die Bin-Hezam had gezien.

'Meneer, probeert u zich alstublieft zo veel mogelijk te herinneren van wat hij heeft gezegd, wat hij heeft aangeraakt en gekocht.'

De hobbywinkelier nam nog een hap noedels. 'Wat hij heeft gekocht is makkelijk.' Hij kwam achter de glazen toonbank vandaan en liep met Frisk naar het rek met raketbouwpakketten achterin. 'Een van deze jongens. Alles erop en eraan. Voor zijn zoontje, zei hij.'

Het bouwpakket dat de verkoper aanwees was bedoeld om een raket van een kleine meter lang en zo'n acht centimeter doorsnee samen te stellen.

'Ik heb met hem doorgenomen hoe de veiligheidssleutel werkt, vanwege zijn zoontje. Verder was hij niet erg spraakzaam. Welbespraakt, dat wel. Hij betaalde contant. Honderden dollars.'

Fisk stond daar voor de uitgestalde raketten en nam in gedachten verschillende scenario's door. Eén woord kwam telkens terug: vuurwerk.

De hobbyman zei: 'Die vent had helemaal geen zoontje, hè?'

In haar appartement in Bay Ridge in Brooklyn, zat Aminah bint Mohammed te kijken naar haar trillende mobiele telefoon op de keukentafel. Ze staarde ernaar alsof het een enorme opdraaikakkerlak was die tot leven was gewekt.

Aanvankelijk werd ze verlamd door een mengeling van angst en verbazing. Ze had twee keer eerder instructies ontvangen om haar weekend vrij te houden, zodat ze van dienst zou kunnen zijn. Beide keren was ze binnengebleven, alleen, met de telefoon die ze haar hadden gegeven, en ze had gewacht tot hij zou rinkelen.

Beide keren was het weekend voorbijgegaan zonder dat ze contact met haar opnamen.

Maar in plaats van erin te berusten, had ze er juist alle vertrouwen in gehad dat de oproep dit derde weekend zou komen. Ze had eerder die week expliciete instructies ontvangen. Maar toch, nu de telefoon oplichtte en trilde, moest ze vechten tegen de paniek.

Ze hoopte maar dat ze het in haar gestelde vertrouwen niet zou beschamen.

Ze had strikte orders gekregen de telefoon niet op te nemen. Ze moest wachten op de voicemail en die beluisteren.

De telefoon hield op met trillen, maar Aminah kneep nog steeds met beide handen in de tafelrand. Ze keek strak naar het toestel.

Even later begon er een blauw lampje te knipperen, ten teken dat er voicemail was.

Ze stond op en begon handenwrijvend te ijsberen, de keuken uit en weer terug. De ramen stonden open en haar ventilatoren verplaatsten de warme lucht door het appartement. De geluiden van de stad dreven naar binnen boven het gegons van de draaiende bladen uit. Ze had het het hele weekend onaangenaam warm gehad, maar nu had ze koude rillingen.

Ze rommelde in een la op zoek naar pen en papier, zodat ze geen fouten zou maken, maar ze bedacht zich en deed de la weer dicht, waarna ze haar klamme handen afveegde aan haar lange gewaad.

Ze liep naar de telefoon en pakte hem op. Na het ontgrendelen van het scherm belde ze de voicemail; haar vingertoppen lieten vochtplekken achter op het schermpje.

De telefoon ging over en er werd naar haar toegangscode gevraagd. Ze toetste de zes cijfers in die correspondeerden met de letters van haar voornaam.

Een mannenstem. Hij sprak Engels: geen woorden, alleen een nummer dat ze moest bellen. Ze luisterde het bericht twee keer af, maar deed geen moeite het nummer te onthouden. Dat deed het toestel voor haar.

Ze belde het nummer terug met behulp van het telefoongeheugen. Het was het enige gesprek dat ze met dit toestel had ontvangen.

Hij ging één keer over.

Dezelfde mannenstem. 'Ben je er klaar voor?' vroeg hij. Hij sprak vastberaden, en eerbiedig alsof het een gebed betrof.

'Ik ben er klaar voor,' antwoordde ze. Amerikaans-Engels was haar moedertaal.

'Hotel Indigo, West Twenty-eighth Street. Tussen Sixth en Seventh Avenue, in Manhattan. Bovenste verdieping, penthousesuite A. Kom ongesluierd. Zelfs geen hidjab. Spreek alleen Engels. En breng mee wat je hebt.'

Ze zocht nog naar een geschikt antwoord toen hij al ophing. De verbinding was verbroken, het gesprek beëindigd.

Verdwaasd liet ze de telefoon zakken. Het was begonnen.

Fisk sprak Intel-hoofd Barry Dubin via een beveiligde lijn op bureau Midtown-zuid op West Thirty-fifth Street. Hij slikte snel zijn hap brood door en stopte de rest van zijn clubsandwich met kalkoen weg, uit het zicht van de camera.

Op zijn monitor was de briefingkamer van Intel te zien vanaf een hoek van de tafel. Er waren nog anderen bij Dubin in het vertrek; zelf zat hij op zijn gemak in een hoge bureaustoel, alsof hij zijn energie moest sparen voor de rest van het weekend.

'Dus wat hebben we tot nu toe?' vroeg Dubin, de voormalige geheim agent. 'Het wordt nu menens. Dit is een heikele zaak.'

Fisk zei: 'Bin-Hezam is in Manhattan en blijft niet op één plek. Waarschijnlijk logeert hij hier wel ergens, want hij is de stad niet uit geweest. Dus óf hij betaalt contant in een hotel of hij krijgt onderdak bij handlangers.'

'Die moet hij wel hebben, lijkt me. Maar op dat punt is er dus nog niets gevonden?'

'Niets,' zei Fisk.

Ze hadden nauwkeurig de beelden van alle camera's in een straal van drie straten bekeken, op zoek naar nog meer opnamen van Bin-Hezam. Op twee camera's was hij te zien, maar het leverde geen extra informatie op. Het was gewoon dezelfde Arabier met een plastic tas.

Wat wel werd aangetoond, was dat de technologie niet onfeilbaar was: de gezichtsherkenningsprogramma's waren er niet in geslaagd de beelden eruit te filteren en die door te sturen naar Intel. Maar daar wilde niemand het over hebben. Soms wilden de bewakers net zo graag geloven in de magie van de ultieme veiligheid als de mensen die ze beoogden te beschermen.

Het andere probleem was dat, al werd het tegendeel beweerd, vele van de duizenden huizenblokken in Manhattan nog geen werkende surveillancecamera's hadden. De plattegronden met cameralocaties, getekend en bijgewerkt door hobbyisten en door tegenstanders van de nieuwe privacywet, waren beschikbaar voor iedereen met een internetverbinding, en deze plattegronden maakten het voor mensen met kwade bedoelingen gemakkelijk om een hotel of appartement uit te zoeken in een buurt waar nog geen elektronische ogen hingen.

Dubin zei: 'We hebben de afgelopen week al onze twijfelgevallen opgepakt, vooruitlopend op Independence Day en de ceremonie bij One World Trade Center. Zouden we misschien hulpjes van hem hebben uitgeschakeld? Ik hoop het van harte. Misschien dat hij daarom in zijn eentje op pad is? Waarom zou hij dat risico anders nemen, terwijl hij zich beter gedeisd kan houden? Al die moeite om hem het land in te krijgen... Ik zie niet in hoe hij in zijn eentje zou kunnen opereren.'

'In principe ben ik het met je eens,' zei Fisk.

'Goed...' En op dat punt keek Dubin naar de andere aanwezigen, mensen die Fisk niet kon zien. Hij nam aan dat er FBI'ers onder hen waren en was blij dat hij dit gesprek op afstand voerde. 'De grote vraag is of we de klopjacht op Bin-Hezam publiekelijk moeten voortzetten. Gaan we vanmiddag de radio- en televisiezenders overspoelen en de stad voor ons aan het werk zetten?'

'Of breekt er dan paniek uit, die ons juist zal tegenwerken?' vulde Fisk aan.

'We begeven ons op het slappe koord,' zei Dubin. 'We mogen niet te weinig doen, maar ook niet te veel.'

'Ik ga er niet over,' zei Fisk, 'maar ik denk dat een televisieoproep onze kansen niet aanzienlijk zal vergroten.'

'En wat vergroot onze kansen wél aanzienlijk, Fisk?'

Fisk haalde toegeeflijk zijn schouders op. 'Dat is waar.'

'Dat gezegd hebbende,' vervolgde Dubin, 'moet ik je bekennen dat ik geneigd ben je gelijk te geven. Het zou kunnen dat als we hier ook maar iets over zeggen in de ether, alle aandacht onmiddellijk zal uitgaan naar het vuurwerk van vanavond. Als we de mensen bang maken en er blijkt geen acute dreiging te zijn, geen reden tot arrestatie, dan wordt dat juist het nieuws. Die vuurwerkshow is verdomme van het allergrootste belang – symbolisch gezien.'

Fisk knikte. Hij had tussen de regels door al begrepen dat er een naaste medewerker van de burgemeester aanwezig was, misschien zelfs wel van de gouverneur. Fisk had genoeg met Dubin opgetrokken om te weten dat hij indien nodig lippendienst zou bewijzen aan zijn politieke meerderen – om vervolgens een ommezwaai te maken en te doen wat hij moest doen om de klus te klaren.

'Waar het op neerkomt,' zei Dubin 'is dat door het gezicht van die kerel op tv te tonen, we hem alleen maar meer aandacht schenken. Op die manier creëer je een superschurk. Zo geef je terreur een podium en een stem in de programma's van vanavond. Er ontstaat een aartsvijand, en ik geloof niet dat we die grens al hebben bereikt.'

Fisk was het met hem eens. 'Heeft het afluisteren van telefoons niets opgeleverd?'

Net als bij de camera's gebeurde het screenen van gesprekken door de NSA via de computer. Om van de rechter toestemming te krijgen om de telefoonmasten digitaal te volgen moest je aan bepaalde voorwaarden voldoen; deels deden ze dat ook. Maar de hoeveelheid Arabieren die iedere willekeurige minuut van de dag in een van de vijf wijken van New York een gesprek voerde via een mobiele telefoon was ontstellend groot. Elk van de vijf grootste providers in die gebieden had het bevel van de rechter elektronisch binnengekregen, via een crisisverbinding die was aangelegd na de communicatiechaos tijdens de aanslagen op het World Trade Center.

Dubin vertelde Fisk wat hij al wist. 'Geen aanknopingspunten. Een hoop onbruikbare flauwekul. Ik heb ze gevraagd een tandje terug te schakelen en de bestanden na te trekken van de uren vlak voor en vlak na onze camerabeelden. Voor het geval we iets over het hoofd gezien hebben. Wat heel goed mogelijk is, zelfs met de beste computersystemen ter wereld. Hadden we maar een foto waarop hij aan het telefoneren is, dan konden we een tijdstip bepalen. Fisk, ik moet je eerlijk zeggen dat er geluiden zijn opgegaan om de FBI voorrang te geven, maar je zult het wel met me eens zijn dat wij het beste zijn toegerust om dit aan te pakken.'

Hij bespeelde de aanwezigen weer. Het was Fisks rol om nu de verstandige te zijn. Dus knikte hij weer.

Dubin was hier een meester in. Als het ging om het verminderen van de druk of het pareren van kritiek was hij onverwoestbaar.

Fisk zei: 'Dit is in veel opzichten een statische aangelegenheid. Als we maar lang genoeg volhouden, is er een goede kans op een voltreffer.'

'Maar alleen vanavond en vannacht is niet "lang genoeg", Fisk. Zelfs met morgenochtend erbij redden we het niet. Wat was dat nou met die raket?'

'Hij heeft driehonderdvijftig dollar uitgegeven aan een bouwpakket. Contant. En hij had een imitatieleren tas bij zich.'

'Hebben we het hier over kinderspeelgoed of over een luchtaanval?'

Fisk antwoordde: 'Ja, en ik weet het niet. Dat ding kan hoog komen. Zeker wanneer je het lanceert vanaf een gebouw, al heb je niet genoeg vermogen om echt goed te richten.'

Dubin trok een pijnlijk gezicht. 'Een luchtaanval doet mij meteen denken aan een biologisch wapen.'

Fisk zei: 'Een kleine bom ontploft en dat was het dan. Dus ik denk dat je gelijk hebt.'

'Er staan vanavond miljoenen mensen opgesteld over een lengte van drie kilometer, grofweg van negen uur tot vijf voor half tien. Een makkelijke prooi. Het is al een helse klus om de boel op de grond te beveiligen op een gewone 4 juli, maar nu moeten we dus ook de lucht in de gaten houden? Stel dat hij dat ding afschiet vanuit een raam of van een dak, of met zo'n parachutegeval dat op de wind wordt meegevoerd over de Hudson?'

'Dat is iets waar we rekening mee moeten houden.'

'Of mikt hij op de zondagochtend in Battery Park? De plechtigheid bij Ground Zero? Een speelgoedraket gevuld met god-weet-wat loslaten op de aanwezigen?' Dubin maakte zich nu kwaad.

Fisk zei: 'Als middel voor een aanslag is het niet al te nauwkeurig. Het komt niet ver, al hoeft dat ook niet. Het lijkt mij hier om de hoogte te gaan. Als het al specifiek ergens om gaat.'

'Wat wil je daarmee zeggen?'

'Dat we eigenlijk alleen maar weten dat we nog steeds bijna niks weten. We hebben geen biologisch wapen.'

'Ik zal je zeggen wat we weten,' zei Dubin, en hij boog zich naar voren. 'Vanmiddag is er een ceremonie op het USS Intrepid waarbij de president aanwezig is. Vanavond hebben we vuurwerk en staan er potentiële slachtoffers opgesteld langs Eleventh Ave. Een soort menselijk buffet. En dan is er morgenvroeg de plechtigheid bij One World Trade Center, waarbij niet één maar twee Amerikaanse presidenten aanwezig zullen zijn: de huidige en zijn voorganger, en tevens de vicepresident, de gouverneur van New York en zíjn voorganger, de burgemeester en zíjn voorganger, buitenlandse hoogwaardigheidsbekleders, nabestaanden van de slachtoffers van 11 september en een miljoenenpubliek. Morgenvroeg om acht uur. Dat is over zo'n twintig uur.

We hebben hier anderhalf uur vergaderd over de vraag hoe we deze evenementen met goed fatsoen kunnen afblazen als we de Saoedi niet vóór die tijd te pakken hebben. Hoe we het kunnen afblazen zonder dat men doorheeft dat we het afblazen, want zoals je weet zou noch de president noch zijn medewerkers zich gewonnen geven. Het is niet zijn taak om het ons gemakkelijk te maken, het hoort andersom te zijn. Dus proberen we oplossingen te bedenken om de beveiliging aan te scherpen voor vandaag, vanavond en morgen, of we die kerel nu te pakken krijgen of niet. Maar je raadt het al: de beveiliging is al optimaal. Dus zullen we iets moeten verzinnen.'

'We moeten die vent oppakken,' zei Fisk. 'En je lijstje is nog niet compleet.'

'Wie vergeet ik dan?' vroeg Dubin.

'De Zes. De mensen die de kaping hebben verijdeld die was bedoeld om de aandacht af te leiden van Bin-Hezam.'

Dubin vroeg: 'Wat is er met hen?'

Fisk zag zichzelf in de kleinste monitor. Hij ging eerst zijn eigen logica nog eens na, uit angst dat hij zou klinken als een gestoorde. Maar nee – het kwam net pas bij hem op, en het was wel degelijk logisch. 'Als het nu eens om hén te doen is?' zei hij. 'Stel dat... Denk even met me mee. De Zes zijn, hoe zeg je dat? Een symbool van hoop. Van veerkracht, heldhaftigheid. Het is nogal vergezocht, maar Bin Laden wilde doelwitten met een symbolische waarde. Hij was uit op iets groots, iets wat nooit eerder is vertoond. Stel dat die kaping niet alleen bedoeld was als afleidingsmanoeuvre... maar als list?'

Dubin werd ongeduldig. 'Ik volg je niet.'

'De kaper had een wapen, hij had wat draadjes en een ontstekingsmechanisme maar geen bom. Omdat het een sufferd was, toch? Dat was hij ook. Maar hij heeft alle passagiers wel de tijd en de gelegenheid gegeven om zich op de dader te storten. Hem te overmeesteren. Om dat vliegtuig in veiligheid te brengen.'

'Je gaat toch geen laster over die mensen uitroepen, hè?'

'Nee. Ik bedoel dat de verijdelde kaping ervoor heeft gezorgd dat zij konden uitgroeien tot helden. Als dat nou eens de bedoeling was? Misschien gingen ze ervan uit – en met "ze" bedoel ik Al Qaida – dat er een of twee, of hooguit drie passagiers tot actie zouden overgaan. Op zes hadden ze vast niet gerekend. Maar dat hoefde ook niet; één was al genoeg geweest. Eén dappere burger die gelauwerd en gevierd zou worden, die een beroemdheid werd in dit feestweekend van vuurwerk en een nieuw begin. Maximale publiciteit verzekerd.'

Dubin begon het te begrijpen. 'Ze wilden een situatie creëren waarin een held opstond...'

'Precies, een held die ze vervolgens konden uitschakelen. Er is toch geen betere manier om het zelfvertrouwen te ondermijnen? Eerst zorg je voor een symbool van triomf... en vervolgens schakel je hem of haar – of hen – uit.'

Fisk vond het een plausibele redenering. Dubin was minder overtuigd, maar hij dacht erover na.

'Er zitten nogal wat eigenaardige haken en ogen aan,' zei Dubin. 'Raketten en helden en vliegtuigkapers. Een weekend vol potentiële doelwitten. Wat is het volgende optreden van De Zes?'

Fisk antwoordde: 'Weet ik niet precies. Ik heb hun schema niet van minuut tot minuut. Gersten zit daar nu.'

Nadat hij had gereageerd besefte Fisk dat Dubin de vraag niet aan hem had gesteld, maar aan iemand die bij hem in het vertrek zat. Die stem zei nu: 'Ze gaan vanmiddag naar de Intrepid.'

'Holy shit,' zei Dubin.

Fisk vroeg: 'Wat houdt dat in?'

'Ze zijn vanmiddag eregasten van de president aan boord van het USS Intrepid. Het is een militair saluut.'

Dubin zei: 'Als het een militaire aangelegenheid is, is de beveiliging al heel streng. Metaaldetectoren op de loopplank, honden en steekproeffouillering.'

'Van onze mensen zijn Gersten, Patton, en DeRosier daar. De Secret Service moet de nieuwe foto's van Bin-Hezam op tijd krijgen. Die van vanmorgen.' Fisk keek op de wandklok. 'Ik kan nu naar het Hyatt gaan om Gerstens team persoonlijk te briefen.'

'Doe dat, Fisk. We kunnen hier niet omheen. We moeten die kerel te pakken krijgen. Het is van groot belang dat we snel mazzel hebben.'

Fisk knikte en griste zijn sandwich mee voor onderweg. 'Hij heeft zich één keer laten zien, dat doet hij nog wel een keer.'

Fisk werkte zich met zijn politiepenning in de aanslag naar boven, naar de zesentwintigste verdieping van het Grand Hyatt, om daar te horen te krijgen dat De Zes in een zaaltje op de tweede verdieping een lunch annex persconferentie hadden.

Beneden trof hij Gersten, Patton, en DeRosier aan met een beker koffie in de hand in een zaal met een heel hoog plafond; de helden zaten aan de ene kant van een lange tafel en beantwoordden vragen van zes verslaggevers, die ijverig aantekeningen maakten en hun opnameapparaatjes heen en weer schoven van de ene naar de andere spreker. Het doek voor het podium in de balzaal was gesloten, en aan beide kanten van de tafel stonden obers klaar om aan de wensen van de gasten te voldoen.

Fisk zei zacht: 'Nog steeds klachten over deze opdracht?'

De Intel-rechercheurs draaiden zich om. Patton en DeRosier haalden glimlachend hun schouders op, Gersten hield zich in en reageerde niet.

DeRosier zei: 'De superhelden eten Smith and Wollensky. Filet mignon en spinazie à la crème. En restaurant Aquavit heeft speciaal Scandinavische gerechten gebracht. Jenssen wilde Zweedse gehaktballetjes, rode bessen en haring.'

Patton zei: 'En de *New York Times* kreeg scampi en pasta van het hotel.'

Gersten hield haar beker omhoog. 'En wij hebben koffie.'

Fisk wisselde even een glimlach met Gersten en werd toen serieus. 'Het ziet ernaar uit dat jullie eindelijk iets nuttigs te doen krijgen.'

'Wat is er gebeurd?' vroeg Gersten. Ze waren alle drie klaar om in actie te komen.

Fisk vertelde het nieuws over Bin-Hezam van die morgen. Een deel ervan was al doorgekomen via de rapporten, maar hij wilde dat ze het hele verhaal hoorden. Hij gaf hun prints van de nieuwe foto's en zei erbij dat ze die onder de pet moesten houden.

'Ik zet twintig dollar in op antrax,' zei DeRosier toen de aankoop van de raket ter sprake kwam.

Patton zei: 'Weet je nog dat scenario waar we een jaar of twee geleden zo hard op getraind hebben? Een kerel die besmet is met pokken, een genetisch samengestelde variant, en daarmee op een vliegtuig hierheen stapt, om vervolgens door de straten te gaan lopen en in restaurants te gaan eten. Zonder zijn handen te wassen. Met zo iemand zouden we hier wel eens te maken kunnen hebben.'

Fisk zei: 'Ik heb nog een theorie – maar meer dan een theorie is het niet.' Hij vertelde over de kaping, en het algemeen aanvaarde feit dat Abdulraheems kans van slagen vrijwel nihil was geweest. 'Het was bedoeld als afleidingsmanoeuvre, maar misschien had het nog een andere functie.'

'Wat voor functie?' vroeg Gersten.

'Om het land een schok te bezorgen, hoef je de president niet uit te schakelen. Je hoeft geen monument of toeristentrekpleister op te blazen. Je hoeft de mensen alleen maar in hun angst te treffen. Daar was het Bin Laden om te doen.' Fisk wees naar De Zes. 'Gewone mensen. Burgers als alle anderen. Dit groepje vormt het feelgoodverhaal van het jaar. Als je helden creëert, kun je ze ook weer uitschakelen. De ultieme stomp in de maag.'

Gerstens mond viel open. 'Dat is echt een sterk staaltje.'

'Ik redeneer als volgt. Die kaping was niet nodig om hun man het land in te krijgen. Bin-Hezam stond niet op de no-flylijst. Hij mocht gewoon vliegen. Nee wacht, misschien wisten ze dat niet. Misschien wilden ze geen risico nemen. Of... misschien was die hele kaping gewoon een soort rookgordijn van de goochelaar terwijl de ware truc zich in zijn andere hand afspeelde.'

DeRosier knikte. 'Dat kan ik nog volgen.'

Fisk zei: 'We hebben nul komma nul bewijs, maar ik meld het even zodat jullie op je hoede kunnen blijven. Maak het je niet te gemakkelijk hier. Dat verhaal op het USS Intrepid, met de president: kijk goed uit. Ik weet dat ze op het laatste moment zijn ingepast in het programma. Er is al zware beveiliging, maar ik wil alleen zeggen dat je daar niet blind op moet varen.'

Gersten zei: 'Je wilt natuurlijk niet dat ze dit te weten komen.'

'Zeer zeker niet. Ik heb die Jenssen gehoord bij *Today*.'

'Over de PATRIOT ACT.' Ze knikte. 'Ja. Nu is er de druk om hun een beetje de ruimte te geven. Orders van de burgemeester. Hij mag natuurlijk niet gezien worden als een boeman. Ze willen de indruk vermijden dat wij dat zestal hier achter slot en grendel houden.'

Fisk zei: 'Bedenk een manier om problemen te voorkomen. Verzin maar een of andere activiteit om ze bezig te houden.'

'De meesten vinden alles prima,' zei Patton. 'Maar niet allemaal.'

Fisk sloeg zijn armen over elkaar. 'Goed. We moeten zien dat ze die plechtigheid morgenvroeg heelhuids doorkomen, als zes breekbare eieren. Daarna zitten we goed. Als die Bin-Hezam hen pas volgende week donderdag zou uitschakelen, een voor een, als de schurk uit een Agatha Christieboek, dan zou de impact veel kleiner zijn. Als het gebeurt, moet het dit weekend gebeuren. Waar het op neerkomt: ze staan op de lijst van mogelijke doelwitten. Doelwitten van een man die we niet kunnen vinden.'

Gersten zei tegen de anderen: 'Zullen we onze diensten aanpassen? Altijd met z'n tweeën tegelijk. Eén in de lobby om uit te kijken naar Bin-Hezam.'

Fisk zei: 'Dat werkt wel.'

De verslaggevers schoven hun stoelen naar achteren, stonden op en pakten hun schrijfblokken en opnameapparaatjes. De persconferentie was afgelopen. Er werden volop handen geschud.

DeRosier en Patton keken op hun horloge. 'We moeten zo naar dat vliegdekschip.'

'Goed,' zei Fisk. 'Hou ze bij elkaar en hou ze in beweging.'

DeRosier en Patton gooiden hun koffiebekers in de prullenbak en maakten zich op om De Zes terug naar boven te begeleiden. Fisk liep met een hoofdknikje de gang op, op slechts twee passen afstand gevolgd door Gersten. Hij liep door naar achteren, sloeg de hoek om en dook in een nisje waar ooit de munttelefoons hadden gehangen, bij de toiletten.

Ze omhelsden elkaar vluchtig; het mocht niet te fysiek worden. Dat voelde niet goed onder werktijd.

'Je eerlijke oordeel,' zei hij.

'Vergezocht,' antwoordde ze, haar blik gericht op zijn hand die de hare vasthad. 'Maar dat was het binnenvliegen van een gebouw met een vliegtuig tien jaar geleden ook.'

'Precies.'

'Je moet alleen niet uit het oog verliezen dat de kaper het keukentje van dat vliegtuig heeft weten te bereiken met een mes. Een mes dat hij een stewardess op de keel heeft gezet. Dat was echt. Hij deed niet alsof. Althans, daar wist hij zelf niets van. Abdulraheem meende echt dat hij dat toestel ging neerhalen. En deze mensen hebben hun leven gewaagd om hem tegen te houden.'

Fisk knikte. 'Dat is waar. Goed punt. Dat wil ik ook niet ondermijnen. Ik probeer dit hele verhaal alleen te begrijpen. Er moet een groter geheel zijn, niet? Ik bedoel, zeg me dat ik niet doordraaf, dat ik geen spoken zie.'

'Je ziet geen spoken. Wat zegt Dubin ervan?'

'Moeilijk te zeggen. Hij zet alles op alles. Dat zegt genoeg, lijkt me.'

'Red je het een beetje?'

'Nu weer wel. Vanmorgen, voordat we iets hadden gehoord en er nog geen spoor was van Bin-Hezam, toen was ik niet bepaald leuk gezelschap.'

'Heb je daarom de hele nacht geen contact met me opgenomen?'

Hij trok een gezicht. 'Ja, daarom en omdat... Ach, je weet hoe dat gaat.'

'Ik weet precies hoe het gaat,' zei ze snel, in de hoop daarmee het snerpende sms'je van één woord te neutraliseren dat ze hem die ochtend had gestuurd. 'Ik heb alleen het gevoel dat ik hier gestrand ben.'

'Dat snap ik. Ik had je ook veel liever op straat bij me gehad.' Hij keek op zijn horloge. 'Trouwens...'

'Ik weet het,' zei ze.

'Als er hier iets is wat je niet vertrouwt, aarzel dan niet,' zei Fisk. 'Wat het ook is. Alle mogelijkheden liggen nog open.'

'Ik hou het in de gaten,' zei ze toen hij zich van haar losmaakte.

'Zondagavond, als dit alles achter de rug is... Een fles rood?'

'Een grote fles,' zei ze. 'Maar laat het eerst maar eens zo ver komen.'

Hij wierp haar een handkus toe voordat hij in de hoofdgang verdween, de hoek om, uit het zicht. Gersten bleef even achter, deels om te voorkomen dat ze samen gezien zouden worden, deels omdat ze alleen wilde zijn.

Misschien waren De Zes het doelwit. De beveiliging van het Hyatt was bedoeld om de pers en pottenkijkers op afstand te houden, geen terroristen. De zesentwintigste verdieping was tamelijk goed afgeschermd, in zoverre dat iedereen die de liften in ging of uit kwam in de gaten gehouden werd. Maar de locatie van het hotel was een publiek geheim. En die ochtend hadden ze buiten gestaan bij de studio van *Today*, kwetsbaar voor de enthousiaste menigte op straat. De groep was makkelijk te herkennen.

Ze voelde zich beter nu ze wist dat ze meer kon betekenen. Misschien lag er eindelijk een nuttiger taak in het verschiet.

Gersten stond in de lift naar de zesentwintigste met een kibbelend Duits toeristengezin dat op een van de hogere verdiepingen verbleef. Toen ze de ontvangstruimte binnenkwam, keek Patton haar bevreemd aan, alsof het hem verbaasde dat ze alleen was. Ze nam aan dat hij Fisk had verwacht.

'Waar is Nouvian?' vroeg Patton.

Gersten antwoordde: 'Hoe moet ik dat weten?'

'Hij zat niet bij mij in de lift. Ik dacht dat hij bij DeRosier was, maar nee.'

DeRosier kwam naar hen toe. 'Is Nouvian niet bij jou?'

'Waar ben je geweest?' vroeg Patton.

Gersten liep terug naar de deur. 'Weet je zeker dat hij niet ergens hier boven is?'

Patton wierp haar een blik toe die duidelijk maakte dat haar bezorgdheid niet misplaatst was.

'Shit,' zei ze, kwaad op deze mannen en op zichzelf. En dat vlak na Fisks waarschuwing. 'Ik kijk in de lobby. Bel zijn mobiel.'

'Heb ik al gedaan,' zei DeRosier; zijn stem volgde haar naar de lift. Ze drukte op het knopje en moest langer wachten dan ooit tevoren. Toen de deur opening, stond daar hetzelfde Duitse gezin. Kennelijk waren ze alleen naar hun kamer gegaan om iets op te halen. In somber stilzwijgen daalden ze af, Gersten tikkend met haar voet.

Ze stapte uit op twee, waar de zaaltjes waren, en beende met grote passen door de rijkversierde gang, nog net niet op een drafje. Ze ging terug naar de zijgang waar ze met Fisk had staan praten, bij de toiletten. Ze klopte op de deur van de heren-wc en keek naar binnen, en daarna deed ze hetzelfde bij de dames, om niets aan het toeval over te laten. Geen Alain Nouvian.

Ze liep naar de trap en holde naar de lobby, een verdieping lager. Boven aan de roltrap, bij de aanbouw, keek ze naar de hoofdingang en de draaideur. Geen Nouvian te bekennen.

Ze snelde naar het bargedeelte, dat een uitstulping in de gevel vormde, één verdieping boven het trottoir. De wanden, het plafond en zelfs de vloer waren van glas, waardoor ze goed zicht had op Forty-second Street, aan weerskanten een half blok. Nergens een eenenvijftigjarige cellist met zwartgeverfd, dwars over het hoofd gekamd haar.

Terug naar beneden, naar de receptie, langs de rij nieuwe gasten die stonden te wachten tot ze konden inchecken. In het winkeltje waar koffie en snoep verkocht werden was het niet druk op dat uur van de dag, en hij was er niet. Ze liep achter de liften door terug, langs een paar andere hotelwinkeltjes, en probeerde te bedenken wat haar volgende zet moest zijn. Fisk bellen? Nog niet. Niet als het niet per se hoefde. Maar hij was haar meerdere, de leidinggevende in deze zaak.

Ze hadden het ooit over dit soort situaties gehad: dat ze misschien ooit plichtshalve haar leven op het spel zou moeten zetten. Ze stond nog steeds achter wat ze toen tegen hem had gezegd: ze zou niet aarzelen om die lastige beslissing te nemen, en dat moest hij ook niet doen.

Dat gold voor deze miskleun natuurlijk ook.

Net toen ze op het punt stond het op te geven en terug te gaan naar de zesentwintigste om de verwijten over zich heen te laten komen, zag ze Nouvian haar kant op komen lopen. Toen hij haar herkende, verscheen er even een flits van verbazing op zijn gezicht – paniek bijna – maar die was een fractie van een seconde later verdwenen. Ze twijfelde over de betekenis ervan. Het kon zelfs pure schaamte zijn omdat hij de weg kwijt was.

'Wat is er gebeurd?' vroeg ze, en ze deed haar best om het niet te kwaad of te opgelucht te laten klinken.

Hij reageerde nerveus en ging meteen in de verdediging. 'Ik had de verkeerde lift, geloof ik, of ik heb op het verkeerde knopje gedrukt of zoiets.'

'Hm, je weet toch hoe het werkt in een hotel? Je gaat gewoon naar boven.'

'Ja, natuurlijk. Alleen... de deur ging open in de lobby en ik wist niet waar de anderen waren. Toen ben ik maar even de benen gaan strekken.'

Ze stonden nu pal achter de liften, waar een rijtje winkels was.

'Heb je geshopt?'

'Nee, nee. Ik wilde gewoon even mijn hoofd leegmaken.'

'De benen strekken, het hoofd leegmaken.' Ze pakte zijn arm beet en liep om de liften heen. 'We hebben je nummer gebeld.'

'Mijn telefoon ligt nog boven. Die had ik niet nodig voor dat interview.'

Gersten drukte op het knopje om naar boven te gaan. Snel toetste ze

DeRosiers mobiele nummer in, in de hoop dat ze dit incident nog niet hadden gemeld. Toen hij opnam, zei ze: 'Gevonden, we komen eraan,' en hing op. Vervolgens zweeg ze, om te kijken wat Nouvian zou zeggen.

'Het was niet mijn bedoeling... Ik hoop niet dat ik jullie heb laten schrikken.'

'Een beetje wel,' zei ze toen er een lege lift aankwam.

Ze stapten in en gingen ieder aan een andere kant staan. Gersten gluurde naar hem in de spiegelende gouden deuren, om hem een beetje op stang te jagen. Was hij gewoon een rare snuiter of zat er meer achter?

Hij hield zijn blik op de vloer gericht alsof ze vreemden waren – eigenlijk waren ze ook nauwelijks meer dan dat – en toen de deur openging, wachtte hij tot zij als eerste uitstapte, uit een volkomen automatische beleefdheid. Bij de bocht in de gang wachtte ze op hem en liet hem op haar beurt voorgaan, langs de twee NYPD-agenten. Ze liep met hem mee de suite in en keek toe hoe hij Patton en DeRosier voorbijliep, die hem geen van beiden aanspraken en hem zonder een woord lieten doorlopen naar het aangrenzende vertrek. Gersten haalde bijna onmerkbaar haar schouders naar beide mannen op, alsof ze wilde zeggen: ik weet het ook niet.

Toen draaide ze zich om en liep terug naar de lift.

Ze ging weer naar de lobby, de hoek om en terug naar het rijtje winkels waar ze hem had aangetroffen. Hij had vlak bij een toeristisch juweliers-zaakje en een souvenirwinkeltje met de gebruikelijke 'I ♥NY'-kitsch, Vrijheidsbeeldjes en New York Yankees-spullen gestaan.

Tegenover de winkeltjes hingen munttelefoons – in tegenstelling tot de toestellen boven bij de zaaltjes waren deze niet weggehaald. Een zeldzaamheid in het hedendaagse Manhattan – als ze nog werkten.

Gersten pakte van beide toestellen de hoorn van de haak. Ze gaven allebei een kiestoon.

Kom ongesluierd. Zelfs geen hidjab.

Aminah bint Mohammed pakte de twee gelijke langwerpige vormen uit de koelkast. Ze waren apart verpakt in vetvrij papier en huishoudplastic. Op de bodem van een grote Macy's-boodschappentas – blauw met een grote rode ster erop – maakte ze een bedje van katoenen theedoeken, waar ze de gekoelde 'broden' bovenop legde. Ze dekte ze af met een bruin sweatvest dat ze uit een plastic opbergbox achter in haar slaapkamerkast had gepakt; het was zo'n vijf jaar uit de mode en drie maanden te warm.

Aminah prevelde een gebed tijdens het inpakken, uit dankbaarheid dat er eindelijk een einde was gekomen aan het wachten. Ze ging door met bidden terwijl ze zich uitkleedde. Ze was zo gewend geraakt aan de zwarte boerka die ze nu al drie jaar vrijwel dagelijks droeg – behalve wanneer ze haar verpleegsterskleding aanhad – dat ze zich naakt voelde in gewone westerse kleren. Vooral met een onbedekt hoofd, zonder hidjab of hoofddoek.

Het was de tweede keer die week dat ze haar comfortabele huidige identiteit verruilde voor haar onwennige oude. Toen ze drie dagen geleden de ingrediënten was gaan kopen, had ze een spijkerbroek met een T-shirt en een jasje gedragen. Het was alsof ze niet meer bestond. Geen wantrouwende blikken op het trottoir. Geen afwijzende blikken. Geen wijzende kindervingertjes. Haar oude kledingstijl had voor haar gevoeld als een vermomming, een symbool dat de drie jaar durende metamorfose van Kathleen Burnett naar Aminah bint Mohammed voltooid was.

Kathleen Burnett was geboren als de dochter van een methodistische dominee en zijn vrouw in New Bedford, Massachusetts. Als jongste van vijf kinderen doorliep ze zonder bijzonderheden de lagere en middelbare school, waarna ze een opleiding tot verpleegkundige afrondde en aan het werk ging in het plaatselijke ziekenhuis.

Negenentwintig jaar lang was ze Kathleen Burnett geweest. Inmiddels was ze tweeëndertig, een meter zevenenvijftig, en ze vocht al haar hele leven tegen de kilo's. Haar donkere krullen beschouwde ze als haar sterkste punt. Ze was nooit getrouwd. Maagd was ze niet meer, maar dat was slechts te danken aan één keer onvrijwillige seks na een date, in de zomer voor haar laatste jaar van de middelbare school.

Na de dood van haar moeder, nog geen twaalf maanden nadat er nierkanker bij haar was geconstateerd, was Kathleen op zoek gegaan naar werk buiten de staat, en ze had impulsief een baan aangenomen op de afdeling Spoedeisende Hulp van St. Vincent's Hospital in Greenwich Village. Vijf jaar geleden was ze verhuisd naar haar flat in Bay Ridge, waar ze vol verwachting aan haar nieuwe leven was begonnen. Levens redden werd haar passie. Ze was er trots op dat telkens wanneer ze naar haar werk ging, er iemand in leven bleef die zonder haar gestorven zou zijn.

Haar eerste en beste vriendin in het ziekenhuis was doktersassistente Na'ilah Al-Mehalel, een verwesterde moslima met familiebanden in Jordanië. Kathleen had heel speciale gevoelens voor deze oudere, wijzere vrouw. De uitnodiging om met Na'ilah mee te gaan naar de Masjid Ar-Rahman-moskee in West Twenty-ninth Street voelde aanvankelijk meer als een vriendschappelijk dan een godsdienstig gebaar. Ze was eerst wel geschrokken van de religieuze grenzen tussen mannen en vrouwen, maar al snel had ze geleerd die te eerbiedigen als een kwestie van respect en bescherming in plaats van onderdrukking.

Wat was begonnen als een half serieuze poging om Na'ilah Al-Mehalels hart te veroveren – de liefde bleef onbeantwoord, Kathleens geheim, meer een vage impuls dan realiteit – leidde tot iets veel diepzinnigers. Twee jaar later werd ze moslima. De imam stelde haar drie vragen:

Geloof je in één God?

Geloof je dat Jezus wel een profeet was, maar niet de zoon van God?

Ben je bereid Mohammed te aanvaarden als profeet?

Kathleen Burnett antwoordde 'ja' op alle drie de vragen. Ze had zich tot de islam bekeerd met het herhalen van de volgende woorden van de imam:

'Er is geen andere God dan Allah en Mohammed is zijn profeet.'

Zoals veel westerlingen die zich bekeren tot de islam, nam ze een moslimnaam aan: Aminah – 'betrouwbaar' – bint Mohammed. Dochter van Mohammed.

Na betaling van een kleine vergoeding bij Bureau Registratie werd de transformatie van Kathleen Burnett naar Aminah bint Mohammed wettelijk bekrachtigd en was haar wedergeboorte compleet.

Een paar maanden later werd Na'ilahs broer Robeel weggevoerd uit zijn appartement in Queens door mannen die beweerden van de politie te zijn, maar zonder officiële arrestatie. Na'ilah was ontroostbaar, en Aminah zat dagenlang aan haar zijde.

Een half jaar later ontvingen Na'ilahs ouders een brief van de Amerikaanse overheid waarin hun werd gevraagd waar de stoffelijke resten van hun zoon naartoe gestuurd dienden te worden. Robeel had zelfmoord gepleegd in de gevangenis van Guantánamo Bay – althans, zo werd in de brief beweerd.

Een paar maanden later verdween de vader van een van Aminahs andere vriendinnen spoorloos vanuit de moskee. Van de aardbodem verdwenen. Na'ilah werd paranoïde en verbitterd en had het voortdurend over de oorlog van de Verenigde Staten tegen de islam. Aminah was er kapot van toen Na'ilah met haar familie naar Jordanië vertrok, en ze bleef boos achter, opnieuw moederziel alleen.

Langzaam kwam ze tot de overtuiging dat ze door geboorte per ongeluk aan de verkeerde kant van dit conflict terechtgekomen was. Toen ze vriendschap sloot met een andere Amerikaanse die ze kende van de moskee, en deze vrouw haar de mogelijkheid bood toe te treden tot het leger van God, wist Aminah dat ze niet kon weigeren. Ze maakte in het geheim afspraakjes met deze vrouw, die haar aanspoorde weg te blijven bij Masjid Ar-Rahman vanwege de Amerikaanse politie, die alles in de gaten hield. Ze kreeg te horen dat ze zeer waardevol zou kunnen zijn voor de jihad, als niet-actieve undercovermedewerker, al werden die woorden niet gebruikt. Ze moest in stilte haar gewone leven blijven leiden en niets bijzonders ondernemen tot het moment zou aanbreken waarop haar aanwezigheid in New York een ommekeer kon betekenen in de strijd. Op de vraag of ze bereid zou zijn haar leven te geven voor Mohammed antwoordde ze bevestigend, maar in plaats van aan Mohammed dacht ze aan Na'ilah.

In de maalstroom van dit bedwelmende doel wist Aminah bint Mohammed meer dan ooit wat ze wilde bereiken in haar leven. Het redden van de levens van geweldslachtoffers in het St. Vincent-ziekenhuis verbleekte bij de hulp om Gods plan in werking te stellen. Maar St. Vincent werd in april 2010 gesloten, en toen Aminahs uitkering werd stopgezet, bood de vrouw uit de moskee aan om haar haar voormalige salaris te betalen, zodat ze zonder zorgen in de flat in Bay Ridge kon blijven wonen. Het was van groot belang, zei de vrouw, dat Aminah beschikbaar bleef, dat ze onbelast haar oproep afwachtte.

Het eerste telefoontje was eerder die week gekomen. Een andere mannenstem. Een ander codewoord.

Hij had instructies voor haar. Ze moest zes flesjes waterstofperoxide, zes halveliterblikken aceton en een drieënhalveliterfles zoutzuur kopen. De artikelen moesten elk afzonderlijk worden aangeschaft bij verschillende winkels in verschillende buurten.

De stem had langzaam de URL opgelezen van een website waar ze instructies kon vinden voor het mengen van de ingrediënten. Ze had het genoteerd en voor hem herhaald, waarna het gesprek beëindigd werd en ze de vreemde vermomming van haar vorige leven had aangetrokken.

Scheikundepracticum was Aminahs favoriete vak geweest op de verpleegopleiding. Het zorgvuldig en exact uitvoeren van procedures was voor haar een tweede natuur.

Waterstofperoxide was een alledaags ontsmettingsmiddel. De aceton was identiek aan nagellakremover. Met zoutzuur kon je, wanneer je het mengde met water – heel voorzichtig en met rubberhandschoenen aan – wonderen verrichten op vies geworden metselwerk.

Het mengen van het explosief kostte haar drie dagen. Op het aanrecht van haar keukentje stalde ze de benodigdheden uit. Witte papieren koffiefilters. Een maatbeker. Een 60 ml-injectiespuit. Een halveliterfles huishoudammoniak. Twee glazen weckpotten van een liter die met haar ingrediënten in de vriezer hadden gestaan, aangezien het noodzakelijk was de temperatuur ervan terug te brengen tot nul graden.

Met behulp van de injectiespuit en de maatbeker mengde ze waterstofperoxide en aceton in een verhouding van 3:1 in een van de glazen weckpotten, die ze vervolgens in de vriezer zette. In de andere weckpot mengde ze het zoutzuurpoeder met water tot ze een 30-procent oplossing van 120 milliliter had en zette die ook in de vriezer. Een half uur later mengde ze waterstofperoxide, aceton en zoutzuur in een van de potten en zette die een nacht in haar koelkast.

De volgende morgen trof ze precies aan wat ze volgens de instructies zou aantreffen: fijne witte kristalletjes op de bodem van de weckpot. Ze had nu ongeveer een derde van de benodigde hoeveelheid. Ze goot de vloeistof door een koffiefilter in de lege fles, waarna er een residu van witte pasta achterbleef. Dat was het explosief, bekend onder de scheikundige naam triacetone triperoxide (TATP). Ten slotte goot ze de ammoniak over de witte pasta tot die niet langer borrelde en schuimde, om het spul verder te zuiveren. Dat proces herhaalde ze tot er geen vloeistof meer in de weckpot zat, waarna ze de koffiefilters met de TATP te drogen legde op een krant.

De volgende dag en de dag daarna herhaalde Aminah dit zorgvuldige proces tot ze precies een pond had verkregen. De lege flessen en blikken gooide ze 's nachts in een vuilnisbak bij een benzinestation, en ze liet in haar flat ventilatoren draaien met de ramen open om de lucht te verdrijven. Toen maakte ze zorgvuldig de weckpotten, de maatbeker en de injectiespuit schoon, maar ze gooide ze nog niet weg, voor het geval ze ergens in de toekomst nog eens explosieven zou moeten mengen. De gereinigde spullen zette ze in haar koelkast, op dezelfde plank als de twee broden van het explosief.

Aminah schrok van de vrouw die haar nu aankeek in de spiegel van de commode op haar slaapkamer. Ze droeg een lange, blauwe katoenen wikkelrok die haar benen tot aan de enkels bedekte, en weer een van haar onmodieuze truien, deze keer een beige pullover met een colletje. Platte bruine schoenen maakten de vermomming compleet.

Wat was het vreemd om op deze beslissende dag haar oude ik weer te zien.

Ze voelde zich niet zo moedig of zo vroom als ze had gehoopt. Van het grotere plan was haar niets bekend. Ze stelde zich voor dat er in deze enorme keten vele schakels waren zoals zijzelf, die geen van allen op de hoogte waren van iets anders dan hun eigen gezegende taak. En om de een of andere reden stelde dat haar gerust.

Beneden op straat, met de boodschappentas in de hand, volbracht Aminah een van haar andere taken. Ze keerde terug naar hetzelfde benzinestation twee straten verderop, waar ze discreet de accu uit haar mobiel wipte en die in de vuilnisbak gooide. Ook het opgeven van dat toestel was voor haar een heftig moment, een onomkeerbare uiting van haar overtuiging.

Twee straten verderop hield ze een taxi aan. Ze gaf de chauffeur het adres van Hotel Indigo in Manhattan, en toen hij van het trottoir wegreed, leunde Aminah achterover in de stugge leren bekleding en pakte haar gebed weer op. Toen de chauffeur gas bijgaf en de Brooklyn Bridge op reed naar het zuidelijke deel van Manhattan, sloot ze haar ogen voor de aanblik van die stad der ongelovigen, dat bolwerk dat zich verzette tegen de enige ware God.

De Zes droegen formele kleding voor het bezoek aan het vliegdekschip. Hun konvooi van Chrevrolet Suburbans met een escorte van vier NYPD-motoragenten reed dwars door Manhattan naar Pier 86 aan de Hudson, aan het einde van West Forty-sixth Street.

Gersten was, net als DeRosier en Patton, nooit eerder aan boord van een vliegdekschip geweest. Vanaf de straat zag het USS Intrepid er gigantisch uit; het schip torende boven hen uit als een flatgebouw van twintig verdiepingen. Het achterschip lag wel vierhonderd meter van de boeg. Het drijvende stadswapen riep puur ontzag op.

De beveiliging was geruststellend streng. Ononderbroken rijen mensen schuifelden in de broeierige middaghitte de twee loopplanken naar het midden van het schip op. Aan de voet van beide loopplanken stonden dranghekken, zigzag opgesteld in vliegveldstijl, waar nog meer mensen op hun beurt wachtten voor controle met de metaaldetector.

De Zes kregen een vipbehandeling en mochten de strenge beveiliging op straat overslaan. Toen ze de loopplanken gepasseerd waren, maakten de motoragenten zich los van de stoet om een haag te vormen tussen de drie Suburbans en de mensenmenigte. Ze bleven nog vijf minuten aangenaam koel in hun auto's zitten wachten tot een van de enorme liften aan de buitenkant van het schip was gedaald tot op zes meter van de kade. Daar werd een brede hellingbaan uitgeschoven om de resterende afstand te overbruggen.

De Suburbans reden rechtstreeks het ruim van het schip in, om de passagiers te laten uitstappen op het enorme hangardek, dat de volle lengte en breedte van de boot besloeg.

Geüniformeerde marineofficieren salueerden toen ze uitstapten. Het groepje beantwoordde de groet opgelaten, behalve de oude Aldrich, die zeer nauwkeurig salueerde.

Ze moesten bijna een uur wachten, in een comfortable officiersmess op het hangardek. Secret Service-agent Harrelson excuseerde zich voor de vertraging, maar hij legde uit dat het routine was. 'Het gebied moet minimaal een halfuur voor de komst van de president gestabilieerd zijn,' legde Harrelson uit. 'Jullie mogen dan de helden zijn, hij is de opperbevelhebber. Het militaire protocol schrijft voor dat de hoogste officier als laatste arriveert.'

Zwijgend bleven ze zitten wachten, terwijl de toenemende spanning hun te veel dreigde te worden. Tot nu toe was de ontmoeting met Barack en Michelle Obama iets abstracts geweest. Ze zouden daadwerkelijk de president de hand schudden, hem in de ogen kijken en zijn dank in ontvangst nemen. Gersten zag het besef over hen neerdalen.

Aldrich zei: 'Ik wil hem best de hand schudden, maar ik ga niet op hem stemmen.'

Maggie wreef hem over de arm en zei plagend: 'Wie hou je nou eigenlijk voor de gek, Doug? Je smelt als een poolkap. Als ik jou straks kom opzoeken in Albany, heb je een groot YES WE CAN-bord in je tuin staan.'

De anderen moesten lachen – behalve Joanne Sparks, die sinds die ochtend merkbaar koel deed tegen haar medeheldin. Gersten vroeg zich af of Sparks vermoedde wat er die nacht was voorgevallen tussen Maggie en Jenssen, of misschien begon ze het nu in de gaten te krijgen. Sparks deed ook niet meer zo flirterig en geïnteresseerd tegen Jenssen, niet meer zoals gisteren.

Nouvian wendde zijn blik af toen hij Gersten zag kijken. Het viel haar op dat hij voortdurend met zijn handen zat te friemelen.

Twee mannen in pak werden binnengeleid en voorgesteld als de ambassadeurs van Canada, Gary Doer, en van Zweden, Jonas Hafstrom. Ambassadeur Doer omhelsde de gevleide Maggie Sullivan, die Canadees staatsburger was. Ambassadeur Hafstrom schudde Jenssen de hand en trok zich met hem terug in een hoekje. Gersten moest stilletjes lachen; ze had het gevoel dat de Zweedse ambassadeur na Jenssens opmerking van die morgen bij *Today* was opgetrommeld met speciale instructies. Jenssen was bovendien een fantastische pr-gelegenheid voor Zweden: hij kon met zijn knappe kop heel wat pakketreizen naar Zweden slijten aan internationale reizigsters.

Jenssen reageerde eerst wantrouwend, maar naarmate het gesprek vorderde zag Gersten zijn aangeboren charme in werking treden. De twee mannen spraken Zweeds, een beleefdheidsgesprekje, voornamelijk vraag en antwoord.

Toen het moment was aangebroken werden De Zes en de ambassadeurs Doer en Hafstrom met hun medewerkers de officiersmess uit geleid, om in de zinderende hitte vanuit de torenhoge commandopost neer te dalen op het immense vliegdek. Links van hen stroomde de brede, blauwbruine Hudson en rechts lagen de gebouwen van midtown Manhattan op een kluit; de zon werd fel weerkaatst in de ramen. De luchtspiegeling boven de stad was als opstijgende waterdamp.

Zodra De Zes herkend werden, op weg naar een verhoging tegen de commandopost waaruit ze zojuist tevoorschijn gekomen waren, begonnen de tweeduizend mensen op het anderhalve hectare grote vliegdek luidkeels te juichen. Televisiecamera's volgden hen terwijl ze daar liepen te zwaaien; de ceremonie op het schip werd uitgezonden door alle nieuwszenders op de kabel.

Het groepje nam zijn plaats in tussen de hoogwaardigheidsbekleders terwijl Gersten, Patton, en DeRosier verbannen werden naar een plek buiten beeld een meter of vijf verderop.

Het klapwiekgeluid van een helikopter trok alle blikken naar de hemel. Vanuit het noorden naderde een groen-witte Sikorsky, met de neus in de lucht, de twee turbines zo luidruchtig dat al het andere geluid erdoor werd overstemd.

De helikopter landde zacht op de witte cirkel met de letter H in het midden, zestig meter van het publiek, en de windvlaag van de rotors bracht de oververhitte toeschouwers een moment van verlichting.

Twee mariniers in groot tenue stonden in de houding langs de rode loper die naar de deur van de helikopter vlak achter de cockpit voerde. Het publiek juichte in afwachting van de president en de first lady.

Maar tot ieders verwarring begonnen de motoren van de enorme helikopter weer te loeien, alsof de piloot zich had bedacht. De helikopter steeg op en schoot onmiddellijk door naar een hoogte van zo'n dertig meter, waar hij scherp om zijn eigen as draaide en terugvloog in de richting waaruit hij was gekomen, naar de George Washington-brug in de verte.

Het wegstervende geluid van de motoren maakte plaats voor druk geroezemoes in de mensenmenigte; in hun verbaasde gesprekken klonk bezorgdheid door, angst voor naderend onheil.

Toen verscheen er een tweede, identieke helikopter boven de rivier vanuit New Jersey, die het vliegdekschip naderde. Iedereen begreep dat dit de echte Marine One was, het toestel waarin de president zat.

De eerste was een bliksemafleider geweest. Zo lang de Saoedi nog ergens rondliep in New York, nam de Secret Service geen enkel risico.

De tweede helikopter landde, en er barstte een gejuich van opluchting en enthousiasme los toen Barack en Michelle Obama uitstapten. Het ontvangstcomité omvatte twee admiraals, een generaal, burgemeester Bloomberg, de ambassadeurs Hafstrom en Doer en De Zes – allen stonden op het verhoogde podium vanwaar Obama de aanwezigen zou toespreken.

De president en zijn echtgenote schudden iedere gast de hand. President Obama maakte een praatje met elk van De Zes afzonderlijk. Hij was grondig voorbereid: hij kende ieder van hen bij naam en leek ook grofweg op de hoogte te zijn van hun biografie. Gersten kon de gesprekjes niet volgen vanaf de plek waar ze stond, maar de president leek erop te staan om met ieder van hen persoonlijk contact te leggen, waarbij de glans van de helden van de dag ook op hem afstraalde.

Ze waren stuk voor stuk uiterst beleefd of zelfs zeer vriendelijk. Aldrich, zag Gersten, gaf Obama een stevige handdruk en knikte naar hem, maar zei niets. Toch zag ze zijn borstkas zwellen tot hij bijna barstte. Jenssen glimlachte toen het zijn beurt was en gaf beknopt antwoord op een vraag. Maggie pinkte een traantje weg en moest daar zelf om lachen, waarna de president haar glimlachend een schouderklopje gaf, om haar vervolgens te omhelzen. Sparks lachte samen met Michelle Obama. Nouvian wisselde beleefdheden met haar uit, waarschijnlijk over de cello. En al die tijd stond Frank breed te grijnzen, alsof hij poseerde voor de omslagfoto van zijn boek.

Vanaf de plek waar Gersten stond zag Obama er net zo slank en fit uit als op televisie, maar ze kon wel van zes meter afstand zien hoe grijs zijn haar was. Het werk had hem ouder gemaakt, zoals dat bij iedere president gebeurde.

Hij besteedde ongeveer vijf minuten van zijn twintig minuten durende toespraak aan de helden.

'We zijn hier vandaag bijeen als eerbetoon aan de mensen van onze gewapende strijdkrachten die hun leven hebben gegeven bij de verdediging van ons land in de tien jaar na de aanslagen van 11 september 2001. Maar we mogen niet uit het oog verliezen dat eenieder van ons op elk willekeurig moment betrokken kan raken bij de strijd tegen het internationale terrorisme. Nog maar achtenveertig uur geleden hebben deze zes mannen en vrouwen, passagiers en bemanning van een verkeersvliegtuig dat op weg was naar deze prachtstad, zich verenigd om een kaper tegen te houden die van plan was het vliegtuig over te nemen en te laten neerstorten op Manhattan. Hun daden getuigen van moed, vastberadenheid en een felle weerstand om zich over te geven aan de angst. Zij hebben gehandeld voor ons allemaal. En dit is onze gelegenheid om hen te bedanken. Ik wil hen uitnodigen om morgenvroeg samen met Michelle en mij aanwezig te zijn wanneer wij een nieuw symbool verwelkomen aan deze historische skyline, een teken van veerkracht en wedergeboorte.'

De president had net zijn toespraak afgerond toen Gerstens telefoon begon te trillen. Ze glipte weg om op te nemen, blij dat ze even in een reepje schaduw kon staan, maar ze kon Fisk maar moeilijk verstaan in de gierende wind vanaf de rivier.

'Hoe staat het erbij daarginds?' vroeg hij.

'Uitstekend. Heb je de toespraak gehoord?'

'Nee. Het geluid staat uit.'

'Ik weet niet of het al bevestigd is, maar ze zijn zojuist persoonlijk uitgenodigd om morgen de grote plechtigheid bij te wonen. Het komt niet als een verrassing, maar nu is het dus officieel. Zij zijn de introducés van de president.'

'Dan zul jij ook geen slechte plek hebben.'

'Ik ben de introducee van De Zes. Heb je al informatie over de telefoons bij het Hyatt?'

Fisk zei: 'Eén keer gebruikt, rond de tijd dat Nouvian daar volgens jouw berekening is geweest. Dat is toch de musicus?'

'Ja, dat is Nouvian.'

'Een lokaal nummer, net binnengekomen. Niet via een dagvaarding, natuurlijk, maar als vriendendienst. Er is gebeld naar een mobiele telefoon in New York, we trekken het nummer nu na. Ik neem aan dat je dit graag zelf wilt bekijken...'

Ze knikte enthousiast, ook al kon Fisk haar niet zien. 'Zeker weten.'

'Hoe doet Nouvian nu?'

'Hetzelfde als de anderen,' zei ze. 'Het zou kunnen dat hij gewoon een warhoofd is. Ik weet niet waar hij mee bezig was, maar ik heb het idee dat hij iets in zijn schild voerde.'

'Wie zou hij dan gebeld kunnen hebben?'

'Hij heeft zelf een telefoon. Dat is het rare. Zijn eigen mobiel. Waarom zou hij dan stiekem een munttelefoon gebruiken?'

Fisk zei: 'Dat is niet pluis. Merkwaardig genoeg om het na te trekken. Ik hou je op de hoogte van de vorderingen. En ik zal Dubin laten weten dat jij dit hebt aangekaart. Ik spreek je snel weer.'

Gersten hing op en liep weer de gloeiende zon in naar haar plek, net toen iedereen het podium af kwam. Ze lette speciaal op Nouvian toen hij de trap af liep; hij zag er net zo verhit en opgewonden uit als alle anderen.

Het zou kunnen dat hij niet eens degene was geweest die de munttelefoon had gebruikt. Maar dat deed er niet toe: dit was genoeg om haar van deze flutopdracht te halen, al was het maar tijdelijk. Zelfs een wilde gok was een welkome afleiding.

Gersten zag dat ambassadeur Hafstrom Jenssen nog een keer apart nam voordat het groepje terugliep naar het vliegdek voor de rit terug naar het Hyatt. Het leek niet echt te klikken tussen hen, maar dat kon ze niet met zekerheid zeggen omdat ze Zweeds spraken. Ze rondden het gesprek af in het Engels, waarna de ambassadeur hem pompend de hand schudde en hem liet gaan.

'Het wordt een mooie plechtigheid, Magnus, en als je straks weer thuis bent, zullen er vele feestelijkheden volgen.'

Hafstrom bleef de docent strak aankijken, alsof hij hem op die manier wilde dwingen zich netjes te gedragen. Zijn golvende zilverblonde haar en zijn gegroefde gelaat gaven hem de aanblik van een aristocraat, en het was duidelijk dat zijn uiterlijk hem in het verleden vaak van dienst was geweest. Jenssen nam uiterst vriendschappelijk afscheid, en de ambassadeur wenste iedereen het beste en zei voor vertrek dat hij ernaar uitkeek hen de volgende morgen weer te zien.

'*Politikar,*' zei Jenssen toen ze in de lift stonden.

'Is dat een scheldwoord?' vroeg Maggie lachend.

'Het is...' Jenssen leek er moeite mee te hebben beleefd te blijven, en hij keek met geloken ogen naar de gesloten liftdeuren. 'Het betekent "politicus".'

Aminah bint Mohammed wist niet wat ze moest verwachten, zeggen of denken. Normaal gesproken pakte ze stresssituaties aan door haar emoties vooraf te oefenen, zodat ze ze in bedwang kon houden, maar in dit geval had ze geen idee waar ze zich in stortte.

Het zou allemaal een stuk makkelijker geweest zijn als ze de taxirit halverwege de middag over de Brooklyn Bridge naar Manhattan had kunnen visualiseren, inclusief de hoge snelheid en het getoeter op Second Avenue, het stapvoets afgelegde gedeelte dwars door de stad en de lus om het huizenblok heen naar Twenty-eighth Street, in oostelijke richting. Nu leek de rit een lukrake slingerweg, waarvan ze nerveus werd en in de war raakte.

Ze betaalde de chauffeur contant. Bij het hotel knikte ze onwennig naar de jongen die de glazen deur voor haar openhield. Ze aarzelde even toen ze langs de receptiebalie van Hotel Indigo liep, niet wetend of ze iets moest zeggen of dat ze zo kon doorlopen naar de liften. De receptioniste keek op, glimlachte en wendde haar blik af. Aminah stapte de open lift in en draaide zich om om de blik van de jongen bij de deur te ontwijken terwijl ze wachtte – een eeuwigheid, zo leek het – tot de deuren dichtgingen. Zodra dat gebeurde, ademde ze diep uit en begon te bidden.

Ze had een pond uiterst explosieve stof in haar Macy's-tas.

De gang op de penthouseverdieping was verrassend kort. Aminah drukte op de zoemer bij deur A – en de deur ging onmiddellijk open.

Ze werd ontvangen door een Saoediër met knappe gelaatstrekken, die enigszins tenietgedaan werden door een grote moedervlek op zijn linkerkaak. Hij nam haar met zijn zwarte ogen kritisch op.

Baada Bin-Hezam dacht op zijn beurt, toen hij de kleine, mollige vrouw met het rood aangelopen gezicht zag, dat ze een kamermeisje was. Tot hij de tas zag die ze in haar hand hield. Ze zag er niet uit zoals hij haar zich had voorgesteld toen hem werd verteld dat hij in contact zou komen met een slapende cel, een niet-actieve medewerker in de Verenigde Staten. Er was weinig intrigerends aan deze Amerikaanse vrouw.

Voor deze ontmoeting waren geen wachtwoorden afgesproken. Bin-Hezam deed een stapje opzij om haar binnen te laten, sloot de deur en draaide die achter haar op slot.

Aminah deed een paar passen naar voren en bleef toen staan. Het was lang geleden dat ze met een man alleen in één ruimte was geweest. Ze voelde zich extra ongemakkelijk vanwege haar kleding. Vergeleken met haar dagelijkse dracht richtten zelfs de meest ingetogen westerse outfits de aandacht op het vrouwelijke figuur.

Ze wierp nog een steelse blik op zijn gezicht en zag dat zijn zware oogleden geloken waren; hij meed uit respect haar gezicht en haar lichaam. Dat was een opluchting voor haar.

'*Assalamu alaikum,*' zei hij.

Ze wist niet of ze moest doorlopen naar de zitkamer of op zijn instructies wachten. '*Walaikum assalam,*' zei ze.

'Ga uw gang.' Bin-Hezam liep de zitkamer in. Hij stak zijn hand uit om de boodschappentas van haar over te nemen. Toen stelde hij zich officieel voor. 'Ik ben Baada Bin-Hezam.'

'Ik ben Aminah bint Mohammed. Vergeeft u me alstublieft mijn voorkomen, en...' Ze wist niet hoe ze het anders moest zeggen. Hij had een man verwacht, begreep ze. Dat had ze ook aan zijn stem gehoord door de telefoon. Op de een of andere manier wilde ze zich verontschuldigen. Niet voor haar vrouw-zijn, maar voor de ongemakkelijke situatie die haar aanwezigheid veroorzaakte.

Hij drentelde om haar heen in de zitkamer. Het vertrek vormde met zijn opdringerige inrichting een aanslag op Aminahs ogen, zelfs in de schemerige verlichting die afkomstig was van één enkele staande lamp en de glazen bol die in de hal aan het plafond hing. De gordijnen waren dicht, en er viel een smal reepje middagzon de kamer binnen door het kierje waar ze elkaar net niet raakten.

Het was een setting voor clandestien gedrag, al was het er niet een van de soort die je normaal gesproken associeerde met hotelkamers.

Op een kleine ronde eettafel zag ze twee koerierstassen staan, een grote plastic tas met wit verbandgaas, een blauw doosje, een opgerold vel plastic en wat spullen die elektronisch aandeden. Door de openstaande deur kon ze een andere kamer in kijken, waar ze op een bed het jasje en de broek van een koffiebruin pak zag liggen, en een opgevouwen wit overhemd, keurig klaargelegd als in een sacristie.

'Ga zitten,' zei Bin-Hezam, en hij wees Aminah een van de twee paarse hoefijzervormige stoeltjes. Toen haalde hij de trui uit de boodschappentas en legde die opzij, waarna hij voorzichtig de twee in plastic verpakte broden van het explosief eruit haalde en ze op tafel legde.

Met de tederheid van een man die een ingebakerde zuigeling uitpakt maakte hij een van de langwerpige vormen open. Hij raakte het aan om de consistentie te testen. Zijn vinger liet er een kuiltje in achter. Het verse explosief was kneedbaar als stopverf.

'Ja, goed gedaan,' zei Bin-Hezam tegen Aminah.

Ze leefde op. 'Ik heb de instructies opgevolgd. Is het goed zo?'

'Heel goed.'

Ze wilde alleen maar van nut zijn. God had erop toegezien dat ze geschikt was voor de taak van vandaag. Dankzij dat gevoel zou ze de rest van de dag met geheven hoofd doorkomen.

Hij keek aandachtig naar de vingerafdruk die in het explosief was achtergebleven. Elk brood van een half pond was voldoende om een doorsneehuis met drie slaapkamers te veranderen in een berg splinters. De klap zou iedereen binnen een straal van vijftig meter doden en tot op zeker honderd meter verminken. In open veld zou de bom een drie meter diep gat slaan, met een doorsnee van wel tien meter.

Uiterst behoedzaam pakte Bin-Hezam het brood met zijn vingerafdruk weer in en liet het in een van de koerierstassen glijden, die hij vervolgens wegzette, apart van de rest van de spullen op tafel.

Het andere brood stopte hij voorzichtig in de tweede koerierstas, gevolgd door de grote tas wit verbandgaas, een doos watten, het vel plastic, de brandstofkorrels voor de modelraket en de onderdelen van de ontbrander. Bin-Hezam hield de tas behoedzaam omhoog om alles op z'n plaats te laten zakken en keek er toen nog eens in om zich ervan te verzekeren dat hij de spullen zo had ingepakt dat er niet onverhoeds een explosie kon plaatsvinden. Dat was onwaarschijnlijk, maar niet uitgesloten. Alles bij elkaar woog de koerierstas met inhoud ruim twee kilo.

'Deze is voor u,' zei hij tegen haar.

Het verbaasde haar dat ze er maar één meekreeg, maar ze stelde geen vragen bij zijn opdracht.

'Wat ik u nu geef is uiterst belangrijk. Uw bijdrage was doorslaggevend.'

Bin-Hezam haalde diep adem. Zijn belangrijkste taak was gelegen in de instructies die hij haar zou geven. Alles hing nu af van deze Amerikaanse vrouw.

'Breng deze tas met een taxi naar de ingang van Central Park aan East Eighty-fifth Street. Daar loopt u het park in, naar de zuidkant van het waterreservoir. Daar ziet u een granieten pomphuis. Wacht daar tot u wordt aangesproken. Is dat duidelijk? Tot u wordt aangesproken.'

'Door een man?' vroeg ze.

Bin-Hezam aarzelde voordat hij antwoord gaf. 'Het is beter als u dat niet weet.'

'Hoe weet ik dan of het... de juiste persoon is?'

'Hij of zij zoekt u op en zal u een teken geven. U herkent het vanzelf, zoals u ook Allah zou herkennen. En dan volgt u de instructies op. Het kan zijn dat u een tijd moet wachten. Misschien zelfs enkele uren. Kunt u dat geduld opbrengen?'

Aminah knikte plechtig.

'Misschien moet u een boek meenemen, een westers boek, om de indruk te wekken dat u daar voor uw ontspanning bent. Uw contactpersoon heeft weinig tijd, dus het is van groot belang dat u beschikbaar bent.'

Aminah wist zeker dat het een man zou zijn. Als het een vrouw was, zou Bin-Hezam haar dat vast verteld hebben, in het besef dat dat haar zou geruststellen.

'Eerst een hotelkamer, dan een ontmoeting in het park,' zei ze. 'Ben ik na al die jaren strenge inachtneming van de regels op het eind toch nog ongehoorzaam.'

Het was een grapje, maar tevens de waarheid. Voor het eerst sinds hij de deur voor haar had opengedaan keek ze Bin-Hezam in de ogen.

Hij knikte vaderlijk. Hij accepteerde haar. Dat was genoeg.

Hij zei: 'U hebt de regels nog nooit zo goed in acht genomen als vandaag.'

'Vergeef me alstublieft, maar... kunt u me vertellen wat we gaan bewerkstelligen?' vroeg ze.

'Het plan is volmaakt omdat niemand van ons weet wat er gaat gebeuren, alleen de allerlaatste persoon.'

Aminah knikte en boog toen het hoofd. '*Insha'Allah,*' zei ze.

Bin-Hezam zei: 'Er is voor u geen reden om nog langer te blijven.'

'Ik heb één verzoek,' zei ze, en haar hart begon te bonzen.

Bin-Hezam keek haar weifelend aan. 'En dat is...?'

'Kunnen we samen bidden voordat ik ga? Mag dat, in hetzelfde vertrek?'

Bin-Hezam leek haar uiting van devotie hartverwarmend te vinden. 'Dat mag.' Hij stak een arm uit om aan te geven waar het oosten lag. 'U moet alleen wel achter mij knielen.'

Hij liep de kamer uit en kwam even later terug met zijn gebedskleedje en een badmat voor Aminah. Samen schoven ze twee stoelen opzij om plaats te maken.

'Kent u de bewuste passage?' vroeg Aminah.

'Die heb ik als kind vanbuiten geleerd,' antwoordde Bin-Hezam. 'Als klein jongetje, toen deze grootse dag niet meer was dan een droom.'

'Ik ben u dankbaar, Baada Bin-Hezam,' zei Aminah. Ze sloot haar ogen en wachtte tot God tot haar zou komen terwijl Bin-Hezam hardop het gebed uitsprak.

'Beschouw degenen die omkomen om Allah te dienen niet als dood,' zei hij in een zacht, zangerig Arabisch dat bijna klonk als een lied, zijn handen hemelwaarts geopend, zijn ogen gesloten. 'Nee, zij leven voort, zij vinden steun in de aanwezigheid van hun Heer. Zij verheugen zich in de gulheid van Allah. In Hem in wiens handen mijn leven ligt! Niets liever zou ik willen dan de marteldood sterven voor Allah, om te herrijzen en weer als martelaar te sterven, en opnieuw te herrijzen en de marteldood te sterven, en weer te herrijzen en opnieuw als martelaar te sterven.'

Toen Bin-Hezam was uitgesproken, drukten zij beiden hun voorhoofd tegen de vloer. Aminahs wangen waren nat van de tranen. Het was prachtig.

Ieder voor zich, en toch samen, zeiden ze elk hun eigen gebed op, waarin ze vroegen om kracht en moed.

Bin-Hezam bleef vele lange momenten staan toen ze was vertrokken; hij luisterde naar de *ping* van de lift en het open- en dichtgaan van de deuren, om zich vervolgens zwaar in een van de paarse stoelen te laten zakken. Daar bleef hij minutenlang roerloos zitten bidden, deze keer geluidloos. Hij was dankbaar dat hij dit punt van de missie had bereikt.

Deze vrouw, Aminah bint Mohammed, leek hem capabel. Vele malen liep hij al zijn stappen na, om zich ervan te verzekeren dat hij er geen had overgeslagen – dat hij niets aan het toeval had overgelaten.

Bin-Hezam stond op en liep naar de kast. Hij toetste de geboortemaand en het geboortejaar van de profeet Mohammed in op het display van de kluis. Hij pakte het vernikkelde pistool en de schouderholster eruit en ontlaadde en herlaadde het vuistwapen.

In de slaapkamer van de suite legde Bin-Hezam de holster en het pistool op het bed. Hij kleedde zich uit tot op zijn witte onderbroek en T-shirt, vouwde het gewassen witte overhemd open en trok het aan, genietend van het schone, frisse witte katoen op zijn huid.

Daarna de broek. Hij dacht terug aan drie dagen geleden, toen hij zijn spullen had ingepakt in Stockholm, zich verheugend op de vlucht. Hij maakte de gesp van zijn riem vast en glimlachte bij zichzelf. Alles werd nu een totem.

Hij begon het gebed hardop uit te spreken; zijn eigen stem vormde een geruststellende begeleiding van het *krrtsj* van klittenband toen hij de banden van de holster om zijn rug en schouder deed.

'Beschouw degenen die omkomen om Allah te dienen niet als dood.'

De holster paste precies, met de kolf van het pistool in zijn linkerzij, net onder de ribbenkast. Om het wapen te trekken hoefde hij alleen maar voorlangs te reiken, zijn hand onder het jasje van zijn pak te steken en het te bevrijden.

Bevrijden.

'Niets liever zou ik willen dan de marteldood sterven voor Allah, om te herrijzen en weer als martelaar te sterven...'

Bin-Hezam pakte het donkerbruine jasje van de beddensprei, en hij voelde de rugbanden van de holster spannen toen hij het jasje aantrok. Hij draaide zich om naar de spiegel op de kaptafel tegenover het bed.

Precies goed, dacht hij.

Hij pakte zijn mobiele telefoon. Tot zijn ergernis bleken alle bureauladen leeg te zijn toen hij ze opentrok, maar toen zag hij dat er op de bovenste plank van de kledingkast een stapel telefoonboeken van New York lag.

Hij sloeg het middelste boek open en bladerde door tot hij Saudi Arabian Airlines had gevonden. Hij belde naar hun kantoor op Kew Gardens Road in Kew Gardens, in Queens, en informeerde naar de eerstvolgende vlucht naar Saoedi-Arabië.

Hij voerde het gesprek in het Arabisch. Zei dat hij contant wilde betalen.

De man aan de andere kant van de lijn gaf hem het vluchtnummer en de vertrektijd, maar Bin-Hezam noteerde niets. Toen hij had opgehangen, legde hij zijn mobiele telefoon op de richel van het hoogste raam.

Fisk reed als een speer naar Intel; bij rode verkeerslichten zette hij zijn zwaailicht en sirene aan. Toen hij aan zijn bureau een reeks foto's van Bin-Hezam bekeek waarop diens gezicht vanuit verschillende hoeken te zien was, liet zijn computer het voorgeprogrammeerde geluidje horen dat aangaf dat er mail was van de Joint Terrorism Task Force.

Het was een gecodeerd bericht: een incidentnummer met instructies om de JTTF-contactpersoon bij de NSA te bellen. Fisk gebruikte een beveiligde vaste lijn van Intel.

De stem aan de andere kant vroeg naar zijn naam en vervolgens zijn incidentnummer.

'We hebben een verdacht mobiel telefoongesprek waarin Arabisch wordt gesproken, rechercheur Fisk.'

'Ik luister.'

'Wij luisteren mee,' zei de NSA-man. 'De beller bevond zich in midtown Manhattan en heeft een gesprek gevoerd met Saudi Arabian Airlines in Queens. We trekken momenteel na waar de beller zich precies bevond.'

'Bedoel je de luchtvaartmaatschappij? Waarom was het een verdacht gesprek?'

'De beller wilde vluchtinformatie en zou contant betalen.'

Fisk knikte. 'Een vlucht voor vanavond?'

'Vanaf JFK. Over vijf uur.'

'Wanneer was dat telefoontje?'

'Ongeveer vijf minuten geleden. Daarom hebben we de locatie nog niet achterhaald.'

'Mannenstem, neem ik aan?'

'Dat is juist.'

'Kan ik het beluisteren?'

'Niet door de telefoon. Ik kan u het bestand wel mailen, maar het is in het Arabisch.'

'Ja. Geen probleem. Stuur het me alsjeblieft nu meteen.'

Fisk hing op en wachtte. Er belandde een e-mail van een onbekende afzender in zijn spambox. Toen hij het opende, bleek het audiobestand er als bijlage bij te zitten.

Fisk klikte op PLAY en het telefoongesprek klonk door zijn speakers. Hij plugde zijn koptelefoon in, zodat hij zich beter op het geluid kon concentreren.

Ze hadden geen opnamen van Bin-Hezams stem ter vergelijking. Hij zou het kunnen zijn. Maar als hij het was, waarom zou hij dan zo snel mogelijk het land willen verlaten? Omdat zijn taak hier erop zat? Of omdat hij de zenuwen had gekregen en moest vluchten?

Fisks beveiligde telefoon ging. Hij zette de koptelefoon af om op te nemen.

'Rechercheur Fisk?'

Het was dezelfde NSA-agent. 'Hoe kom je aan dit num... Laat maar.'

'Kunt u me nog een keer het incidentnummer geven?'

Fisk zocht het op in de e-mail en las het voor.

'Ik heb een locatie voor dat telefoontje. Er is gebeld halverwege het blok aan de noordkant van West Twenty-eighth Street, tussen Sixth Avenue en Seventh. Volgens de gps is dat Hotel Indigo.'

Fisk kende het hotel niet, maar de buurt wel. Bloemenwinkels.

'Je hebt zeker niet het kamernummer voor me?' vroeg Fisk.

'Ha,' zei de NSA-agent. Geen lach, alleen het woord 'ha'. 'Veel succes, rechercheur.'

Fisk vloog naar Dubins kantoor om hem in te lichten. Dubin stelde in vliegende vaart een blokkadeteam op, op volle sterkte. Vooraf toestemming vragen zat er vandaag niet in.

'Ik ga mee,' zei Fisk. 'Mocht er een doorbraak komen met die foto's, dan zijn we alvast in Manhattan.'

De hittegolf was funest voor Frankie D'Aquila's zaken. Juli was een slappe maand – Independence Day was niet typisch een feestdag waarvoor de mensen bloemen kochten – maar hij had wel een aantal bestellingen die die avond bezorgd moesten worden bij One World Trade Center, en de hitte vormde daarbij slechts een van de vele obstakels. De zogenaamde *security ring* werd om middernacht afgesloten, maar hij wilde niet het risico lopen vast te komen zitten in het verkeer van vuurwerkbezoekers, dus moest hij een manier bedenken om zijn bloemen op tijd in Battery Park te krijgen én om te voorkomen dat ze nog diezelfde nacht zouden verwelken.

Hij reed de hele stad door om koelboxen te huren en wist zelfs de hand te leggen op twee vernevelaars, zoals ze die in het Midwesten vaak gebruikten. En hij had extra hulp geregeld voor het laden en lossen en het transport.

Frankie had zijn sigaretje wel verdiend. Hij ging op de stoep voor zijn zaak staan en klikte zijn Zippo open om een American Spirit Light op te steken. Het was pas de vijfde – nee, besefte hij toen hij de resterende sigaretten in het pakje telde: de zesde – sinds hij die ochtend om half zes op zijn werk was aangekomen. Niet slecht. Zijn vrouw zou er blij mee zijn, als ze hem geloofde. De zaterdagavond was normaal gesproken hun avond samen. De fijnste dag van de week. Hij hoopte op tijd thuis te zijn voor het vuurwerk op tv.

Het was bijna tijd om de boel te sluiten in Twenty-eighth Street. Behalve voor de Spanjaarden, die bleven tot acht uur open. Frankie blies de eerste goddelijke trek uit over de rijen cascadepalmen en dwergbamboe die deels het zicht op de straat wegnamen. Het was hem opgevallen dat de meeste andere bloemisten geen grote planten meer verkochten. Te veel dood spul, te veel werk om ze uit te stallen. Zij gebruikten hun dure vierkante meters trottoir voor kleurig toeristengoed, grote bossen alstroemeria, rozen en chrysanten die de buurt zijn visuele charme gaven, of wat daar nog van over was. Frankie liep altijd vooruit op het seizoen. Tijdens een hittegolf begin juli dacht hij al aan kamerplanten voor de herfst en aan kerstversiering.

Hij plukte een dor, bruin blad van een van de palmen en gooide het in de goot. Aan de overkant van de straat waren de mannen die zijden bloemen verkochten hun zonwering al aan het inklappen. Op dagen als deze benijdde Frankie hen: ze waren tenminste geen slaaf van levend goed. En al zou hij het aan zijn klanten nooit toegeven, hij vond sommige nepplanten en -vruchten tegenwoordig onvoorstelbaar mooi. Sommige hadden zelfs een geurtje. Net echt, tot je dichtbij genoeg kwam om eraan te voelen. De menselijke aanraking zou altijd het verschil weten tussen dood en levend.

Frankie nam een laatste lange haal van zijn sigaret. Toen hij de peuk de straat op knipte, zag hij een blauw-witte politieauto aan komen rijden over het kruispunt van West Twenty-eighth Street en Sixth Avenue en daar stoppen om de weg af te sluiten.

Frankie trok zijn wenkbrauwen op. Hij keek de andere kant op, naar Seventh Avenue, en zag daar ook een NYPD-wagen halthouden.

Geen zwaailichten. Geen sirenes.

O, shit, dacht Frankie. Daar gaat mijn vrije zaterdagavond.

De geüniformeerde agenten stonden binnen een paar tellen naast hun auto's, en de kofferbakken gingen open en er kwamen dranghekken tevoorschijn, waarmee de rest van de straat en het trottoir werden afgezet. Zijn typisch New Yorkse gevoel van zelfbehoud maakte dat Frankie achteruit de brede, betegelde ingang van International Garden in liep, waar hij intussen de straat in de gaten hield.

Vanaf beide kanten waaierden mannen en vrouwen in kaki broeken en zwarte windjacks uit over de trottoirs voor de winkels. Duidelijk politie. En misschien wel FBI.

Frankie dook snel zijn zaak in. 'Afsluiten!' riep hij. 'Sla de kassa's af, er is een of andere inval aan de gang.' Hij gebruikte de sleutel die aan zijn riem hing om zelf ook een kassa af te sluiten; de grootste coupures stopte hij diep weg in zijn zakken. 'Het wemelt op straat van de politie.'

De helft van de mannen en vrouwen die in de bloemenwijk werkten was op de een of andere manier illegaal, op de winkeliers zelf na. Verkopers, bloemensnijders en loopjongens; hun grootste angst was een inval van de vreemdelingenpolitie.

Ernie ging als eerste naar buiten. Hij viste zijn petje uit zijn broekzak, zette het op zijn hoofd en trok het diep over zijn ogen. Flacco, Marie en haar dochter Jean waren de volgenden, en daarna de Aziaten die aan de tafels achter in de zaak boeketten en kransen maakten.

Frankie werkte iedereen de deur uit, ook de enige klant die de winkel op dat moment had, en hij trok de ijzeren rolluiken omlaag en klikte de sloten dicht. Toen sloot hij de laadklep van de bestelwagen.

Misschien zou ze vanavond laat voor hem opblijven, dacht Frankie. Intussen maakte hij zich zorgen om de bloemen; hij hoopte maar dat ze koel genoeg zouden blijven in de wagen. Het was wel zijn broodwinning die op het spel stond.

Frankie voegde zich bij de uittocht in de richting van Seventh Street. Daar werd het late middagverkeer nog verder opgehouden door nieuwsgierige toeschouwers.

Er was hier iets groots aan de hand. Toen hij bij de oude bontfabriek de hoek omsloeg, zag hij een blauw-witte politiehelikopter laag boven het kruispunt hangen. Geen goed teken, dacht Frankie terwijl hij zijn weg zocht tussen de taxi's door. Geen goed teken.

Fisk zag de helikopter waar hij niet om had gevraagd. Hij toetste een telefoonnummer in dat hem verbond met het tactische radiokanaal. De communicatie was nu aan strenge regels gebonden. Niemand zei iets wat niet strikt noodzakelijk was. Hij wachtte op het teken van de scherpschutters die zich moesten opstellen op het dak tegenover de glazen gevel van Hotel Indigo.

Het tactische arrestatieteam bestond uit drie agenten in volle pantsering, gewapend met M16's en een megafoon. De geüniformeerde politiemannen bij de wegafzettingen luisterden mee, maar hielden hun mond. Hun taak was eenvoudig: zo veel mogelijk burgers van de straat wegloodsen, voor het geval de boel uit de hand liep.

Fisk zei: 'Sky, hier rechercheur Jeremy Fisk van Intel. Ik wil dat je afstand houdt. Veel meer afstand.' Hij tuurde met samengeknepen ogen naar de Bell Jet Ranger-helikopter.

'Eh, begrepen,' luidde de reactie van de luchtpiraat. 'Scherpschuttersteam geïnstalleerd en in voorbereiding.'

'Alle eenheden,' zei Fisk. 'Wachten. We weten niet of we hem officieel kunnen pakken. Jullie staan niet op scherp, ik herhaal: niet op scherp,' zei hij, met stemverheffing om zijn woorden kracht bij te zetten. 'Als we toeslaan, wil ik die kerel straks tegenover me in een stoel kunnen zetten om hem te verhoren.'

'*Roger*,' zeiden de scherpschutters en het arrestatieteam. Ze herhaalden zijn orders. 'We staan niet op scherp.'

Fisk betrad de lobby alleen, door de ingang in de glazen pui. Een jong, hip type in een geruit overhemd op All Stars zat rechts van hem op een bankje, met zijn gezicht naar de receptiebalie toe, iets in te toetsen op het schermpje van zijn smartphone. Er was geen piccolo. Een loper voerde naar een aangrenzend restaurant, waar niemand zat.

Fisk had niet van tevoren gebeld om te informeren naar een eventuele reservering van Bin-Hezam. Hij kon niet het risico lopen dat iemand in het hotel op goede voet stond met Bin-Hezam en hem zou waarschuwen. Dat was het probleem met de helikopter: die maakte korte metten met het verrassingselement.

Hij liep naar de receptionist, die bezig was met een telefonische reservering. Fisk wenkte om zijn aandacht te trekken. Het belang van de zaak ontging de receptionist: hij stak één vinger op naar Fisk en boog zich weer over zijn toetsenbord.

Fisk haalde zijn politiepenning tevoorschijn en hield die omhoog. De receptionist keek er onmiddellijk geïnteresseerd naar, niet geschrokken, maar alsof het de eerste keer was dat hij iets dergelijks van dichtbij zag. Pas toen zag hij Fisks gezicht.

Hij zei in de telefoon: 'Hebt u een ogenblikje?', zette de beller in de wacht en richtte zijn volle aandacht op Fisk.

Fisk zei: 'Ik moet even je reserveringen zien.'

'Dat is goed. Welke naam zoekt u?'

In plaats van hem een naam te geven, haalde Fisk een scan van Baada Bin-Hezams paspoortfoto en -gegevens uit zijn zak en vouwde die open op de balie. 'Herken je deze man?'

'Nee,' zei de receptionist, 'maar ik ben pas om twee uur begonnen.'

'Oké, kijk dan even in je gastenbestand of er een Bin-Hezam bij zit. Kan onder de B of onder de H staan. Als hij er niet bij is, wil ik dat je de klanten natrekt die contant betaald hebben. Als dat ook niks oplevert, zullen we het hotel moeten sluiten en de boel kamer voor kamer nakijken. Er bestaat een kans dat hij bij een andere gast op de kamer verblijft.'

De receptionist trok een gekweld gezicht, alsof hij degene was die in de nesten zat. 'Ik zal eens kijken.'

Terwijl hij daarme bezig was, met zijn hoofd net uit het zicht achter het computerscherm op de balie, klonk de *ping* van de lift.

Baada Bin-Hezam keek naar de cijfers op het digitale display van de lift; ze telden langzaam af terwijl hij stond te bidden.

Tien... negen... acht...

'... en opnieuw te herrijzen en de marteldood te sterven, en weer te herrijzen en opnieuw als martelaar te sterven.'

Zeven... zes... vijf... vier...

'... EN DE MARTELDOOD TE STERVEN EN WEER TE HERRIJZEN...'

Hij bad om alle andere gedachten uit zijn hoofd te verdrijven.

In de klauwen van de leeuw. Met geheven hoofd.

Hij verschoof de draagband van de koerierstas over zijn borst en duwde tegen de kolf van het pistool in de holster. Dat deed hem denken aan de dikke man, de Senegalees die hem had willen oplichten en die hij had moeten prijsgeven aan de eeuwigheid.

Zou hij die man nog tegenkomen in het hiernamaals? Bin-Hezam dacht van niet.

Drie... twee...

Boven in zijn penthousesuite was zijn aandacht getrokken door de helikopter voordat hij klaar was. Hij had gehoopt wat meer tijd te hebben om zijn gedachten op een rijtje te zetten. Om zich voor te bereiden.

Maar toen hij naar buiten gluurde en aan de overkant van de straat de mannen op het dak zag staan, een van hen met een langwerpige koffer, wist hij dat het moment was aangebroken.

Ze kwamen voor hem. Het was hem allemaal vooraf verteld.

Zijn taak zat er bijna op. Dit was zijn laatste opdracht. Zijn vertrek. Exit.

De lift hield halt.

Een.

De deuren gleden open. Onmiddellijk zag hij een jongeman zitten, geconcentreerd over een telefoontje gebogen. Hij vormde geen bedreiging.

Toen zag hij de man die aan de balie stond, die omkeek naar Bin-Hezam… en wist wie hij was. Hij wist wie hij was. Hij reageerde met zijn ogen, maar zijn gezicht deed niet mee.

Dat was voor Bin-Hezam de bevestiging dat er al politie in de lobby was.

De politieman draaide zich weer om naar de receptionist. Bin-Hezam liep de lift uit. Zijn benen voerden hem naar de deur terwijl de gebeden onafgebroken door zijn hoofd gingen. Hij liep op drie meter afstand langs de politieman, die met zijn rug naar hem toe stond, maar Bin-Hezam voelde dat hij zich hyperbewust was van zijn aanwezigheid.

De straat voor hem zag er door de glazen deur stil en rustig uit. Geen verkeer. Geen piccolo. Geen taxi's die op klanten wachtten en geen auto's langs de stoeprand.

Een onschuldige zomermiddag. Bin-Hezam legde zijn hand tegen de koele glazen deur en duwde hem open.

Fisk had Bin-Hezam meteen herkend. Het kostte hem grote moeite om zijn verbazing te onderdrukken over het feit dat hij de Saoedi zomaar op zijn pad aantrof.

Had hij de helikopter dan niet gezien? Bin-Hezam sloeg niet op de vlucht. Hij aarzelde niet eens.

De tas van imitatieleer die hij op zijn rug droeg stond Fisk niet aan. Geen vermomming, niets in zijn handen.

Fisk had in een fractie van een seconde besloten zich weer om te draaien naar de balie. Hij liet de Saoedi vertrekken. Hij wilde hem het hotel uit hebben. Het arrestatieteam had buiten positie ingenomen, de straat was hermetisch afgesloten. De receptionist en de hippe hotelgast achter hem bevonden zich direct in de vuurlinie, mocht er binnen iets gebeuren.

Fisk keek strak naar de receptionist, bang dat hij zou opkijken naar de vertrekkende gast en hem zou aanwijzen als de man van de gekopieerde foto voor zijn neus. De tijd verstreek in slow motion terwijl Fisk luisterde naar de voetstappen van de terrorist, die achter hem door de lobby liep.

Toen de Saoedi weg was, gluurde Fisk over zijn schouder. Hij richtte zijn blik op de tas die de man over zijn rug had hangen. Daar kon van alles in zitten, te beginnen met het vuistwapen dat hij van de vermoorde Senegalees had gekocht. Bin-Hezam droeg bovendien een jasje waarin hij gemakkelijk een wapen zou kunnen verbergen.

Fisk viste zijn telefoon uit het hoesje.

De Saoedi duwde de deur naar buiten open.

De deur viel langzaam achter hem dicht en Bin-Hezam stond op het trottoir van de merkwaardig stille straat.

'Het is de man die nu naar buiten komt,' zei Fisk. 'Ik herhaal: verdachte komt naar buiten.'

De receptionist keek hem verbaasd aan. 'Pardon...?'

'Plat op de grond, nu meteen!' riep Fisk. Hij draaide zich om, pakte de hippe jongen bij de schouder en wierp hem op de vloer. 'Ga liggen!'

De hippe hotelgast haalde de telefoon geen moment van zijn oor terwijl hij diepbeledigd opkeek naar Fisk. In het toestel zei hij: 'Een of andere lul duwt me hier tegen de grond.'

'Blijven liggen!' riep Fisk, en hij vloog de deur uit.

Baada Bin-Hezam liep vanuit Hotel Indigo de late middaghitte in. Buiten viel het hem onmiddellijk op dat West Twenty-eighth Street een stil, uitgestorven ravijn was.

Stilte in de vallei. Hij genoot ervan.

Allemaal voor hem.

Overal op de stoep stonden rekken met planten en bloemen, maar de verkopers waren vertrokken. Het sproeiwater uit de slangen sijpelde de goot in.

Bin-Hezam mompelde op dat moment een dankgebed; alleen zijn lippen bewogen.

Toen voelde hij dat er iemand door de glazen deuren achter hem aan kwam.

'Bin-Hezam!'

Ze wisten zijn naam. De stem achter hem riep in het Arabisch – tot zijn verrassing, want hij had het bijbehorende gezicht gezien in de hotellobby – dat hij op zijn buik op de gloeiendhete stoep moest gaan liggen.

De vreugde bloeide in hem op. Hij stapte van de stoeprand af en bleef staan.

Daar, links van hem aan de overkant van de straat, in een portiekje voor een van de winkels, verschenen twee mannen in zwarte jassen met een helm op. En rechts van hem achter een geparkeerde auto. Ze doken op als geesten die hem begroetten.

Hij hoorde weer de stem van de politieman achter hem, die hem opdroeg te gaan liggen. Hij schreeuwde nu. Commandeerde hem.

Bin-Hezam stak beide armen in de lucht: het universele gebaar van overgave.

De man achter de auto kwam overeind en richtte een groot automatisch wapen op Bin-Hezam. De twee uit het portiek kwamen langzaam dichterbij.

Bin-Hezam prevelde zijn gebed. Hij wist dat het hem vergeven zou worden dat hij dat staand deed.

Fisk zag Bin-Hezams armen de lucht in gaan, waardoor de koerierstas op zijn rug omhoogkroop. Hij was blijven staan en had zich overgegeven, maar hij weigerde te gaan liggen.

'Er is geen andere God dan Allah,' zei Bin-Hezam. Het was geen kreet, slechts een verklaring. Een bewering.

Fisk herhaalde zijn bevel. De gehurkte mannen van de tactische eenheid in hun zwarte pantserkleding schuifelden een paar pasjes in de richting van het tegenoverliggende trottoir; hun voetstappen klonken als tromgeroffel op het wegdek.

'Liggen!' riep Fisk, deze keer in het Engels.

'Mohammed is zijn profeet!' riep Bin-Hezam, nu ook luid en duidelijk. Het stond Fisk niet aan.

Bin-Hezam liet zijn handen zakken. Fisk benaderde hem instinctief van achteren.

In één vloeiende beweging haalde Bin-Hezam de koerierstas van zijn schouder en stak een hand in zijn jasje. Hij reikte langs zijn borst en trok iets onder zijn linkerarm vandaan. Fisk zag het glimmen, vernikkeld.

Fisk brulde: 'Néé!' Zowel naar Bin-Hezam als naar de mannen van de tactische eenheid.

Bin-Hezam richtte het wapen eerst op de agent die achter de auto vandaan kwam. Toen hij de trekker overhaalde, voelde hij de terugslag van het wapen in zijn hand.

Hij kreeg amper de tijd voor een tweede schot voordat er een metalen 7.62 mm *boat-tail*-patroon explodeerde in zijn hersenpan.

Op hetzelfde moment had de andere scherpschutter het vuur geopend op de Saoedi. De twee inslaande kogels wierpen Bin-Hezam achteruit tegen het trottoir, waar hij als een trillend hoopje in elkaar zakte. Het was alsof er een baal kleding op de stoep lag in plaats van een mens.

Wat er over was van Bin-Hezams leven stroomde weg uit de gapende wond in zijn achterhoofd. Zijn bloed voegde zich bij het water dat de goot in sijpelde en kleurde het dieprood.

De koerierstas, die uit zijn hand was gevlogen, lag een meter of wat verderop.

Fisk stond als aan de grond genageld. Pas later zou het tot hem doordringen dat het niet erg slim was geweest om in de vuurlinie van de tactische eenheid te gaan staan. Als ze Bin-Hezam hadden gemist en een paar centimeter te ver naar rechts hadden gericht – die kans was klein op deze afstand, maar toch... – had Fisk daar nu in een bloederig hoopje op het trottoir gelegen.

Dat was niet gebeurd, en hij liep naar Bin-Hezam toe en boog zich over de dode terrorist heen. Van hem zouden ze geen informatie meer krijgen. Bin-Hezam had willen sterven. Hun enige troost was dat hij zich nooit levend zou hebben laten inrekenen.

De helikopter verscheen boven hun hoofd. De agenten van de tactische eenheid voegden zich bij Fisk op de stoep en keken neer op de Saoedi, wiens ogen nooit meer iets zouden zien.

DUBBELZINNIGHEDEN

De taxi reed stapvoets in noordelijke richting over Sixth Avenue in de vroege avondspits.

Ieder stoplicht stond op rood, vanwege de grote hoeveelheid overstekende voetgangers zo laat op de zaterdagmiddag. De chauffeur had de radio aanstaan, 1010 WINS New York. Alleen maar gepraat, en zo nu en dan de fileberichten.

Een nieuwslezer onderbrak het programma met een belangrijk bulletin. Een politiebarricade in Chelsea was uitgelopen op een schietpartij. Volgens de eerste berichten zou het om een antiterroristische operatie gaan, maar het was nog onduidelijk of het een reactie was geweest op een serieuze dreiging of dat hier sprake was van een onevenwichtig individu. De nieuwslezer meldde grote verkeersdrukte voor Twenty-eighth Street tussen Sixth Avenue en Seventh.

'Deze hitte maakt de mensen gek,' mompelde de taxichauffeur.

Op de achterbank voelde Aminah bint Mohammed zich langzaam weer Kathleen Burnett worden. Al had ze zich in woord en daad volledig aan Allah gewijd, haar schamele training had haar hier niet op voorbereid.

De man die ze die middag had ontmoet was dood. Hij was als martelaar gesneuveld in de strijd – dat wist ze. Baada Bin-Hezam had geweten dat hij de dood tegemoet liep, besefte ze nu. Hij was moedig ten onder gegaan. Zonder vragen te stellen.

Dat moest zij nu ook doen.

Zo was ze als verpleegkundige op de afdeling Spoedeisende Hulp terechtgekomen: ze wilde zieken en stervenden helpen. Eigenlijk leek het heel sterk op wat ze nu deed: de wereld behoeden voor goddeloosheid en de marteling der onschuldigen.

Ze koesterde nu al een hele tijd vurig haar geheime leven als islamitisch jihadiste. Dat was genoeg geweest om haar onzekerheden en angsten te sussen. Maar het omhulsel waarin ze zichzelf zorgvuldig had opgesloten liep een barst op nu ze begreep dat de man bij wie ze vandaag was geweest zijn eigen dood tegemoet gelopen was.

Zij was het laatste menselijke contact geweest dat hij had gehad. Ze had de spullen die hij haar had gegeven bij zich in een tas. Ze handelde nu voor hem.

Hij had zijn dood aanvaard. Hij had zijn kracht op haar overgedragen, samen met de tas en de opdracht. Ze was nu een heilige boodschapper – zo had ze zichzelf nooit eerder beschouwd.

Heilig, maar niet veilig. Ze was bang.

De taxi sloeg rechts af, een van de grote doorsteken van oost naar west in, en vervolgens op Madison Avenue linksaf naar het park. Ze had het Metropolitan Museum of Art als bestemming opgegeven. Het museum lag op korte loopafstand van het Jacqueline Kennedy Onassis Reservoir, de met hekken afgeschermde vijver van veertig hectare.

Aminah keek naar de rode ledcijfers op het klokje van de taximeter, en haar blik viel op het identiteitsbewijs van de chauffeur dat eronder hing. Aaqib bin Mohammed. 'Trouwe zoon van Mohammed'.

In de spiegel zag ze de ogen van een man van in de vijftig wiens gezicht verdriet en zorgen had gekend. Hij ving vluchtig haar blik en zag haar naar hem staren. Ze vroeg zich af hoe hij zijn passagier zag. Zo'n typisch New Yorkse blanke vrouw die het moeilijk had met haar middelbare leeftijd. Die niet besefte hoe goed ze het had, puur door haar afkomst en de plek waar ze woonde.

'Kan ik iets voor u doen?' vroeg hij. 'U huilt toch niet?'

Aminah was zich er niet van bewust geweest. Ze veegde de tranen van haar wangen. 'Nee… niks aan de hand.' Ze keek nadrukkelijk naar buiten. Al die mensen, al die gebouwen en deuren. Al dat leven. 'Misschien… misschien kunt u toch iets voor me doen. Bent u moslim?'

Hij bekeek haar weer in de spiegel, deze keer wantrouwend. 'Jazeker. Voor zover me dat nog lukt tegenwoordig. Het valt niet mee nu iedereen ons wantrouwt. Maar ik… ik ben het geloof een beetje kwijtgeraakt door al dat geweld.'

Aminah kreeg het ijskoud. 'De wereld is gewelddadig,' zei ze. Het was een van de meest primitieve waarheden. 'Vindt u ook niet?'

'Inderdaad. Maar ik weet nog dat religie ons vroeger vrede bracht, zonder geweld. Tegenwoordig is het veel makkelijker om niet te geloven. Makkelijker en verstandiger. Dus hou ik de ramen dicht en rijd ik taxi.' Hij begon te lachen, met een vermoeid rokershoestje dat Aminah maar al te goed kende van haar tijd als verpleegkundige.

'U moet uw longen eens laten nakijken,' zei ze.

'Ja.' Hij toeterde twee keer naar een trage auto voor hem. 'Ja, ik weet het.' Hij keek haar weer aan. 'Het zou u verbazen hoeveel mensen er huilen in de taxi. Daar zou u van opkijken. Maar niemand maakt zich zorgen om mijn hoest. U bent de eerste. Het kan niemand wat schelen.'

'Mag ik u dan nog iets vragen?' Het kostte haar grote moeite. 'Als u het geloof bent kwijtgeraakt, zoals u zegt, bent u God dan ook kwijtgeraakt?'

'God ben ik niet kwijtgeraakt, mevrouw. Wat ik ben kwijtgeraakt, is het idee dat ik ooit zal weten wat God is. Daarom is religie een vloek geworden. Niemand kan het weten. Maar ze denken allemaal dat ze de wijsheid in pacht hebben. Velen zijn bereid om te doden zonder te weten wat God inhoudt. Zelfs zonder erbij na te denken.'

Ze werd beroerd van zijn blasfemie, omdat die raakte aan de twijfel die ze niet uit haar hoofd gezet kreeg. Ze ging dieper in zichzelf op zoek naar kracht.

Bidden was als een hek dat naar buiten toe openging. Het beschermde haar geloof.

Deze taxichauffeur was duidelijk gestuurd door God, om haar op het moment van de waarheid op de proef te stellen. Het deed haar deugd dat Allah op deze manier haar vastberadenheid versterkte. Zo belangrijk was haar missie.

'Het museum,' zei de chauffeur. Hij stak beide rijbanen van Fifth Avenue over vanuit East Eighty-sixth Street en hield halt langs de stoeprand voor de enorme kunsttempel.

Aminah graaide in de zak van haar rok. Ze had geen identiteitsbewijs bij zich, alleen contanten, volgens instructie. Over de zitting heen gaf ze de man twintig dollar. De ritprijs was twaalf dollar. 'Zes terug,' zei ze tegen de ongelovige, met een alwetende stembuiging.

Hij knikte. Misschien was het hem opgevallen hoe abrupt ze het gesprek had beëindigd. Hij gaf haar het wisselgeld en borg zijn twee dollar fooi op. 'Dank u wel.'

Ze keek hem nog één keer aan via de achteruitkijkspiegel en stelde zich voor dat ze een bewijs van de verborgen God in zijn ogen zag. Ze knikte naar hem, opgemonterd door het gesprek en met een golf van dankbaarheid voor Gods grootsheid. Aminah schoof over de achterbank naar de trottoirkant van de taxi, met de koerierstas nog op schoot. Ze deed het portier open – maar aarzelde toen, en ze klopte op het plexiglas dat de chauffeur gedeeltelijk scheidde van zijn passagiers.

In het Engels zei ze tegen de bestuurder: 'Vrede zij met u.'

Ze stapte uit en keek toe hoe de gele auto zich bij de andere voegde en verdween in de verkeersstroom. Daar op de stoep voor het museum voelde ze haar zintuigen weer ontwaken, nadat ze zich tijdelijk hadden laten onderdrukken door de angst.

Het was een mooie avond, historisch, sacraal. Op het trottoir wemelde het van de mensen die onmiskenbaar opgewekt waren. Toen ze haar passeerden, ving ze flarden van gesprekken op die weerkaatst werden door de steile stenen wanden van het gebouw, dat een heel stratenblok in beslag nam. In de lucht hingen de geuren van gloeiend hete hotdogs en pretzels op de stalletjes langs de weg – de smaken van haar jeugd. Ze zag God in de gezichten van iedereen om haar heen.

Aminah hing de koerierstas over haar rechterschouder en liep Fifth Avenue in, naar de ingang van Central Park zo'n honderd meter verderop.

Gersten drukte beneden op de zoemer van het appartement op de tweede verdieping. Het was vroeg in de avond en ze was in de oude stadswijk Hell's Kitchen. Vlak om de hoek was de brandweerkazerne op Forty-eighth Street, ter hoogte van Eighth Avenue, die van alle kazernes in New York City op 11 september het meeste personeel had verloren.

Ze had twee agenten bij zich. Ze gebaarde dat ze zo dicht mogelijk bij het vooroorlogse gebouw moesten blijven, zodat ze van bovenaf niet te zien waren. Er hing geen camera in de lobby.

'Ja?' zei een mannenstem.

'Meneer Pierrepont?' vroeg Gersten.

'Ja. Bent u van Scandinavian Airlines?'

Ze zei: 'Wij hebben elkaar gesproken.'

'Ja. Kom maar naar boven.'

Het slot klikte en Gersten trok de deur open. De agenten liepen met haar mee naar binnen. De lift liet ze voor wat die was – in dit soort oude gebouwen moest je er vaak een eeuwigheid op wachten – en ze nam de gestoffeerde trap naar de tweede verdieping.

De twintiger die haar in de deuropening opwachtte droeg een sweatvest over een T-shirt en een nette pantalon, en hij had een bruine snor. Zijn glimlach verdween toen hij de geüniformeerde politieagenten achter haar aan de trap op zag komen. .

'Is er iets aan de hand, mevrouw...?'

'Gersten,' zei ze, en ze toonde hem haar Intel-penning. 'Krina Gersten. Meneer Pierrepont, ik ben niet van Scandinavian Air, maar van de NYPD.' De twee agenten waren nu ook bij de deur. 'Mogen we even binnenkomen?'

Na een moment zijn adem ingehouden te hebben liep hij achteruit en maakte plaats voor hen.

De tweekamerflat was een juweeltje, met ingebouwde boekenkasten en een oefenruimte onder een dakraam, met een muziekstandaard op een rond oosters tapijtje. Aan de wanden hingen ingelijste posters van het New York Philharmonic.

'Ik begrijp niet wat u komt doen,' zei hij, kortademig en bleek.

'Bent u alleen thuis, meneer Pierrepont?'

'Ja.'

Een van de agenten stak zijn hoofd om de deur van de slaapkamer en de keuken om zich ervan te verzekeren dat hij de waarheid sprak. 'Was u als passagier aan boord van vlucht 903, het toestel dat donderdag bijna gekaapt is?'

'Dat is juist,' zei hij. 'U zei door de telefoon dat u me iets kwam brengen voor het ongemak.'

'In werkelijkheid heb ik een paar vragen voor u over uw buurman aan boord.'

Pierrepont reageerde traag, hij dacht na over een antwoord. Toen schudde hij zijn hoofd, te nonchalant. 'Volgens mij heb ik alle vragen over die vlucht inmiddels wel beantwoord.'

'Dit gaat over de heer Alain Nouvian. Hij zat links van u. Hij was een van de vijf passagiers die de kaper hebben tegengehouden, weet u wel?'

Pierrepont slikte. 'Ja?' zei hij.

Gersten gebaarde naar de oefenruimte. 'Ik zie dat u violist bent?'

'Ik speel viola. Groter dan een viool, kleiner dan een cello.'

'Bent u beroepsmusicus?'

'Ja en nee. Niet fulltime, al zou ik dat wel willen.'

Gersten knikte. 'En helpt meneer Nouvian u daarbij?'

Pierrepont wilde antwoord geven, maar bedacht zich. 'Het is me niet duidelijk wat voor rechten ik heb.'

'Hij heeft vanmiddag geprobeerd contact met u op te nemen. Misschien staat zijn bericht nog op uw voicemail.'

Ze dreef hem in een hoek, maar hij hield zijn zogenaamde onbegrip nog even vol.

Gersten nam wat gas terug. 'Wil een van de agenten de heer Pierrepont op zijn rechten wijzen?'

Het was pijnlijk om te zien hoe de musicus zijn best deed zich goed te houden terwijl hij werd gewezen op zijn zwijgrecht.

'Ja,' luidde zijn antwoord op de vraag of hij had begrepen wat hem werd verteld. Het klonk geërgerd, alsof hij wilde zeggen: Waarom ik?

Gersten zei: 'Meneer Pierrepont, ik arresteer u liever niet.' In werkelijkheid had ze geen enkele grond om hem te arresteren – nog niet. 'Ik stel u liever niet bloot aan onnodige publieke aandacht. Ik wil zelfs niet te veel van uw tijd in beslag nemen. Maar dan moet u wel mijn vragen beantwoorden.'

'Dit is dus precies wat ik niet wilde,' zei Pierrepont onverwacht. '*Precies* waar ik bang voor was.'

'Oké,' zei Gersten. 'Misschien hebt u gehoord wat een van uw medepassagiers is overkomen? Nog geen uur geleden, in de bloemenbuurt?'

Pierreponts geschokte gezichtsuitdrukking zei haar dat hij dat inderdaad had gehoord. 'Bedoelt u dat die man... ook bij ons aan boord was?'

'Een tweede terrorist. Ik moet antwoorden hebben, meneer Pierrepont. Ik moet weten waar u en die Arabier het met de heer Nouvian over hebben gehad.'

Dubin zat met zijn voeten op zijn bureau, de grote leren stoel naar achteren gekanteld. Het toonbeeld van opluchting. Het uitschakelen van de Saoedi verminderde de druk die van wel acht verschillende kanten op hem werd uitgeoefend.

'Wat wil je hebben, Fisk? Een groter kantoor?'

Fisk lachte en speelde het spelletje mee. 'Dit kantoor is prima.'

Dubin zwaaide vermanend met zijn vinger. 'Als je die schoft nou levend te pakken had gekregen...'

'Ik weet het,' zei Fisk.

'Hij heeft op agenten geschoten. Dat kamikazegedoe is het ergst van allemaal. Nu moet ik een tactische eenheid met verlof sturen tot het officiële onderzoek naar de schietpartij is afgerond. Dit kunnen we onmogelijk stilhouden, Fisk. Dit wordt in het nieuws gebracht als een grote overwinning.'

Fisk knikte, al voelde hij het zelf niet zo.

Dubin vervolgde: 'We weten het pas na onderzoek, maar het ziet ernaar uit dat er een half pond TATP in die schoudertas zat. Van dat spul dat ze "moeder van Satan" noemen. Weet je nog, die poging van Shah op Times Square? Hetzelfde spul. Ze zijn er gek op. Als ze het mengen, voelen ze zich verdomme net een stelletje professoren.'

'Maar waar heeft hij het vandaan? Op zijn hotelkamer zijn wel sporen aangetroffen, maar daar heeft hij het niet gemaakt. Hij is ook niet lang genoeg in de stad geweest om het te mengen en te laten afkoelen.'

'De penthousesuite, hè? Niet echt iets voor een moslim.' Dubin haalde zijn voeten van zijn bureau en ging recht zitten. 'Die heeft hij gekregen, zou ik zeggen.'

Fisk zei: 'Een half pond zelfgemaakte explosieven is ook niet veel. Waar ging hij daarmee naartoe? En met dat geladen pistool?'

'Allemaal boeiende vragen.'

'En zonder ontstekingsmechanisme.'

'Ja. Dat bevalt mij ook niet. Misschien was dat zijn volgende halte, was hij daarheen onderweg. Of... je kunt dat spul toch ook tot ontploffing brengen met een pistool? Zelfs met een harde klap. Als je het zo bekijkt, had hij wel degelijk een ontsteker in zijn schouderholster. We hebben de rompbuis van die raket onder zijn bed aangetroffen. Ik denk dat hij het op de vuurwerkshow gemunt had. Veertigduizend vuurpijlen voor Amerika, één exploderende raket van Al Qaida.'

'Meer hebben ze niet nodig om indruk te maken.'

'Eentje is genoeg. Waarschijnlijk wilde hij eerst schade aanrichten – we weten nog niet waar – en dan proberen de late vlucht naar Saoedi-Arabië te nemen.'

'We hebben de ontbrander niet gevonden,' bracht Fisk hem in herinnering. 'Achtenveertig uur hebben we die kerel gezocht zonder harde bewijzen dat hij iets in zijn schild voerde. Nu hebben we wel bewijs, maar we weten nog steeds niet wat er precies aan de hand is.'

'Het totaalplaatje zal de komende vierentwintig uur wel duidelijk worden, als we de boel ontrafeld hebben. Waar het om gaat, is dat we hem te pakken hebben. We hebben ons werk gedaan. Dat is een flinke opsteker voor Intel, iets om de negatievelingen het zwijgen mee op te leggen – in ieder geval voor de komende nieuwsuitzendingen.'

Fisk liet Dubin alleen met zijn triomf. Hij plofte in zijn bureaustoel en wekte zijn laptop tot leven, waarna hij even zijn ogen dichtdeed om de gebeurtenissen de revue te laten passeren.

Een Jemeniet had geprobeerd een passagiersvliegtuig naar New York te kapen. Een stewardess en enkele passagiers hadden hem tegengehouden. Tijdens het verhoor had de Jemeniet bekend dat hij het toestel had willen laten neerstorten op midtown Manhattan, in het spitsuur van het lange weekend van Independence Day. Verder had hij niets losgelaten.

Voor het vertrek uit Stockholm had ten minste één passagier de Jemeniet zien praten met een goedgeklede zakenman uit Saoedi-Arabië, die businessclass reisde. Eenmaal in New York had de Saoedi de moslimwijken links laten liggen en zich schuilgehouden in Chelsea. Op vrijdagavond had hij een contactpersoon in Harlem vermoord, en op zaterdagmorgen een raket en een koerierstas aangeschaft. De rompbuis van de raket was aangetroffen onder het hotelbed. De Saoedi had explosieven bij zich gehad toen hij werd doodgeschoten, al was het niet genoeg voor een grote aanslag.

Maar ze hadden nog geen idee hoe hij aan die explosieven kwam. Of waar de ontbrander van de raket was.

Fisk deed zijn ogen weer open en pakte de telefoon. Hij moest Gersten op de hoogte brengen, maar hij had vooral behoefte aan iemand die hem kon helpen dit raadsel te ontwarren.

Gersten voelde haar telefoon trillen, maar ze nam niet op. Ze stond met De Zes naar het nieuws te kijken in de hotelsuite.

De presentatrice voorzag de beelden van commentaar. Het waren opnamen vanuit de hoek van Twenty-eighth Street en Seventh Avenue, waar rechercheurs en de lijkschouwer – allemaal in witte overalls – in de weer waren op het trottoir voor Hotel Indigo. Gersten meende links in beeld Fisk te zien praten met iemand van het hotel.

'Een woordvoerder van politiecommissaris Raymond W. Kelly heeft bevestigd dat er een terroristische aanslag is verijdeld. Een man uit Saoedi-Arabië met een geladen pistool en een tas vol explosieven is ongeveer een uur geleden voor een hotel in Chelsea doodgeschoten door scherpschutters van de politie. De politie laat weten dat de schietpartij volgde op een intensieve zoektocht naar deze man. Volgens een niet-bevestigd bericht was de dode een van de passagiers van Scandinavian Airlines vlucht 903, het toestel waarin donderdag een kapingspoging werd verijdeld door heldhaftige passagiers. We houden u op de hoogte.'

DeRosier zette het geluid van de televisie zachter.

De groep was geschokt.

Stewardess Maggie zei: 'Wat heeft dit in godsnaam te betekenen?'

Colin Franks ogen schitterden. 'Dat er nog veel meer aan de hand is dan wij dachten.'

Gersten stak een hand op om hen tot bedaren te brengen. 'We weten het nog niet zeker, maar één theorie luidt dat ze deze man achter de hand gehouden hadden voor het geval de kaping niet zou lukken. En ik moet zeggen dat we vandaag nog even bang zijn geweest dat deze man jullie zessen als doelwit had.'

'Ons?' Maggie keek naar de anderen.

'Speculatie,' zei Gersten, 'maar er zat wel iets in. Terroristen hoeven geen hele gebouwen meer neer te halen. Ze willen symbolen treffen. Dat is net zo goed een vorm van psychologische oorlogsvoering. En jullie zijn het wandelende equivalent van de toren die morgenvroeg plechtig wordt geopend. Iconen van Amerika na 11 september.'

Aldrich, de voormalige handelaar in auto-onderdelen, zei: 'Godallejezus. Stelletje beesten.'

Nouvian leek ook geschokt. Jenssen daarentegen leek zijn twijfels te hebben.

Sparks zei: 'En wat wil dat voor ons zeggen?'

Gersten zei: 'Heel weinig. Vanavond om negen uur is het vuurwerk. Sommigen van jullie willen er graag heen. Morgenvroeg om acht uur is de plechtigheid bij One World Trade Center. Maar verder hebben jullie de avond aan jezelf – dat heeft de pr-dame laten weten. Als jullie iets willen gaan eten of willen afspreken met familie hier in de buurt: prima. We verzoeken jullie alleen – dringend – om een van ons mee te nemen als jullie nog de deur uit willen. Alleen omdat het onze taak is jullie morgen veilig af te leveren bij Ground Zero. Jullie willen toch niet dat we ontslagen worden, hè?'

'En daarna?' vroeg Jenssen.

'Na de plechtigheid morgenvroeg? Dan laten we jullie gaan. Mogen jullie weer vrij loslopen.'

Er werd hier en daar gelachen.

Frank nam het woord. 'We zullen de koppen bij elkaar moeten steken voordat ieder zijns weegs gaat, zodat we een gezamenlijk plan kunnen opstellen. Ik wil er graag even op wijzen dat onze onderhandelingspositie veel sterker is als we één geheel vormen, een team. Eén verhaal is beter dan zes boekjes over hetzelfde onderwerp, met de bijbehorende wedstrijd wie het als eerste uitbrengt. Sommigen van ons hebben al afgesproken om na het vuurwerk samen wat te gaan drinken in de hotelbar. Dat lijkt me een mooi moment om op de toekomst te proosten en te proberen op één lijn te komen. En anders kan het morgenvroeg voor de plechtigheid nog.'

Gersten knikte. 'Degenen die naar het vuurwerk willen, moeten zich nu wel gaan klaarmaken. We hebben een heel speciaal plekje geregeld waar jullie mogen kijken – ik denk dat het een mooie verrassing zal zijn.'

Gersten bleef staan voor Nouvians kamer, halverwege de gang op de zesentwintigste verdieping. Het verbaasde haar dat ze niets hoorde, geen cellospel. Ze roffelde met haar knokkels op de deur.

Nouvian deed open. Hij droeg een witte Hyatt-badjas en zijn haar was nat.

'Niet aan het studeren?' vroeg ze.

'Straks. Ik ben gevraagd om morgen bij de plechtigheid te spelen. Idee van Maggie. En dat in deze hectische tijd. Maar hoe zou ik zoiets kunnen weigeren?'

Gersten knikte beminnelijk. 'Mag ik heel even binnenkomen?'

'Jazeker.' Hij deed verbaasd een stapje opzij. Ze liep de kamer in. De vitrage was dicht, maar de gordijnen niet, waardoor ze een gesluierde kijk kreeg op de skyline bij zonsondergang. Het halletje was vochtig van Nouvians douche en de badkamer rook naar aftershave. Ze liep verder de kamer in.

'Ga even zitten,' zei ze.

Hij ging op het puntje van het bed zitten. Zijn cellokoffer stond tegen de muur geleund. Hij keek haar enigszins verbaasd aan.

Gersten zei: 'Je zult zelf ook wel weten dat je je verdacht hebt gedragen.'

Zijn geïnteresseerde blik verdween onmiddellijk.

'We waren je daarstraks kwijt, en toen ik je had gevonden, was je jezelf niet. Daardoor gingen er alarmbellen rinkelen. Toen ik naging wat je zou kunnen hebben gedaan, zag ik dat er achter de liften twee munttelefoons hangen.'

Hij wist niet hoe hij moest reageren, dus hield hij zijn mond.

'Ik heb het nagetrokken, want dat is mijn werk. Nog geen uur geleden was ik in het appartement van meneer Pierrepont, waar ik hem heb verhoord.'

Nouvian wist niet voor welke aanpak hij moest kiezen. Hij begon met: 'Ik snap niet waar u het...' maar uiteindelijk werd het: 'Dat is een schande.'

Ze hield haar hoofd schuin en probeerde de scherpe kantjes van het gesprek te halen. 'Hij heeft me alles verteld.'

Nouvian staarde naar de vloer en liet het bezinken. Toen keek hij aandachtig naar haar gezicht, misschien op zoek naar tekenen van afkeuring, maar die waren er niet. 'Als dat zo is, wat moet ik er dan nog aan toevoegen?'

'Je hebt zelf een telefoon.' Ze wees ernaar; hij lag aan de oplader op het nachtkastje. 'Waarom heb je hem hier niet gebeld?'

Nouvian haalde zijn schouders op. Zijn ogen waren vochtig. 'Ik nam aan dat jullie hem afluisterden.'

Gersten glimlachte begripvol en schudde haar hoofd. 'We zijn echt hier om op jullie te letten. Maar toen jij zo raar deed...'

'Hij was als de dood dat iemand erachter zou komen.'

'O ja? Typisch. Hij zei dat jij daar bang voor was.'

Nouvian wendde met een zucht zijn blik af. 'Ik ben degene met een vrouw, met een gezin. En mijn leven ligt nu onder de microscoop.' Hij wreef in zijn handen. 'Die controle door de Secret Service. Al die vragen in Bangor. Ik dacht: als ik dit nog even doorkom...'

'Die achtergrondchecks waren juist om verdachte zaken op te sporen. In situaties als deze moet je altijd volkomen eerlijk zijn, want anders – dat zie je nu wel – keert het zich juist tegen je.'

Hij schudde zijn hoofd. 'Dat kunt u makkelijk zeggen.'

Ze liep wat dichter naar hem toe. 'Ik heb er niks aan om dit te melden. Dat wilde ik even komen zeggen. Het gaat niemand wat aan, behalve jou en meneer Pierrepont. En je vrouw en kinderen natuurlijk.'

Nouvian zuchtte en knikte. 'Ik sta op een keerpunt, mevrouw Gersten.'

'Rechercheur Gersten,' zei ze. 'Maar zeg maar Krina.'

'Krina. Ik weet wat je denkt, en ik kan je zeggen dat ik er al bijna een jaar tegenaan hik. Ik was totaal niet voorbereid op... hem. Op onze verhouding. Want dat is het. Ik weet dat ik jou geen verklaring schuldig ben, maar ik hou van mijn kinderen, daarin is niets veranderd. En dat zal ook nooit veranderen.'

Hij keek de andere kant op. Hoe moeilijk dit ook voor hem was – en voor Gersten – hij leek het kwijt te willen aan iemand die er neutraal in stond.

'Wat veranderd is... is mijn instelling. Door de gebeurtenissen... mijn zogenaamd heldhaftige optreden... is het besluit in veel opzichten al voor me genomen. Ik moet iets dóén, dat weet ik nu. En ik weet nu ook dat het kan, snap je? Maar wel op zo'n manier dat ik mijn gezin een zo goed mogelijke toekomst bied.'

Gersten stak haar handen op. 'Nogmaals: dat zijn jouw privézaken. Ik denk dat dit de juiste keuze is. Maar wil je me één plezier doen? Daar sta ik op.'

Hij keek haar afwachtend aan.

'Laat ons niet meer zo schrikken, oké? Laat mij en mijn collega's ons werk hier afronden, dan kun jij straks doen wat je moet doen.'

Nouvian knikte. 'Dat lijkt me redelijk.'

Gersten glimlachte. 'Ja, toch?'

Ze liep naar de deur. Nouvian bleef op het puntje van het bed zitten.

'Krina,' zei hij voordat ze de deur kon opendoen.

Ze draaide zich om. 'Ja?'

'Ik wil geen boek schrijven en ik hoef hier geen geld aan te verdienen. Ik wil alleen maar muziek maken en mijn kinderen grootbrengen. Meer niet.'

Gersten had met hem te doen. 'Dan luidt mijn advies, mocht je dat willen weten, om tot na morgen te wachten voordat je het Colin Frank vertelt. Je zult beslist zijn hebberige hartje breken.'

Weer op haar kamer schopte Gersten haar schoenen uit terwijl ze naar de beelden van NY1 keek, zonder geluid, met haar telefoon aan haar oor.

'Bin-Hezam was vlak bij Penn Station, Krina,' zei Fisk. 'Hier om de hoek. Dat is toch ongelooflijk?'

'Jij hebt zijn gezicht gezien,' zei ze jaloers. 'Wat las je daarop?'

'Goeie vraag.' Ze wachtte glimlachend op zijn antwoord. 'Weet je wat ik op zijn gezicht las?' zei hij na enig nadenken. 'Dat hij wist dat hij ging sterven. Dat hij de dood tegemoet liep. Hij legde zich er niet gewoon bij neer, hij bepaalde hoe het moest gaan.'

'Wacht even. Buiten?'

'Nee. Buiten heb ik zijn gezicht niet gezien, hij stond met zijn rug naar me toe. Dit was in de lobby. De lift ging open en ik zag hem. Het was alsof hij al bij de hemelpoort stond. Hij kwam zich melden. Door jouw vraag weet ik het zeker.'

'Wat betekent het, denk je?'

'Dubin denkt dat hij nog ergens heen ging, maar volgens mij ging hij zijn dood tegemoet. Daarom kwam hij naar beneden.'

'Met een half pond zelfgemaakt acetonperoxide in een tas?'

'Explosief in de tas, wapen in de hand. Hij had die helikopter gehoord… Of misschien was het al eerder. Ik bedoel, hij heeft Saudi Air rechtstreeks gebeld en hij sprak Arabisch. Zijn moedertaal, door de telefoon, voor het eerst dit weekend. Hij wist dat we daarop zouden screenen. Dat moet hij geweten hebben.'

Gersten dacht er even over na. 'Misschien was die helikopter voor hem het teken dat het spel uit was. Dat zou het voor mij ook zijn. Als hij wist dat hij niet zou ontkomen, wat bleef er dan nog over? Hij koos voor de spreekwoordelijke cyanidepil.'

Stilzwijgen van Fisk. Toen: 'Ook daar zit wat in. Ik zoek er misschien te veel achter. Ik mis de goeie ouwe tijd. Waarom kunnen die idioten niet gewoon een bank beroven?'

'De slechterik is uitgeschakeld, richt je daar maar op. Jullie hebben hem gevonden – het maakt niet meer uit hoe. Bin-Hezam is naar zijn maagden toe. Dat is toch pure winst?'

'Zo zou ik het graag willen zien,' zei Fisk. 'Maar ik heb hier geen goed gevoel over. Misschien moet ik er gewoon even niet meer over nadenken. Hoe is het daar? Vertel eens over Nouvian.'

Dat deed ze. Fisk luisterde.

'Volgens mij maakt hij een grote fout,' zei Fisk. 'Als ik jouw verhaal hoor, denk ik dat zijn boek het best zou verkopen van allemaal.'

'Het was best fascinerend. Hij beschouwt die verijdelde kaping, en zijn rol daarin, als een soort toestemming om te veranderen. Als een bijna-doodervaring.'

'Hm.' Fisk wachtte op meer. 'Wat wil dat volgens jou zeggen?'

Ze glimlachte. Ze ging het zeggen. 'Ik denk erover om bij Intel weg te gaan.'

'Hè?'

'Wat jij net al zei: ik mis de goeie ouwe tijd van het boevenvangen. Moet je me nou zien. Dit soort flutklusjes kan ik op een gewoon bureau ook doen. En dan doe ik tenminste iets.'

Fisk zei: 'Je meent het echt.'

'Ik begin het steeds serieuzer te overwegen. Misschien zou het voor ons samen ook beter zijn.'

Daar dacht hij even over na. 'Maar misschien ook niet.'

'Als ik niet meer vierentwintig uur per dag zo hoef te leven?'

Hij besefte dat ze niet zomaar klaagde, dat het menens was. 'Weet je, het is een zwaar weekend geweest. We moeten maar eens samen ergens heen gaan waar ik je dit uit het hoofd kan praten.'

'Je mag het proberen. Schijnbaar komen we straks met de hele groep bij elkaar voor een borrel in de hotelbar, na het vuurwerk.'

'Klinkt heel onprofessioneel,' zei hij. 'Dan kom ik ook. Tenzij er iets raars gebeurt de komende uren. Waar ga je nu naartoe?'

'Nergens. Ik moet een hoop papierwerk afhandelen, alles van de afgelopen twee dagen noteren. Ik zet een muziekje op en begin er dadelijk aan.'

'Geen vuurwerk?'

'Dat hangt van jou af. Ik heb hier hier een fijne hotelkamer helemaal voor mezelf.'

'O, doe me dat niet aan. Ik moet nog zo'n hoop regelen rond die Bin-Hezam.'

'Ja, ja, ik weet het. Probeer die borrel dan te halen.'

'Zondagavond,' zei hij. 'Dat is mijn doel.'

'Waar dacht je aan? Café Luxembourg?'

'Als twee gewone mensen.'

'Heerlijk. Het probleem is alleen dat we allebei in slaap vallen voordat we de deur uit gaan.'

Hij zei: 'We kunnen ook iets bestellen.'

Ze lachte. Het was fijn om met hem te praten. Het hielp. 'Hé, ik zat net te denken... misschien was hij wel van plan zich op te blazen en een paar politiemensen mee te nemen in zijn val. Met jou erbij. Dus wees een beetje voorzichtiger, oké?'

'Ja, ja. Tot straks.'

Nadat ze had opgehangen, dacht ze nog even na over het gesprek en zette het toen van zich af.

Concentreer je op die papieren. Eerst dit afwerken. De rest kan wel wachten tot zondag.

In het Hyatt zat Colin Frank in het gemeenschappelijke vertrek, alleen met zijn laptop. Hij was een opzet aan het maken voor een boek en een transmediavoorstel. Hij kende enkele documentairemakers en overwoog om die route als eerste te bewandelen: een videodocument dat zou samenvallen met het verschijnen van het boek over zes tot acht maanden, zodat het een het ander kon promoten.

Hij draaide een tweede miniflesje Bacardi open en goot de helft van de inhoud in zijn cola light. Hij schoof zijn honkbalpetje naar achteren, bekeek zijn e-mail, nam even de tijd voor de mailtjes van literair agenten die met hem in zee wilden gaan, en managers en een handjevol persoonlijke introducties door verschillende filmproducenten, stuk voor stuk grote namen.

Toen het allemaal te veel werd, sprong Frank plotseling op uit zijn stoel en maakte een triomfantelijk Tiger Woods-gebaar met zijn gebalde vuist, in stilte juichend in de hotelkamer.

Joanne Sparks legde voor de felverlichte badkamerspiegel de laatste hand aan haar make-up en veegde de aangekoekte lippenstift uit haar mondhoeken. Die bitch van een Maggie Sullivan ging naar het vuurwerk, en dit was Sparks eerste – en misschien wel laatste – kans om de Zweed in te palmen zonder dat de anderen er met hun neus bovenop zaten.

Ze bekeek het rokje nog een keer – strak, maar niet té – en trok de stof naar beneden rond haar slanke heupen voordat ze haar handtas pakte en naar Jenssens kamer liep.

Ze was haar deur nog maar half uit toen ze Jenssen in een korte hardloopbroek en een sportshirt aan het einde van de gang zag staan. Hij stond met iemand te praten. Sparks staarde de gang in, nog onopgemerkt. Daar verderop in de gang waren de kamers van de politiemensen.

Rechercheur Gersten.

Sparks bleef nog even staan kijken – lang genoeg – en liep toen weer haar eigen kamer in. De deur klikte achter haar dicht.

Ze draaide zich om en smeet haar handtas tegen de muur boven het bed. Hij knalde via het hoofdeinde op het nachtkastje; de wekker viel om en de afstandsbediening van de televisie belandde op de grond.

Ze keerde terug naar de badkamer en keek in de spiegel naar haar woedende gezicht.

'Klootzak.' Ze klampte zich vast aan de wastafel.

Ze had het helemaal gehad met Jenssen. En al was dat niet zo, dan nog zou ze zich vanaf nu gaan gedragen alsof het wel zo was.

Gersten stond in de deuropening van haar kamer. Ze voelde zich klein op blote voeten. Jenssen was bijna een kop groter dan zij. Een sportwinkelketen had een doos spullen gestuurd, en hij droeg een blauw-wit Adidasshirt met bijpassende korte broek en hardloopschoenen van New Balance.

'Weet je zeker dat ik je niet kan overhalen?' vroeg hij.

Gevaarlijk. Gevaarlijke man, dacht Gersten. Hij wist precies hoe hij het moest brengen, een beetje speels, op zo'n manier dat ze het flauw van zichzelf vond om te weigeren.

Maar tegelijkertijd stond zijn poging om haar te beïnvloeden haar niet aan.

'Te druk, helaas,' antwoordde ze. 'Maar bedankt voor de uitnodiging. Niets zo fijn als 's avonds hardlopen.'

'Nou, wat nog fijner is, is de verfrissende douche na afloop.'

Gersten glimlachte. Om zijn enthousiasme en vanwege de brutaliteit.

'Weet je zeker dat je niet meegaat?' vroeg hij. 'Stel je voor dat ik verdwaal.'

'Ik heb een idee,' zei ze. Ze had haar telefoon in de hand. Snel toetste ze het nummer van DeRosier in. 'Rechercheur DeRosier? Meneer Jenssen zoekt een hardloopmaatje.'

'Hè, shit,' zei DeRosier. 'Ik heb net gegeten.'

Gersten glimlachte naar Jenssen. 'Hij wil heel graag met je mee.'

Jenssen lachte flauwtjes. 'Dat is dan wederzijds.'

Gersten lachte nu breeduit. Ze had het gevoel dat ze als winnaar uit de bus was gekomen. 'Wees voorzichtig in het donker,' zei ze voordat ze haar deur dichtdeed.

Haar ademhaling versnelde. Ze vond Jenssens aandacht vleiend en vroeg zich even af hoe ze op hem overkwam.

'Ik hoop maar dat ik mijn loopschoenen kan vinden.'

De stem verraste haar. DeRosier was nog steeds aan de telefoon.

'Loop ze,' zei ze, en ze hing op.

Nouvian had zichzelf verbannen naar zijn hotelkamer om cello te studeren, dus stewardess Maggie Sullivan en voormalig auto-onderdelenhandelaar Doug Aldrich waren de enigen die belangstelling hadden om het vuurwerk bij te wonen.

Ze vertrokken vanaf het hotel in een Suburban zonder motorescorte; een agent die geen dienst had bracht hen weg, samen met de pr-dame. De bestuurder gebruikte alleen even zijn zwaailicht toen ze bij de wegafzetting op Tenth Avenue kwamen.

'Het zal niet meevallen om straks weer een gewone burger te zijn,' zei Maggie, met een blik op de feestvierders die naar de waterkant liepen.

'Ik wou dat ik mijn kleinkinderen kon meenemen,' zei hij.

De Suburban stopte bij een mobiele NYPD-controlepost. Op de hoek van de straat stond een rechthoekige container met ramen, een soort doos, niet veel groter dan een SUV. Op het dak stonden beveiligingscamera's en satellietschotels.

'We zijn er,' zei de pr-dame. Ze hield het portier voor hen open en liep mee naar de dranghekken. De mensen keken wel, maar de afstand was zo groot dat Maggie en Aldrich niet herkend werden.

'Hierheen?' vroeg Maggie.

'Loop maar door,' zei de pr-dame.

Maggie deed de deur open en liep de container binnen, gevolgd door Aldrich en als laatste de pr-dame. Ze hield haar telefoon in de aanslag, maar alleen om foto's te maken, niet om te bellen.

De deur ging dicht en het hok ging omhoog. Maggie bedacht nu dat ze dat soort containers eerder had gezien, op Times Square. Het was een soort hydraulische laadklep, een uitkijkpost in de lucht waar je goed zicht had op de straat beneden... maar nog beter zicht op de avondhemel.

'Jullie zitten eerste rang,' zei de pr-dame.

Maggie begon hard te lachen en omhelsde Aldrich. 'Wat zullen de anderen spijt hebben!'

Jenssen wachtte bij de liften op de zesentwintigste verdieping. Er zat nog maar één politieman op de gang, zag hij.

Het was acht uur geweest. Jenssen wilde weg.

Hij hoorde cellomuziek uit Nouvians kamer komen. Jenssen herkende de melodie: 'America the Beautiful'. Interessant in die zin dat het een patriottisch lied was dat niet over oorlog, victorie of God ging, maar over schoonheid. Jenssen dacht bij zichzelf dat je dat standpunt in het hedendaagse Amerika alleen maar ironisch kon opvatten.

De liftdeuren gingen open, maar hij moest op de politieagent wachten. Hij keek naar de camera die in een van de hoeken van de liftcabine hing. Het was algemeen bekend dat de meeste beelden van hotelliften zelden werden bekeken, ook al draaiden de camera's dag en nacht.

Jenssen had nog steeds zijn twijfels over de vrouwelijke rechercheur. Soms zag hij haar kijken, maar hij kon haar bedoelingen moeilijk peilen. Als ze op zijn uitnodiging ingegaan was, zou hij een simpel rondje van een kilometer of vijf met haar hebben gelopen en het daarbij hebben gelaten. Haar jaren bij de politie hadden haar zelfvertrouwen gegeven, maar hij kreeg de indruk dat ze nog altijd onzeker was over haar jongensachtige uiterlijk. Lesbisch was ze niet, daar was hij tamelijk zeker van. Het stond hem nog helder voor de geest hoe ze was omgegaan met de rechercheur met wie ze moest samenwerken in Bangor. Jenssen kon zich nog herinneren dat hij destijds had gedacht dat ze best eens minnaars konden zijn.

Misschien was het dus pure lust van haar kant. Weer zo'n gewillige Amerikaanse. Maar hij moest het natuurlijk zeker weten. Hij had hun paniek gezien toen Nouvian, de cellist, korte tijd spoorloos was. Kort daarna was Gersten ook vertrokken, en Jenssen vermoedde dat ze in opdracht Nouvians gangen was nagegaan.

De grootste voorzichtigheid was geboden.

DeRosier, de kale rechercheur, kwam eindelijk zijn kamer uit. Hij liep de gang door naar de lift in een lichte nylon broek en een T-shirt waar NYPD SOFTBALL op stond. 'Je ontziet me toch wel een beetje, hè?' vroeg hij met een brede, New Yorkse glimlach.

'Ja, hoor,' zei Jenssen. 'Om te beginnen.'

Ze namen samen de lift naar de drukke lobby van het Hyatt. DeRosier keek op zijn telefoon en stopte hem in zijn broekzak. In de lobby liepen ze langs de receptie en de conciërge, en ze keken naar de hogergelegen glazen bar.

'We kunnen ook gewoon iets gaan drinken,' zei DeRosier, niet eens helemaal voor de grap.

Jenssen glimlachte. Net als in Zweden stond de lange bar vol met snelle drinkers die een cocktail naar binnen goten voor het eten.

De grote ramen weerspiegelden de televisies die in de bar hingen; op sommige was een footballwedstrijd te zien, maar de andere schermen toonden beelden van de politie-inval, met de helikopter en de schietpartij rond Baada Bin-Hezam, de terrorist.

'Die klootzak hebben we te pakken,' zei DeRosier. 'Een fijn weekend voor ons, toch?'

'Heel fijn,' zei Jenssen, en hij stapte in de volgende lift voor de korte afdaling naar de hoofdingang.

'Oef,' zei DeRosier toen ze door de draaideuren de straat op liepen, de hitte in. 'Dat wordt leuk.'

'Je hoeft niet bij me te blijven. De straten zijn hier toch genummerd?'

'Nee, ik loop mee.' DeRosier zwaaide met zijn armen om de bloedsomloop te stimuleren. 'Ik kan de beweging goed gebruiken, ben ik bang.'

'Ik heb een idee,' zei Jenssen. 'Laten we de metro nemen en dan teruglopen. Ik wil het park zien.'

'Klinkt goed.'

Manhattan had 's avonds een eigen, uitgesproken ritme. Voor Jenssen was het de eerste keer dat hij in de Verenigde Staten was. Hij liep achter de rechercheur aan, met de stroom voetgangers op Forty-second Street mee. Nog geen straat verderop daalden ze af in het witbetegelde metrostation van Lexington Avenue. DeRosier zocht een medewerker op, die hen op vertoon van zijn penning door de poortjes liet.

Jenssen liep op een drafje de trap af naar het perron, en hij moest bijna kokhalzen van de lucht: een smerige melange van pis en dode dieren. De mensen stonden op een kluitje bij de gele streep, allemaal even nonchalant onder de misselijkmakende omstandigheden waarin ze zich bevonden.

Jenssen kon de discipline opbrengen om niet te reageren op de kleinste dissonant in zijn omgeving. Zoals altijd hielp visualisatie hem daarbij. Hij riep beelden op van het schitterende metrostation Rådhuset in Stockholm, met de roltrappen die vanaf de brede, schone perrons langs theatraal verlichte massief stenen wanden omhoogvoerden. Hij stelde zich voor dat hij vanuit Stockholm op bezoek ging bij zijn moeder Hadzeera in Malmö, die weduwe was.

Jenssen had zijn biologische vader nooit gekend. Zijn moeder had zijn stiefvader Jonas leren kennen toen die voor de vredesmissie van de VN in Srebrenica was. Enkele uren nadat Hadzeera voor dood was achtergelaten, verkracht door Servische soldaten, had hij haar aangetroffen. Haar zoontje van acht had ze opgedragen zich te verstoppen in de kast in de slaapkamer, onder een stapel kleding en dekens. Tegen beter weten in, en tegen het advies van zijn meerderen, was Jonas Jenssen verliefd geworden op de beestachtig behandelde alleenstaande moeder. Jenssen en zij hadden een onweerstaanbaar zorginstinct in hem opgeroepen. Zijn vader bekeerde zich tot de islam, uit medeleven en uit liefde. Het huwelijk zou echter nog geen twee jaar mogen duren: Jonas kwam om bij een auto-ongeluk toen hij na het vrijdagse gebed vanuit de moskee in Malmö naar huis reed. Dat was de dag dat Jenssen zich voornam voortaan de man te zijn in het leven van zijn moeder.

'Dit is je eerste keer in New York, hè?' zei DeRosier, om een gesprekje aan te knopen. Jenssen knikte maar ging er niet op in, zogenaamd geïnteresseerd in de komst van lijn 5, die met piepende remmen uit de tunnel onder Lexington Avenue uit kwam en stopte bij het perron.

Samen stapten ze in het drukke treinstel, waar ze op twee stoelen afstand van elkaar bleven staan. De passagiers wiegden zwijgend heen en weer. DeRosier gaf een knikje en de mannen stapten uit in East Eighty-sixth Street, de hitte weer in.

Jenssen keek naar de straatbordjes om zich te oriënteren. Links was het westen. DeRosier wilde stretchen, dus deed Jenssen voor de vorm mee, en hij gluurde om zich heen op zoek naar een volgwagen. En jawel, hoor: hij zag de andere rechercheur, Patton, aan de overkant van de straat in een ongemarkeerde auto zitten die dubbel geparkeerd stond. Op dat moment kwam DeRosier overeind en zei dat hij er klaar voor was.

Ze vertrokken in een drafje, zoals alle andere weekendjoggers op weg naar Central Park. Al na twee minuten begon Jenssens arm te kloppen achter het gips.

Toen hij in het keukentje van vlucht 309 het ontstekingsmechanisme uit Awaan Abdulraheems hand rukte, had de voorwaartse beweging in combinatie met de klap tegen de vloer een fractuur in zijn linker distale radius veroorzaakt. De lichte breuk vereiste niet meer dan stabilisatie. Jenssen had erop gestaan dat de arts die namens de burgemeester was gestuurd alleen zijn onderarm en de rug van zijn hand in het gips zette, met een zachte brug over zijn hand om de handpalm op z'n plaats te houden. Hij had ibuprofen geslikt om de zwelling tegen te gaan, maar de voorgeschreven pijnstillers had hij afgeslagen. De pijn was draaglijk.

Hij versnelde zijn pas; achter hem ademde DeRosier zwaar. Jenssen was in vijf minuten op Fifth Avenue. Hij jogde op de plaats bij het stoplicht en wachtte op de rechercheur. Even verderop zag hij de ongemarkeerde auto staan. DeRosier kwam hijgend aangelopen.

'Gaat het?' vroeg Jenssen.

DeRosier wuifde dat hij moest doorlopen, alsof het geen enkel probleem was.

Ze staken de vierbaansweg over en liepen tussen de stenen zuilen door die de ingang van het park markeerden. Daarachter waren twee hellende paden naar het waterreservoir, een links en een rechts. Jenssen voerde het tempo op en raadpleegde in gedachten de kaart die hij in zijn hoofd geprent had. Hij moest naar links. Twee keer keek hij om, en hij zag DeRosier achteropraken in de avondschemer.

'Wacht!' riep DeRosier, en hij zwaaide naar hem.

'Oké dan!' riep Jenssen terug, alsof hij het verkeerd begrepen had.

Hij rende verder over het linkerpad. Na de eerste bocht zette hij een sprint in; de beweging en het briesje voelden heerlijk na de afgelopen dagen van stilstand.

Zodra dat kon verliet hij het pad, en hij rende tussen de bomen door tot hij boven aan een helling bij een ander pad kwam. Ervan overtuigd dat hij DeRosier en Patton had afgeschud, minderde hij vaart om de aandacht niet te trekken, en hij jogde in gestaag tempo langs tientallen New Yorkers en energieke toeristen die een wandeling maakten.

De lus rondom het water was niet alleen ideaal voor hardlopers, maar bood ook een van de mooiste vergezichten van de stad, vooral 's avonds. De gekleurde lichtflitsen boven de bomen in het zuidwesten vertelden hem dat het vuurwerk begonnen was. Voetgangers bleven staan om ernaar te kijken, stelletjes hand in hand.

Jenssen rende door. Vóór hem maakten de gazons van het park plaats voor de wolkenkrabbers van midtown Manhattan. De verlichte monoliet die het Empire State Building vormde rees op vanuit het midden. Sinds de val van de Twin Towers had het de rol van het hoogste gebouw van New York overgenomen. Met ingang van morgenochtend, wanneer One World Trade Center officieel werd geopened, zou het Empire State Building weer op de tweede plaats komen.

Voor Jenssen was het spectaculaire uitzicht niet meer dan een geografisch aanknopingspunt terwijl hij om de enorme plas heen liep. Dit reservoir voorzag de bewoners van het eiland Manhattan niet langer van drinkwater. De watervoorziening was in 1997 uit bedrijf genomen vanwege de vatbaarheid voor een terroristische aanval. Nu stroomden de miljarden liters door het glinsterende gesteente naar andere vijvers in het park, via het granieten pomphuis aan de zuidkant.

Hij liep nog een paar honderd meter door en verliet toen het grindpad, deze keer tot hij bij een onverlicht pad aan zijn linkerhand kwam. Dat voerde hem over een hellend grasveld naar een ruiterpad vol dennennaalden, onder laaghangende takken. Jenssen volgde het pad zo'n tweehonderd meter en sloeg aan de zuidkant van het reservoir rechts af, bij het laaddek aan de achterkant van het Metropolitan Museum of Art.

Links van hem waren de voormalige stallen, die tegenwoordig werden gebruikt als opslagruimte voor de plantsoendienst. Jenssen dook weg in de schaduw tussen twee naast elkaar gelegen schuren. Vanaf die plek had hij goed zicht op de voorkant van het pomphuis, met de grote klok in de gevel.

Jenssen zag haar onmiddellijk, in silhouet. Zijn blik zocht de koerierstas aan haar schouder, die ze met haar elleboog stevig tegen zich aan drukte. Hij zag de contouren van haar rok. Zelfs van die afstand kon hij zien dat ze nerveus was. Wat logisch was – ze stond al een hele tijd te wachten. Haar blik ging van de klok naar de kleurenexplosies aan de westelijke hemel.

Jenssen liep naar de voet van de brede cementen trap die vanaf het ruiterpad omhoogvoerde. Ze was te dik, maar verder zag ze er volkomen onopvallend uit. Hij wachtte tot haar speurende blik hem had bereikt.

Haar hoofd ging naar rechts, langs hem heen, en toen weer terug. Ze had hem gezien. Jenssen knikte. Ze keek om zich heen, even een karikatuur van steelsheid. Jenssen trok een pijnlijk gezicht en wenkte haar.

Onzeker kwam ze de trap af, als een vrouw in een slechte buurt die haar handtas tegen zich aan drukt. Hij wachtte tot hij er zeker van was dat ze zijn kant op kwam en liep toen langzaam terug naar de schuren, waar hij wachtte tot ze hem zou volgen.

Hij stond klaar toen ze in het schemerdonker achter de schuur de hoek om kwam. Hier waren ze volledig aan het zicht onttrokken van het pad langs het water en het ruiterpad.

Ze kwam op hem af als een zondares, aarzelend, op zoek naar verlossing.

'*Assalamu alaiku*,' zei ze gedwee.

'*Walaidum assalam*,' luidde zijn reactie.

'Het spijt me,' zei ze, 'ik was erg nerveus door het lange wachten. 'En het vuurwerk...'

'U bent een bevoorrecht mens,' zei Jenssen, en hij draaide haar razendsnel om en sloeg zijn in gips gestoken pols om haar keel.

Jenssen was een forse kerel, en ze leek volledig te verdwijnen in zijn greep. Haar lichaam schokte en haar handen reikten naar het gips. Toen ze aan de gebroken pols rukte, trok er een gloeiende pijnscheut door hem heen. Hij hield stand en ze liet zijn arm los; haar handen graaiden in de lucht. En zo gaf ze zich aan hem over. Hij stelde zich voor dat ze naar de kleurenexplosies aan de verder donkere avondhemel keek.

Ze begreep wat er moest gebeuren en droeg zich over aan God.

Er ontsnapten gorgelende geluidjes aan haar mond. Haar handen vielen langs haar zij. Haar benen begaven het, haar lichaam werd slap onder zijn greep.

Hij hield haar in zijn greep tot hij zeker wist dat ze dood was, en toen legde hij haar op de grond. Hij liet de tas van haar schouder glijden en sleepte haar de donkere nis tussen de twee schuren in, helemaal door naar achteren.

Hij greep naar het gips; bij de wurging had hij zijn pols verdraaid. Met grote inspanning en veel pijn draaide hij hem terug. De pijn vlamde op en trok toen – langzaam – weg. Hij voelde dat er wat speeksel van de vrouw op het gips zat, maar verder niets.

Hij pakte haar tas op bij het hengsel en liep weg tussen de bomen door.

Jenssen viste een plastic tasje van Duane Reade uit een prullenbak en hield toen een taxi aan op Fifth Avenue. Het liefst had hij de veertig straten terug gelopen, maar hij moest zijn energie sparen. Hij liet zich voor Rockefeller Center afzetten en jogde de laatste tien straten terug naar het Hyatt.

Daar liep hij om naar de leveranciersingang, de afgelopen dagen het vertrekpunt van de auto's met De Zes erin. Een paar jonge monteurs keken terloops op, en toen een van hen Jenssen herkende, wenkte hij hem. Jenssen schudde de monteurs de hand en verontschuldigde zich voor het zweet. Niemand stelde vragen bij zijn komst. Hij nam de trap die ze al eerder hadden gebruikt, en de dienstlift naast de gastenliften, die zijn ingang aan de zijkant had.

Jenssen betrad de zesentwintigste verdieping met het tasje in zijn hand, en hij knikte naar de agent die op een stoel aan het begin van de gang zat.

De gang was verlaten. Hij was erin geslaagd eerder terug te zijn dan de rechercheurs. Jenssen glipte snel langs de ontvangstsuite, zodat niemand hem binnen zou roepen. Alleen Frank was er, de journalist. Hij zat druk te typen op zijn laptop.

Jenssen viste zijn kamersleutel uit zijn bezwete sok, stak hem in de gleuf en wachtte op het groene lampje en de klik.

Achteraan in de gang ging een deur open. Jenssen verstarde even; hij kon niet anders dan zich omdraaien.

Het was rechercheur Gersten, die een karretje van roomservice de gang op reed.

Ze stond drie paar deuren verderop. Jenssen moest haar wel groeten. Hij zwaaide met zijn sleutelkaart.

'Fijn gelopen?' vroeg ze.

'Ja, lekker.'

'Bakte DeRosier er wat van?'

'Ik zal het vragen als hij terugkomt.'

Ze moest lachen, en Jenssen liep zijn kamer in – maar niet voordat de rechercheur haar blik had laten vallen op het witte plastic tasje dat aan zijn gipsen pols bungelde.

Jenssen deed de deur achter zich dicht. Zijn gezicht vertoonde woede, maar hij stond zichzelf geen verdere uiting van die emotie toe. Snel borg hij het tasje op in zijn hotelkluis, waarna hij terug de gang op glipte – stil en verlaten nu – om zo snel mogelijk weer zijn medewerking en aanwezigheid te tonen.

Hij was aan zijn tweede flesje water bezig en stond wat stretchoefeningen te doen toen de rechercheurs DeRosier en Patton de ontvangstsuite binnenkwamen. DeRosier transpireerde flink, en Patton keek kwaad. Jenssen vroeg zich af of Gersten hen had gebeld na hun gesprekje op de gang.

'Wat is er gebeurd? vroeg DeRosier.

'Niets,' zei Jenssen quasiverbaasd.

'Waarom heb je niet gewacht?'

'Had ik moeten wachten? Waarom liep je niet mee dan?'

DeRosier pakte een flesje water. 'Ik kon je niet bijhouden.'

'Wel een mooie avond, hè?' zei Jenssen.

'Nee,' antwoordde DeRosier tussen twee slokken door.

Misschien had Gersten hen toch niet gebeld. Misschien had ze niets achter het tasje gezocht. Jenssen moest haar voor alle zekerheid maar veel aandacht blijven schenken.

Fisk schrok wakker van zijn wekker.

Alleen lag hij niet in bed. Hij was weggedommeld achter zijn bureau.

Shit.

En… het was niet zijn wekker die rinkelde. Het was zijn telefoon.

Hij stond op en schudde de nevel van zich af. Het voelde alsof hij uren had geslapen, maar zonder het bijbehorende verkwikkende effect.

Hij keek hoe laat het was. Er waren misschien twintig minuten verstreken sinds hij zijn hoofd had neergelegd.

Hij nam de telefoon op voordat de voicemail werd ingeschakeld.

'Hé, met Reg. Wat een topdag.'

Reg was NYPD-agent, aangesloten bij de Joint Terrorist Task Force.

Fisk zei: 'Het was mazzel. Met dank aan de NSA.'

'Nee, ik heb gehoord dat jullie hem al op het spoor waren. En daar bel ik over. We hebben de telefoon van de man met de bom bekeken. Plaatselijke provider, en dat is vreemd voor een kunsthandelaar uit Saoedi-Arabië. Geen abonnement met internationale dekking.'

Fisk zei: 'Hij had een mobiel en een abonnement op zijn naam. Toch gaf de gps zijn locatie niet aan. Die optie zal hij wel uitgeschakeld hebben. Het was in ieder geval niet het toestel waarmee hij het land in is gekomen.'

Reg zei: 'Hij heeft eerder vandaag nog een keer gebeld, voordat hij om inlichtingen vroeg bij Saudi Air. Van mobiel naar mobiel. Het nummer staat op naam van ene Kathleen Burnett, factuuradres in Bay Ridge. Ik dacht, ik geef het even door, misschien wil je meerijden.'

Fisk liet het even bezinken. 'Bay Ridge? Wie is die vrouw?'

'Dat weten we nog niet. Doorsneenaam, maar in Bay Ridge is geen telefoonabonnement te vinden van Kathleen Burnett. Het is dus heel vers. Ik moest de telefoon eerst scannen op boobytraps. We zijn ermee bezig.'

Fisk zei: 'Mail me het adres. Ik zie je daar.'

Achter de dubbel vergrendelde deur van zijn hotelkamer deed Jenssen de dikke, zware gordijnen dicht. Hij liep alles nog een keer grondig na: de lampen, de telefoon, de rookmelders aan het plafond, alles waar een camera of geluidsopnameapparaat in geïnstalleerd zou kunnen zijn tijdens zijn afwezigheid. Ogenschijnlijk was er nergens mee geknoeid.

Hij maakte het kluisje open en haalde de tas tevoorschijn. Over minder dan twee uur zouden ze komen. Het zou verdacht zijn als hij niet naar de borrel in de hotelbar ging; dat zou in dit stadium niet verstandig zijn. Hij kon hen nog even tegenhouden, en dat was nodig ook. De tijd was van het grootste belang.

Na maanden planning en trainen, en geheimzinnigheid die levens had gekost en tot overwinning had geleid, was zijn uur van actie aangebroken. Jenssen was de top van een heilige piramide die was ontstaan toen Osama bin Laden begon aan een triomftocht uit naam van de islam en het wahabitisch kalifaat. Zijn offer diende het belang van de missie en versterkte de toewijding van degenen die werden opgeroepen om deze te voltooien.

Jenssens belangrijkste zorg was de bescherming van de explosieven. Hij haalde eerst het langwerpige pakketje tevoorschijn en wikkelde het huishoudfolie en het vetvrije papier eraf. Het TATP-explosief dat tevoorschijn kwam was kneedbaar, en zo te zien op de juiste manier bereid. Hij had met het materiaal geoefend en was er vertrouwd mee. Het kon – zeer behoedzaam – in iedere gewenste vorm worden gekneed.

Snel bekeek hij de rest van de spullen in het Duane Reade-tasje: alles wat de vrouw had meegebracht. Hij bestudeerde de hersluitbare zak met gips geïmpregneerd verbandgaas. Als hij dat natmaakte, kon hij het gips om zijn pols vervangen.

Daarna kwam er een doos met opgerolde katoenen watten uit de tas.

En een vel dun plastic van zo'n dertig bij dertig centimeter. In de juiste vorm geknipt kon het gebruikt worden als scheidswand tussen het explosief en het gaas. Het nieuwe gips om zijn pols zou de eerste uren vochtig blijven, maar als het TATP nat werd, zou het explosief de helft van zijn potentiële kracht verliezen.

Vervolgens kwam er een balletje uit de tas, verpakt in tissuepapier, waaruit een soort antenne stak. De raketontbrander.

En een draadloze afstandsbediening ter grootte van een blikje sardines.

Alles wat hij nodig had.

Hij kleedde zich uit en gooide de sportkleding in een hoek van de kamer. Toen liep hij naar de badkamer en zette de plafondventilator en de douche aan. Vervolgens haalde hij het scherpe steakmes dat hij tijdens hun lunchinterview achterovergedrukt had tevoorschijn uit zijn schuilplaats onder de wastafel en sneed het gips ermee open. Hij wurmde zijn arm eruit. De harde binnenkant liet zich makkelijk opensnijden, maar de blauwe buitenlaag was lastiger. Zijn pols deed pijn toen hij zich er fanatiek op stortte.

Waar ze niet op hadden gerekend, was de kleur van het gips. Jenssen had om wit gevraagd, maar de orthopeed had alleen blauw bij zich gehad. Daar moest hij nog iets op verzinnen.

De blauwe schilfers belandden op de toilettafel terwijl Jenssen daar stond te zagen; hij sneed zes of zeven keer in zijn onderarm, maar het bloedde nauwelijks. Toen hij de helft had opengesneden, legde hij het gips op de rand van de wastafel en duwde er hard op.

Het enige resultaat was pijn.

Jenssen voelde het omhulsel enigszins meegeven, dus hij pakte een schone katoenen handdoek en propte die in zijn mond. Hij legde de open naad van het gips tegen de scherpe rand van de wastafel, telde tot drie en ramde er met zijn volle gewicht tegenaan.

Het gips brak met een schrikbarend gekraak open. Jenssens kreet werd gedempt door de handdoek, die hij na een korte periode van ondraaglijke pijn op de grond spuugde.

Zijn pols klopte. Hij was bang dat hij het bot opnieuw gebroken had en er weer een zwelling zou optreden. Hij vouwde zijn hand eromheen en hoopte in stilte dat het lawaai van het brekende gips niet de aandacht had getrokken.

Jenssen dacht terug aan de arts die hij had bezocht in de uren voor het vertrek van vlucht 903. Die had zijn arm vlak onder de schouder afgebonden, waarna hij binnen een paar minuten gevoelloos was geworden. De dokter – aangenomen dat de man inderdaad arts was – had zijn dode arm opgetild en op een zware werkbank gelegd, de hand losjes over de rand bungelend. 'Kijk maar niet,' had de dokter gezegd, met een duidelijk waarneembare glimlach achter zijn brillenglazen. Misschien was de man in werkelijkheid wel een ervaren folteraar geweest. Jenssen had zijn hoofd afgewend en zijn ogen dichtgedaan. Hij hoorde gekraak en voelde de werkbank schudden. Maar hij voelde niets. Met een injectienaald werd hij plaatselijk verdoofd – ook daar voelde hij niets van – en een paar minuten later, toen zijn vingers dik en rood waren, werd de tourniquet waarmee zijn arm was afgebonden losgemaakt. Door het inktzwarte vooruitzicht van de pijn baadde hij in het zweet, maar zodra zijn arm niet meer sliep deed de verdoving goed zijn werk. Hij kreeg ontstekingsremmers tegen de zwelling, en zijn mouw werd voor hem omlaag gerold en netjes dichtgemaakt. Toen liep hij naar de auto die hem naar het vliegveld zou brengen.

Nu, zodra de hernieuwde pijn enigszins was gezakt, pakte Jenssen de prullenbak, dumpte het kapotte gips erin en veegde de blauwe schilfers van de wastafel. Hij stapte onder de douche en waste zich voorzichtig maar snel. De waterstralen deden pijn op zijn opzwellende linkerpols.

Hij leidde zijn aandacht af van de pijn door in gedachten de komende uren te oefenen. Hij streepte diverse potentiële rampen af die het plan in de war konden sturen; als hij ze zag aankomen, kon hij zich erop voorbereiden en ze voorkomen.

Ik ben veilig vermomd, hield hij zichzelf voor. Ik zal niet falen.

Insha'Alla.

Fisk had als Intel-agent aardig wat tijd doorgebracht in Bay Ridge. De straten waren er al net zo dorps als in de andere buitenwijken van New York. Een licht avondbriesje vanaf de Verrazano Narrows was het enige wat verlichting bracht in de hitte. Deze uithoek van Brooklyn had grote golven Ieren, Italianen en Noren getrokken – en de laatste tijd ook Arabieren.

Het adres lag op slechts een kwartier rijden – met zwaailicht en sirene – in een buurt die de laatste tijd 'Klein Palestina' werd genoemd. De JTTF belde vooruit naar het bureau in Sixty-eighth Street, dat twee wagens had klaarstaan op de hoek van Seventy-ninth en Shore Road, één straat verderop. Zonder toeters en bellen. Geen afgezette straten, maar indien nodig waren ze paraat. Reg bracht zijn eigen team mee: vier man tactisch met SWAT-training in volledige wapenrusting, twee FBI-agenten en een taalspecialist.

De locatie was een herenhuis dat was opgedeeld in appartementen. Er brandde licht op de begane grond en op de tweede verdieping. De voordeur was niet op slot. Volgens het naamplaatje beneden woonde op de tweede verdieping ene 'bint Mohammed' en geen Burnett.

Fisk bleef wachten terwijl Reg en de FBI-agenten samen met de taalspecialist de drie deuren op de begane grond langsgingen en er aanklopten, en daarna die op de eerste en tweede verdieping. De enige die moeilijk deed was een oudere vrouw die weigerde ongesluierd naar buiten te komen. Nors ging ze op de stoep voor haar huis bij de andere gezinnen zitten, en ze keerde de FBI- en politiemensen demonstratief de rug toe.

Reg vroeg aan Fisk: 'Wat denk je? Slot openpeuteren of deur intrappen?'

Fisk zei: 'Als ze thuis is, weet ze waarschijnlijk al dat we er zijn. Bin-Hezam wilde zelfmoord-door-de-politie en zijn wens is verhoord. Intrappen dus. En hard.'

Reg gaf het teken en het vier koppen tellende team ging de trap op in gevechtsformatie, ineengedoken, twee aan twee. Ze slopen over de houten vloer; bevelen werden geluidloos gegeven. Fisk en Reg en een van de FBI-agenten bleven één verdieping achter, de taalspecialist wachtte buiten op de stoep met de andere FBI-agent.

Bij de deur van het appartement op de tweede verdieping haalde een van de mannen van de tactische eenheid de zware stalen buis die hij bij zich had van zijn rug en pakte die beet bij de handvatten. Een andere man richtte voor de zekerheid een 12-kaliber geweer op de scharnieren en telde geluidloos af.

De politieman haalde uit met de stormram en raakte de grendel boven de deurknop. Het slot en de deurstijl versplinterden en de deur zwaaide open.

De drie andere mannen renden naar binnen. Binnen de kortste keren hadden ze het appartementje doorzocht. De vierde agent seinde Reg in. Niemand thuis.

Het team deed de lichten aan. De grootste zorg waren nu boobytraps. Pas toen ze zich ervan hadden verzekerd dat er geen struikeldraden waren aangebracht mochten Fisk en Reg naar binnen.

Reg liep meteen door naar de stapel post die op een bureautje in een hoek lag. Fisk ging naar de slaapkamer.

Daar, over de rug van een rechte stoel, naast een eenpersoonsbed waarop een sprei in paisleymotief lag, hing een blauwe boerka. De slaapkamer was netjes als een kloostercel. Aan de voet van het bed lag een sleets rood gebedskleedje, keurig opgevouwen.

Fisk pakte zijn telefoon en belde Intel. Hij bedacht dat hij moest weten hoe haar naam gespeld werd, en hij liep de kamer uit en voegde zich bij Reg.

'Log in op de database van het stadsarchief,' zei hij tegen de agent die opnam. Hij spelde de naam 'Kathleen Burnett' met haar telefoonrekening in de hand en las vervolgens van het etiket op een catalogus 'Aminah bint Mohammed'. 'We nemen aan dat ze haar naam veranderd heeft, maar we hebben bevestiging nodig dat het om dezelfde persoon gaat. Ik moet zo snel mogelijk een foto hebben.'

Hij hing op en ging op zoek naar foto's. Het eenpersoonsbed en de spartaanse inrichting duidden op iemand die alleen woonde, en zulke mensen pronken zelden met foto's van zichzelf in huis.

In de voorkamer, tussen twee grote fauteuils die voor een kleine flatscreentelevisie op een roltafeltje stonden, bekeek hij de enige boekenplank. Korans in het Engels en het Arabisch en een foto van een man en een vrouw die in formele kleding naast een Buick uit de jaren tachtig stonden. Haar ouders. Waarschijnlijk inmiddels overleden.

Twee ramen, waarvan er een zo'n twintig centimeter openstond. Een stapel nieuwsbrieven in het Arabisch, en wat kranten. Reg startte een kleine laptop op en stak de stekker in het stopcontact. Hij vroeg: 'Wat denk je? Vriendin? Tussenpersoon?'

Fisk draaide langzaam een rondje om het allemaal in zich op te nemen. Toen liep hij naar de keuken. Geen vaatwasser, een afdruiprek op het aanrecht. Tafelmodel koelkast.

De Speciale Eenheid bevestigde een dik elastiek aan de deur, ging om de hoek staan en trok vanaf daar de koelkastdeur open. Geen knal. Toen Fisk erheen liep, wenste hij dat hij handschoenen had aangetrokken. Hij trok zijn mouw over zijn vuist en schoof een paar potjes yoghurt en een doos dadels opzij.

Twee lege glazen weckpotten. Hij bukte en probeerde door het koelkastrek heen naar de bovenkant te kijken. Er zaten restjes van een witte korst langs de randen.

Hij stuurde iedereen achteruit. Tegen Reg zei hij: 'Laat onmiddellijk een hond komen.'

Gips aanbrengen om de arm van een ander was relatief eenvoudig. Gips aanbrengen bij jezelf was net zo moeilijk als met één hand een operatie uitvoeren. Jenssen had er echter herhaaldelijk op geoefend – maar slechts één keer met een echt explosief. En nooit met een gebroken pols.

Hij ging dicht tegen de tafel aan zitten. Zijn opgezette arm zag rozegrijs, als dode huid die is bewerkt met fijn schuurpapier. Hij wreef er voorzichtig over en gunde zichzelf een moment van jeukverlichting, dat werd getemperd door de pijn in zijn pols en de verse korsten op de sneetjes van het steakmes.

Het zou drie uur duren voordat het nieuwe gips volledig uitgehard was. De eerste keer dat hij het had geprobeerd, had hij het verbandgaas te strak aangebracht, en hij had de pijn nog geen uur volgehouden voordat hij het gips losrukte. Nu waren zijn pols en zijn onderarm dik en toch al gevoelig, dus hij wist dat hij voorzichtig moest zijn.

Maar aan de andere kant: hij zou de kloppende pijn maar een paar uurtjes hoeven doorstaan.

Jenssen begon met het gevaarlijkste moment. Hij wikkelde de rol TATP af en hield die in zijn goede hand. Bij het oefenen had hij speelgoedklei van soortgelijke consistentie gebruikt, en één keer een professioneel gemaakt stevig stuk echt TATP. Wat hij hier nu had, was zachter en kleveriger. Het plakte aan zijn vingers.

Hij zette alle gedachten uit zijn hoofd en ging aan de slag. Eén foutje kon met een enorme klap een einde maken aan maanden van voorbereiding en toewijding door velen.

Met beide handen, maar voornamelijk met links, kneedde hij het halve pond witgrijs explosief. Hij rekte het op tot het grofweg de lengte had van zijn duimgewricht tot halverwege zijn elleboog. Te veel knijpen met zijn linkerhand leverde een stekende pijn op, en hij hield even op, wachtte tot hij wat tot rust was gekomen, concentreerde zich weer en ging door.

Met de muis van zijn goede hand drukte Jenssen voorzichtig en geduldig het explosief plat tot het ruim een halve centimeter dik was. Hij had gezien wat het TATP kon aanrichten, tot ontploffing gebracht met een geweerschot in een verlaten schuur in een Zweeds weiland. Hij kromp in elkaar bij de herinnering aan de versplinterde muren en de enorme vlammenzee; zijn lijf voelde weer de schokgolf van 250 meter afstand.

Hij was nu halverwege.

Het explosief scheidde vocht uit toen Jenssen het kneedde. Daar had hij niet op gerekend. Het mengsel was natter dan hij had verwacht, en het spul dat eruit kwam rook naar chemisch zweet.

Wilde dat zeggen dat het niet goed was? Instabieler? Minder effectief? Hij vroeg zich af of de vrouw in Central Park het had gemaakt. Had ze dit spul in haar keuken bereid alsof ze een cake bakte, en daarbij misschien een van de ingrediënten verkeerd afgewogen?

Daar kon hij zich nu niet druk om maken. Hij ging verder met het kneden van het TATP en gebruikte de tissues die in de badkamer hingen om het vocht op te deppen. Wat daarstraks nog een broodje was geweest, niet groter dan een kartonnen toiletrolletje, was nu een uitgerolde lap die straks de muis van zijn hand, zijn pols en het eerste deel van zijn onderarm zou bedekken.

Jenssen nam even pauze om de tafel schoon te maken. In de badkamer gooide hij koud water in zijn gezicht.

Vervolgens pakte hij de katoenen watten en wikkelde een dun laagje om zijn tintelende arm, dat hij vastzette met een stalen clipje. Hij zou bijna de vellen plastic vergeten, en hij stond op om ze uit zijn koffer te pakken. Ze waren bedoeld om de geur van het explosief te maskeren voor het geval er honden zouden worden ingezet. Toen legde hij zijn in watten gewikkelde arm op tafel, met de palm naar beneden, en met zijn goede hand pelde hij langzaam het vel explosief van het tafelblad. Het kwam niet zo makkelijk los als hij had gedacht. Hij vouwde het TATP om zijn linkeronderarm en voelde dat de watten werden ingedrukt. Toen werkte hij de lap bij met de losse stukjes die nog op tafel lagen.

Hij transpireerde, maar hij had niets bij de hand om zijn voorhoofd af te vegen. Op zeker moment schudde hij hevig zijn hoofd, en het zweet vloog in het rond. Jenssen pakte de twee ontbranders uit de koerierstas. Zorgvuldig legde hij de antennedraadjes langs de rand van het explosief en drukte ze aan, het ene bij de muis van zijn hand en het tweede aan de andere kant. Hij duwde ze voorzichtig maar wel stevig naar beneden, zodat ze niet zouden beschadigen, maar wel zo plat mogelijk tegen zijn arm lagen.

Het zag er goed uit. Nu het plastic. Het dunne vel paste mooi om zijn onderarm. Dat was nodig om het explosief gescheiden te houden van het natte, met gips doordrenkte verbandgaas. Hij haalde het uit de ijsemmer en schudde het overtollige water eraf.

Dit gedeelte was cruciaal om straks kritische blikken te kunnen doorstaan. Hij begon bij zijn hand en wond het gipsverband er in hetzelfde patroon omheen als hij met de watten had gedaan. Hij maakte een greep rond zijn handpalm zoals bij het vorige gips, en al wikkelend bracht hij de lagen resterend gaas aan, steeds overlangs en onderdoor, van de ene kant van zijn arm naar de andere.

Hij lette er zorgvuldig op niet te pietluttig te werk te gaan en het gaas niet te strak aan te brengen. Het hele proces kostte hem een half uur. Zijn aanvankelijke teleurstelling – het witte gips leek nogal hobbelig – maakte plaats voor vertrouwen toen hij zijn werk in de spiegel had aanschouwd. Het provisorisch vervangen gips lag gelijkmatig om zijn arm heen. De komende uren zou het uitharden. Op dit moment voelde het niet te strak of te los.

Toen werd er op zijn deur geklopt. Hij slikte een keer om de hoorbare spanning uit zijn stem te weren. 'Ja?'

'We gaan naar de bar.' Het was de stem van de journalist, al onvast van de drank. '*Party time*! Kom mee, Magnus!'

Overdreven familiair, zoals dat ging bij mensen die veel dronken. 'Ik moet me nog omkleden. Ik kom zo.'

'Als je niet komt, zullen we het feestje naar jouw kamer moeten verplaatsen!'

Dat was precies wat Jenssen niet wilde. Hij hoorde Frank wegklossen door de gang. Het oorspronkelijke plan had ruimte gelaten voor een of twee medehelden die zich bij hem zouden voegen, het liefst na afloop. Niemand had verwacht dat vier andere passagiers zich in de strijd zouden mengen. Jenssen had zichzelf voorgehouden dat dat grotere aantal juist veiligheid bood, want hij was mooi opgegaan in de groep, maar nu zat hij wel opgescheept met hun opgeblazen ego's.

Eerlijk gezegd viel het niet mee om met stromannetjes te converseren en hen als gelijken te behandelen.

In de stilte die volgde, hoorde Jenssen de geluiden van de straat opstijgen naar zijn raam. Claxonnerende auto's, hydraulische busdeuren en een sirene in de verte. Het ventilatiesysteem van het hotel sloeg automatisch aan en blies hem koude lucht toe vanuit een rooster boven de deur. De geluiden van het leven.

Hij beroerde de afstandsbediening. De bom die hij zojuist in zijn gips had ingebouwd zou een microseconde na ontbranding ontploffen en iedere centimeter van zijn lichaam in het rond slingeren, en zou alle levende wezens binnen een straal van vijftig meter uitroeien. Hij zou niets anders voelen en horen dan Gods genade. Er waren veel ergere manieren om dood te gaan.

Op dat tijdstip, om elf uur 's avonds, zat de Lounge at New York Central – de officiële naam van de bar op de eerste verdieping van het Hyatt, die vanuit de gevel uitstak boven Forty-second Street, naast de ingang van Grand Central – vol met theaterbezoekers die een slaapmutsje kwamen nemen.

Het hotel had de hoek rechts achterin gereserveerd voor de helden, en de rekening zou naar de burgemeester gaan. Op de hoektafel stonden antipasti, garnalen en schalen frites. De pr-dame was net lang genoeg gebleven om één glas chablis te drinken. Ze had samen met Maggie en Aldrich lopen kraaien over het vuurwerk, maar toen had ze een sms gekregen en was ze abrupt vertrokken.

Gersten kwam binnen, bevrijd van haar taak om urenlang in politiejargon te noteren wat er de afgelopen achtenveertig uur was gebeurd. DeRosier dronk cola light en had spierpijn van het hardlopen. Patton deed ruig met een O'Doul's onder diensttijd.

Gerstens aandacht ging eerst uit naar Colin Frank, de journalist die wodka-met-iets dronk terwijl hij knie aan knie verdiept was in een gesprek met de zeer aandachtige – en strijdlustig geklede – Joanne Sparks. Gersten vroeg zich af hoe dat zo gekomen was, maar ze bedacht dat het waarschijnlijk Sparks' manier was om Jenssen in verlegenheid te brengen.

Als dat zo was, dan had het niet de gewenste uitwerking. Jenssen zat aan het uiteinde van de bar met een glas mineraalwater met een schijfje limoen. Maggie Sullivan, zijn andere affaire, zat te lachen met een onbekende man en keek met een half oog naar de Yankees-wedstrijd op de televisieschermen boven hen.

Aldrich dronk bourbon met ijs en was in gesprek met De Rosier en Patton. Het was een gemoedelijke kerel, vooral na twee drankjes, en hij praatte graag over auto-onderdelen. Nouvian zat naast Jenssen en dronk een van de huiscocktails, maar zo te zien hadden ze elkaar weinig te vertellen.

Maggie excuseerde zich beleefd bij de vreemdeling en kwam naar Gersten toe gelopen. 'Eindelijk ben ik een van de populairste meisjes op het schoolfeest!' fluisterde ze lachend.

'Loop niet te hard van stapel, meid,' zei Gersten.

Maggie wapperde zichzelf koelte toe. 'Het is een emotionele achtbaan. Ik weet zelf niet wat ik ervan moet denken.' Ze nam een slokje van haar whisky-Seven Up. 'Ik heb vandaag de president ontmoet!' jubelde ze. 'Deze hand.' Ze keek naar haar hand. 'Wie ben ik ook alweer?'

Zij was degene die Gersten het meest zou missen. Misschien wel de enige die ze zou missen. Ze was altijd volledig zichzelf, en het vrolijkst van allemaal. Gersten overwoog om dat tegen haar te zeggen, maar dit was daar niet het geschikte moment voor – en niet de juiste plek.

Maar Maggie leek Gerstens waardering aan te voelen, en ze sloeg een arm om haar heen. 'Leuk om jullie nu eens gewoon als mensen te zien.'

Patton nam de laatste slok van zijn alcoholvrije bier. 'Vanavond is er rust in de tent.'

Gersten knikte glimlachend, zoals van haar werd verwacht. Maar Fisks verdenkingen drukten zwaar op haar gemoed. Ze nam een slokje water en verlangde naar iets sterkers. Hopelijk zou Fisk zo komen.

'Mensen!' Maggie vroeg de aandacht met het gemak van iemand die, als stewardess, al haar hele volwassen leven gewend was om vreemden beleefd maar dringend instructies te geven. 'Ik wil even proosten op de fijne mensen die de aflopen twee krankzinnige dagen alles van ons hebben geslikt. Op jullie gezondheid!'

'Proost!' zei Frank vanuit zijn verre hoek, en hij streek met zijn vrije hand over Sparks blote knie.

Aldrich stond op, onvast op zijn benen. 'En op hun collega's, die vandaag die terrorist overhoopgeknald hebben.'

'Op alle helden overal!' juichte Maggie.

'Helden,' herhaalden de anderen met geheven glas.

Jenssen ving Gerstens blik toen de glazen weer werden neergezet. Hij proostte naar haar alleen.

Gersten knikte naar hem en liep naar de lobby, om nog een keer te gaan kijken of ze Fisk zag.

De buren van Aminah bint Mohammed spraken in gloedvolle bewoordingen over haar. Plichtsgetrouw en rustig. Ze had verteld dat ze verpleegster was, en toen een van de buren zich een paar maanden geleden had gesneden aan een keukenmes, had zij de wond gedicht. Maar ze was al zeker een jaar niet meer op vaste tijden de deur uit gegaan om te gaan werken, zeiden ze.

Nee, ze hadden nooit verdachte mannen in haar buurt gezien. Aminah ontving nooit gasten, ook geen vrouwen.

Fisk nam in overweging dat de buren niet blij waren met hun bezoek en dat ze een negatief beeld hadden van de politie, en toch geloofde hij dat ze de waarheid spraken. Geen van hen had ooit van Kathleen Burnett gehoord.

De foto op haar verlopen rijbewijs, uitgegeven in Massachusetts, toonde een ongesluierde Amerikaanse vrouw met bruin, misschien roodbruin haar en een lachend, niet erg knap gezicht. Op haar New Yorkse rijbewijs, onder haar moslimnaam, prijkte een geforceerd lachende, iets dikkere vrouw met korter haar. Het was om voor de hand liggende redenen niet toegestaan om op pasfoto's een sluier te dragen.

Hij mailde de meest recente foto naar Intel en bereidde een opsporingsverzoek voor. Hij twijfelde of hij Dubin rechtstreeks zou bellen, en besloot het uiteindelijk te doen.

Scheikundigen van de technische recherche zouden de weckpotten meenemen en onderzoeken. Fisk was weer in het appartement van Bint Mohammed. De uitputting en de chaos begonnen hun tol te eisen en maakten dat hij zich voelde alsof hij droomde. Aan de ene kant had hij het gevoel dat ze ieder moment kon binnenkomen. Aan de andere kant vroeg hij zich af of er nu ergens een onopvallende blanke vrouw rondliep die handelde namens Al Qaida.

Aldrich was zo verstandig om niet veel later de bar te verlaten; hij strooide met glimlachjes, deelde schouderklopjes uit en schudde handen – en hij sloeg min of meer wartaal uit. DeRosier liep met hem mee de trap af en hield hem bij de arm, klaar om de wankelende bejaarde op te vangen toen hij slingerend naar de liften liep.

Gersten zag dat Jenssen steeds naar haar gluurde via de spiegel achter de bar. Ze verdacht hem ervan alleen voor haar te blijven. Een hele eer, maar ook een beetje raar. Ze had nog niets van Fisk gehoord. Toen Nouvian wegliep omdat hij werd gebeld – 'Hallo schat' zei hij toen hij Gersten passeerde – liep ze naar de andere kant van de bar, waar Jenssen zat.

Aan de tafel waar het eten stond viste ze een paar harde stukjes frites van de schaal die waren overgebleven, als peuken in een vieze asbak.

Ze voelde Jenssens blik. Waarom zou ze het spelletje niet meespelen?

Ze liet zich op de stoel naast hem glijden. Daar had ze beter zicht op de straat beneden, wat goed uitkwam als Fisk zou aankomen.

'Geen alcohol?' vroeg ze, en ze hield haar glas water omhoog om het te laten bijvullen door de ober.

Jenssen lachte en liet het ijs in zijn glas rinkelen. 'Puur vergif. Heb jij ook een geldige reden?'

'Strikt genomen heb ik nog dienst.'

'O? Moet je ons in de gaten houden?'

'Ik ben nog steeds de leidster van het schoolkamp. Hebben jullie dat in Zweden ook, schoolkamp?'

'Ja, hoor.'

Er werd een nieuw glas water voor haar neergezet. 'Drink je helemaal nooit alcohol? Een volledig onbespoten bestaan?'

'Zeg nooit nooit.' Hij lachte. 'Maar over het algemeen vind ik het een zinloze complicatie.'

Gersten gluurde even naar het hoekje waar Frank en Sparks nu openlijk zaten te flikflooien.

'Precies,' zei ze glimlachend. 'De wereld is al ingewikkeld genoeg.'

Ze ging verzitten en raakte per ongeluk zijn knie aan. 'Sorry, sorry,' zei ze. Ze schoof haar stoel een paar centimeter naar achteren om te voorkomen dat het nog een keer zou gebeuren. Daarbij voelde ze een natte plek op haar bovenbeen, en eerst dacht ze dat ze water had geknoeid. Maar dat kon niet, haar been zat onder de bar.

'Voel jij daar ook iets?' vroeg ze, en ze bukte om onder de bar te kijken. Ze zag dat Jenssen zijn arm op zijn bovenbeen had gelegd; de mouw van zijn overhemd was over het gips heen geschoven en de knoopjes waren gesloten. 'Volgens mij lekt er iets.'

'Ik denk dat het mijn gips is,' zei hij, en hij haalde zijn arm half tevoorschijn om ernaar te kijken. 'Ik mocht douchen met plastic eromheen. Ik heb er een tasje van de drogist omheen gedaan, maar blijkbaar is de boel toch nat geworden.'

'O jee,' zei ze. 'Dat klinkt niet goed.' Ze probeerde de arm te bekijken, maar hij hield hem beschermend onder de bar. 'Zal ik een paar telefoontjes voor je plegen? Misschien kan er vanavond nog iemand naar kijken, of anders morgenvroeg.'

'Nee, hoeft niet. Het blijft wel zitten tot na de plechtigheid morgen.'

Gerstens telefoon trilde op haar heup. 'Weet je het zeker?' vroeg ze. 'Het ziet er geïrriteerd uit.' Hij hield zijn arm in een rare stand, bijna verstopt onder de bar. Misschien schaamde hij zich ervoor.

'Het is wel gevoelig, maar dat gaat wel over als het gips droog is.'

Gersten keek op haar telefoon. Fisk, eindelijk. 'Ogenblikje,' zei ze, en ze stond snel op. 'Ik moet even opnemen.'

Ze liep de trap af die uitkwam in een gangetje bij de toiletten en zocht daar een rustig plekje op.

'Hé,' zei ze. 'Waar zit je nou, man?'

'Zit je stevig?'

'Nee. Wat is er?'

Hij vertelde haar over de inval in het appartement in Bay Ridge.

'Heeft zij de explosieven van Bin-Hezam gemengd?' vroeg Gersten.

'Daar lijkt het wel op. Maar waar is ze nu? En hoeveel méér van dat spul heeft ze nog?'

Gerstens hoofd tolde. 'Misschien was dat telefoontje naar Saudi Air... voor haar bedoeld?'

Fisk zei: 'Er is daar niemand op het laatste nippertje ingecheckt die ook nog contant betaald heeft. Dat heb ik al nagetrokken. Die vlucht is inmiddels vertrokken. Ze was niet aan boord.'

Gersten drukte met haar vrije hand haar andere oor dicht om Fisk beter te kunnen verstaan. 'Maar je hebt een foto. We hebben dus haar gezicht.'

'We hebben een gezicht, we hebben twee namen, een burgerservicenummer en een flat vol vingerafdrukken. Maar... we weten niet waar ze is.'

Gersten schudde het hoofd. Ze draaide zich om en speurde de lobby af. 'Dus ik moet nu uitkijken naar een blanke vrouw...' Ze dacht aan de open ligging van de hotelbar, die met zijn glazen wanden en glazen vloer vol in het zicht boven Forty-second Street uitstak. Als er nu een vrouw met een rugzak vol TATP beneden op de stoep stond...

'Ik zal proberen De Zes weg te sturen, of degenen die nog over zijn.'

'Zit je nog in de bar?' vroeg Fisk.

'Ja,' zei ze. 'Op jou te wachten.'

'Oei,' zei hij. 'Dat zit er nu niet in.'

'Geeft niet, je moet werken.' Toen ze omkeek naar de bar, zag ze Frank en Sparks samen het trapje naar de liften af lopen. Sparks zag dat Gersten stond te bellen en wierp haar een onmiskenbaar vernietigende blik toe, waardoor Gersten zich afvroeg: waar was dat nou goed voor?

'Ik moet die foto zien.'

'Als het goed is, zit het opsporingsverzoek al in je mailbox.'

'Dus ze is een bekeerde fundamentalist. Misschien een geradicaliseerde slapende cel? Huurmoordenares?'

'In dat geval heeft ze het hier goed verborgen weten te houden. De hele buurt denkt dat ze een vriendelijk kattenvrouwtje is, maar dan zonder katten – geen kat maar jihad. Ze is erbij betrokken, dat is het enige wat we zeker weten. In welke mate? Die informatie is met Bin-Hezam het graf in gegaan.'

'En stel nou...' Ze liet haar gedachten even de vrije loop. 'En als Bin-Hezam nou eens de afleidingsmanoeuvre was, en niet de kaper? Stel dat we... dit hele weekend... terwijl we dachten dat we achter de dader aan zaten, we de verkeerde op het spoor waren, die speciaal met dat doel was ingezet?'

‘Een dubbele afleidingsmanoeuvre? Het... zou kunnen. Op dit punt is niets uitgesloten.’

‘Heb je Dubin ingeseind?’ vroeg Gersten.

‘Ik moest wel. Ik wacht op zijn telefoontje.’

‘Hij zal dit zeker in de openbaarheid brengen. Daar gaat je stille klopjacht.’

Fisk zei: ‘Het moet nu wel. Dit begint uit de hand te lopen. We moeten die vrouw vinden.’

Het woord ‘vrouw’ viel weg omdat hij een wisselgesprek kreeg.

‘Dat is Dubin,’ zei Fisk. ‘Ik moet ophangen.’

‘Sterkte. Bel me morgen als je kunt.’

‘Als ik kan.’

En weg was hij.

Jenssen zat kaarsrecht aan de bar, helemaal achterin. Hij kon rechercheur Gersten niet meer zien; ze was een hoek om gelopen en een trapje af gegaan. Hij moest zich inhouden om niet te gaan staan om haar in de gaten te houden.

Hij was ervan overtuigd dat ze Fisk aan de lijn had, die vent met wie ze in Maine was aangekomen. De rechercheur met het donkere haar en de donkere ogen met wie ze een hechtere band leek te hebben dan met de anderen. De man die hij om de tuin geleid had door Abdulraheem te linken aan Bin-Hezam in de lounge op het vliegveld in Zweden.

Die Fisk leidde het onderzoek. Wat zei ze tegen hem?

De Zweed heeft nieuw gips om zijn arm?

Ze had nonchalant gereageerd, maar Jenssen kon niet voorzichtig genoeg zijn. Zijn achtergrond was onberispelijk, maar als ze verdenkingen kregen, konden ze hem morgen weghouden bij de plechtigheid, puur uit voorzorg.

Zijn arm deed zeer: met iedere hartslag die tegen het uithardende gips bonsde werd de pijn erger. Hij was alleen naar deze bijeenkomst gegaan omdat zijn afwezigheid wantrouwen zou kunnen opwekken. Nu was hij er zeker van dat hij verdenkingen had opgeroepen en hij zijn missie in gevaar had gebracht door wél te gaan.

De mouw van zijn overhemd over het gips voelde klam aan. Gezien de pijn verwachtte hij bloed te zien, maar toen hij even onder de bar gluurde, was de mouw niet rood. Het was een combinatie van vocht uit het uithardende gips en transpiratie. De enigszins chemische lucht werd gemaskeerd door de muskusgeur van de sociale verlangens in de hotelbar.

Stewardess Maggie vertrok als laatste van het groepje. Ze deed alsof ze Jenssen niet zag, uit gêne of uit schaamte. Ze vertrok met rechercheur Patton, babbelend als oude bekenden. Ikea-manager Sparks was het gevaarlijkst van de twee vrouwen. Opdringerig, nieuwsgierig, op mannen belust. Het meenemen van die stewardess naar zijn kamer was heel effectief geweest om van haar broeierige blikken af te komen.

Het had geholpen. God zou het Jenssen wel vergeven, van de stewardess. Jenssen had al heel wat vergiffenis gekend.

De anderen hadden zich teruggetrokken met hun dromen van rijkdom en roem – die morgen allemaal in duigen zouden vallen. Ze hadden hun laatste avond op aarde verspild aan drank en zelfgenoegzaamheid.

Jenssen dacht kwaad terug aan de toost die de ouwe man had uitgebracht op de moord op Bin-Hezam.

Kort daarna kwam rechercheur Gersten terug. Ze liep langs de bar naar hem toe en vertraagde haar pas toen ze zag dat ze de enigen waren. Zo te zien was ze nog met haar gedachten bij het telefoontje.

'Laat, hè?' zei ze.

'Je kijkt zorgelijk.'

'Echt?' Het stelde haar teleur dat haar blik haar verraden had. 'Ik ben gewoon moe. Morgen weer vroeg op. Jij ook, trouwens.'

'Inderdaad.' Hij zette zijn beste glimlach op. 'Maar toch wil ik deze zaterdagavond in New York niet zomaar afsluiten. Ik zat erover te denken om een uitzondering te maken.'

Ze grijnsde en keek hem vragend aan. 'Een uitzondering waarop?'

'Ik denk dat ik toch maar een slaapmutsje neem. Als jij meedoet.'

Haar grijns ging over in een glimlach. Ze wendde haar blik af, een paar centimeter maar, en keek uit het raam achter hem. Toen keek ze hem aan. 'Magnus?'

'Ja, mevrouw de rechercheur?'

'Ik zou het graag doen. Echt. Ik voel me gevleid. Maar... ik kan het niet.'

'Kunnen we niet allebei een uitzondering maken vanavond?' drong hij lachend aan. Voorzichtig legde hij zijn goede hand op de hare.

Ze glimlachte om het gebaar, en hij zag dat ze naar 'ja' neigde. Maar precies op dat moment begonnen de klokken boven de ingang van Grand

Central Station te luiden. Twaalf keer: middernacht. Dat geluid trok haar over de streep, en ze liet haar hand onder de zijne vandaan glijden.

'Welterusten, Magnus.'

Ze draaide zich om, maar Jenssen wist niet wat ze dacht. Wat had die blik betekend? Speelde ze met hem? Wilde ze hem in haar buurt houden – maar toch op een armlengte afstand?

Hij besloot dat hij haar niet kon laten gaan zolang hij geen antwoord had op die vraag.

Toen hij zijn diensten had aangeboden in Malmö, hadden ze hem beloofd dat de eer van het martelaarschap naar hem zou gaan. Nu Jenssen de tijd had gehad om grondig na te denken over het hiernamaals, had hij veel vragen over de bijzonderheden ervan. Maar sterven uit wraak op de westerse machthebbers die het leven van zijn familie hadden aangetast en verwoest was de beste manier om een einde aan het leven te maken. Diep in zijn binnenste raasde een verlangen naar bloedwraak. Hij verwelkomde de naderende dag van zijn eigen dood, want hij geloofde dat hij spoedig herenigd zou worden met zijn vader en moeder.

Bij het aanvaarden van de missie had hij het martelaarsgebed van buiten moeten leren, en nu hij opstond van zijn barkruk, herhaalde hij het in gedachten.

Beschouw degenen die omkomen om Allah te dienen niet als dood. Niets liever zou ik willen dan de marteldood sterven voor Allah, om te herrijzen en weer als martelaar te sterven, en opnieuw te herrijzen en de marteldood te sterven, en weer te herrijzen en opnieuw als martelaar te sterven.

Boven legde Gersten haar Beretta 84FS Cheetah op het nachtkastje. Ze pakte haar telefoon uit de binnenzak van haar jasje en keek of er berichten waren. Niets meer van Fisk.

Ze opende het opsporingsbericht van de vrouw die bekendstond als Aminah bint Mohammed, alleen om naar het gezicht van de bekeerling te kijken. Het was niet het gezicht van het kwaad. De ogen van de vrouw verrieden niets. Dat was het enge, hetgeen waarvan mensen zoals zij 's nachts wakker konden liggen: het opstellen van profielschetsen kende zijn beperkingen. Niet iedere terrorist paste in het plaatje.

Ze keek naar de klok en de datum op het scherm: sinds een paar minuten was het zondag 4 juli, Independence Day. Op Kerstmis na was dit haar favoriete feestdag. Barbecue, optochten en ijsjes. Het voerde haar allemaal rechtstreeks terug naar haar jeugd. Ze kreeg spontaan zin in sinas.

Vandaag was de plechtige opening van One World Trade Center, het hoogste gebouw van New York City, dat op de plaats was gekomen van de torens die waren neergehaald op die dag dat alles veranderde. De dag die haar eigenlijk deze baan had bezorgd.

Toen ze zich omdraaide, zag ze zichzelf in de spiegel. Ze streek een weerbarstige lok uit haar gezicht en vroeg zich af wat de lange, blonde leerkracht uit Zweden met zijn blauwe ogen in haar had gezien. Het was verleidelijk. Hij had iets… door zijn gezicht en de manier waarop hij zijn eigen woorden vertaalde van het Zweeds naar het Engels, waardoor ze formeel en beleefd klonken, wat contrasteerde met zijn persoonlijkheid. Misschien moest ze eens wat vaker weerstand bieden, bedacht ze.

Toen werd er op haar deur geklopt. Ze fronste haar voorhoofd, in de veronderstelling dat het DeRosier of Patton moest zijn – en in dat geval was er iets aan de hand en kon ze haar bed voorlopig wel vergeten.

Of was het Fisk? De kans was klein, maar...

Ze keek door het spiekgaatje in de deur. Geen van drieën.

Het was Jenssen. Hij was zo lang dat ze de bovenkant van zijn hoofd niet kon zien.

Jezus. Kennelijk was ze beneden niet duidelijk genoeg geweest. Hij had de grens overschreden tussen vleierei en lompheid. Tijd om deze dartele jonge hond een schop te verkopen en hem terug te sturen naar zijn kamer.

De grendel werd verschoven en de deur ging open. Jenssen zag haar strenge gezicht, en daaronder haar onbedekte hals.

Hij dook onmiddellijk boven op haar, voordat ze de kans kreeg iets te zeggen of te gillen. Hij gebruikte het verrassingselement om haar vliegensvlug uit te schakelen. Zelfs met één hand waren zijn een meter negentig en zijn vijfennegentig kilo haar te veel. Hij wierp zich met zijn volle gewicht op haar terwijl de deur achter hem dichtviel.

Na de eerste schrik besefte rechercheur Gersten wat er gebeurde. Ze verzette zich, ook al was Jenssen in het voordeel. Hij had haar tegen de vloer gewerkt en drukte zijn goede onderarm tegen haar luchtpijp, keihard tegen haar kaak. Ze pakte met één hand zijn arm beet, maar was niet sterk genoeg om die weg te trekken.

Met haar andere hand maakte ze een vuist en richtte die eerst op zijn kruis. Daarna op zijn keel.

Jenssen duwde uit alle macht op haar keel en voelde haar onder zich spartelen. Ze trappelde met haar benen, maar met weinig kracht. Het enige waarvoor hij bang was, was een klap tegen het gips, waardoor het explosief voortijdig zou afgaan.

Ze probeerde om hulp te roepen, maar haar stem werd gedempt door zijn onderarm. Haar ogen puilden uit en schoten alle kanten op in haar muurvast geklemde hoofd, op zoek naar iets wat ze als wapen zou kunnen gebruiken.

Jenssen zette nu zijn hele gewicht op haar keel en drukte haar achterhoofd in de vloerbedekking.

Ze ramde tegen zijn oor. De pijn was scherp, en hij verloor zijn evenwicht. Ze wurmde zich onder hem vandaan, met één hand op haar keel.

Toen ze probeerde te gillen, kwam er niet meer dan een fluistering uit.

Hij haalde weer uit naar haar keel. Ze gaf een schop in zijn zij en hij raakte haar slaap, waardoor ze met haar hoofd tegen een lage kast terechtkwam.

Kruipend sleepte ze zich om het bed heen naar het nachtkastje. Waar haar pistool lag.

Jenssen pakte haar been beet en gaf er een harde ruk aan. Hij klom op haar rug en drukte haar plat tegen het tapijt. Ze schopte tegen de vloer om zo veel mogelijk lawaai te maken, de aandacht te trekken. Met het explosieve gips ver van zijn lichaam ramde hij zijn goede arm onder haar hals, en hij voelde het reliëf van haar keel toen hij hem aandrukte, waarbij hij het martelaarsgebed in haar oor fluisterde.

Zondag 4 juli

MOMENT VAN STILTE

Fisk kreeg om zes uur 's ochtends een telefoontje van een korpscommandant die nachtdienst had en was gebeld door een van zijn rechercheurs. De man kwam net terug van een moordzaak in het park, vlak bij het Metropolitan Museum. 'Toen hij binnenkwam, zag hij het opsporingsverzoek. De dode lijkt op die mevrouw Bint Mohammed. Zo veel dat ik jullie moest bellen, zei hij.'

'Lag ze dood in het park?' vroeg Fisk, en hij noteerde het. 'Wie heeft het lijk gevonden?'

'Dat heb ik niet meegekregen.Op dat tijdstip in Central Park, dat wil je vast niet weten.'

Fisk hing op. Voordat hij het mortuarium kon bellen, belde de dienstdoende lijkschouwer hem zelf.

'Ik heb het net gehoord,' zei Fisk. 'Heb je foto's?'

'Dat zal wel even duren. We lopen achter. Drie zelfmoordgevallen, een motorongeluk en een overdosis.'

Fisk wist dat hij het lijk sowieso persoonlijk zou moeten identificeren. 'Ik kom er meteen aan,' zei hij.

Fisk belde Dubin vanuit het koude souterrain aan First Avenue, vlak bij Thirty-second Street, onder de straten van de East Side.

'Ze is het,' zei hij.

Dubin vroeg: 'Weet je het zeker?'

'Het DNA moet het bevestigen, maar...' – Fisk keek nog een keer naar de dode, starende ogen in het hoofd dat uit de opengeritste lijkzak stak – '... ze is het. Gewurgd in Central Park. Tijdstip van overlijden grofweg twaalf uur geleden.'

'Vermoord? Shit.'

'Niets aangetroffen op de plaats delict.'

'Shit,' zei Dubin nog een keer, nu met meer nadruk. 'Waar eindigt dit?'

'Misschien bij degene die haar heeft vermoord.'

Dubin vroeg: 'Camera's in het park? Ik neem aan dat er geen getuigen zijn.'

'Camerabeelden kosten tijd. Over twee uur begint de plechtigheid bij One World Trade Center.'

'Denk je nog steeds dat het daarom draait?'

'Ik zou niets anders kunnen bedenken.'

Dubin vroeg: 'Zie ik iets over het hoofd? De logica van dit alles?'

'Hetzelfde wat wij allemaal over het hoofd zien. Er moet een ontbrekend puzzelstuk zijn.'

'Verdomme. De volgende stap?'

Fisk schudde zijn hoofd, als enige levende persoon in een te fel verlicht vertrek waar zeven lijken op zeven roestvrijstalen tafels lagen. 'Cancel dat opsporingsbericht voor Bint Mohammed maar. En schroef de alarmcode op.'

Dubin vroeg: 'Naar welk niveau? We houden al verkeerscontroles op zoek naar autobommen. In heel zuidelijk Manhattan zijn manschappen met automatische wapens geposteerd. We hebben gisteren de hele dag geparkeerde auto's weggesleept. In de loop van de week ongewenste personen opgepakt. We houden tassencontroles en zetten stralingsmeters in. En vanaf acht uur is het mobiele telefoonverkeer rondom Ground Zero uitgeschakeld.'

Fisk wachtte geduldig tot hij zijn lijstje had afgemaakt. 'Als het om de explosie te doen is, maakt het voor dat gebouw niet uit of je één pond gebruikt of dertig pond. Die toren is het doelwit niet.'

'Het heeft met de ceremonie te maken,' zei Dubin. 'Terrorisme is theater. En over twee uur gaat het doek op.'

Om half zeven die ochtend stapten de helden in de Suburbans die onder het Hyatt in de vipgarage stonden, terwijl achter de gereedstaande hekken de motoren van hun motorescorte warmdraaiden.

Secret Service-agent Harrelson had zich vandaag weer bij hen gevoegd. Nadat hij een tijdje met zijn vinger tegen zijn oor gedrukt naar zijn zendertje had staan luisteren, kwam hij naar DeRosier en Patton toe gelopen. 'We moeten gaan,' zei hij.

Patton verbrak zijn telefoonverbinding. 'Nog steeds niks.'

'Mobiel?' vroeg DeRosier.

'Wat?' vroeg Harrelson.

Patton zei: 'Gersten, onze collega. Ik krijg haar niet te pakken.' Tegen DeRosier zei hij: 'Ik heb net al naar haar hotelkamer gebeld.'

DeRosier wierp een zinloze blik op zijn horloge. Als De Zes niet op tijd bij Ground Zero waren, konden zij hun baan wel vergeten. 'Misschien is ze koffie halen in de lobby?'

Harrelson schudde zijn hoofd. 'We moeten strak op tijd het veiligheidskordon passeren, anders zijn we de lul. Allemaal. We komen dus níét te laat.'

DeRosier zei tegen Patton: 'Ik laat me niet schorsen omdat zij zo nodig moet uitslapen. Tot hoe laat heeft ze gisteren in de bar gezeten?'

Patton antwoordde: 'Toen ik vertrok, was ze er niet meer. Maar ik kan me ook niet herinneren dat ze afscheid heeft genomen.'

'Vraag dat maar aan Jenssen,' klonk een stem uit de voorste Suburban.

De Intel-mannen draaiden zich om. Achterin stond een raampje half open, en toen DeRosier naar binnen keek, zag hij Joanne Sparks voorovergebogen op de bank zitten, met het hoofd in de handen. Een kater.

'Pardon?' vroeg DeRosier.

'Vraag maar aan meneer Zweden waar Gersten is.'

DeRosier en Patton wisselden een blik en deden wat ze had voorgesteld. Patton tikte op het gesloten raampje van de tweede Suburban; het ging omlaag. Journalist Frank leunde met zijn hoofd tegen de bekleding en droeg een zonnebril. Maggie Sullivan zat aan de ene kant naast hem, Magnus Jenssen aan de andere kant.

'Meneer Jenssen?' zei Patton.

'Ja?' De Zweed keek hem vragend aan.

'We vroegen ons af of u weet hoe laat rechercheur Gersten gisteren uit de bar is vertrokken.'

Hij dacht even na en schudde toen traag het hoofd. 'Op zeker moment kreeg ze een telefoontje en liep ze weg. Ik heb haar niet meer gezien, ik ben kort daarna ook vertrokken.'

Patton en DeRosier knikten. 'Oké, het was maar een vraagje. Bedankt.'

Ze liepen weg; het was niet de bedoeling dat het groepje zich druk zou maken om niets. Harrelson keek vanuit de voorste auto toe. Ze knikten naar hem.

DeRosier zei: 'Ik bel Fisk onderweg wel om het door te geven.'

Patton stapte in aan de passagierskant van de tweede Suburban. Maggie vroeg vanaf de achterbank wat er aan de hand was.

'Niets,' antwoordde hij. 'We zoeken rechercheur Gersten. Misschien is ze vast vooruitgegaan,' loog hij.

Agent Harrelson ging vóór Jenssen op de middelste rij zitten. Toen ze de garage uit reden, luisterde Jenssen Harrelsons gecodeerde berichten aan de Secret Service-medewerkers bij de eerste controlepost af.

Op de vermiste Gersten na verliep alles volgens plan.

Fisk draaide FDR Drive op en was net op Queensboro Bridge, op weg naar Queens, toen DeRosier hem eindelijk te pakken kreeg. 'Gersten is er niet bij.'

'Hè? Hoezo niet? Wat is er aan de hand?'

'Dat weet ik niet. Ze kwam niet opdagen. We konden niet op haar wachten. Ze neemt haar telefoon niet op.'

Dat had Fisk niet verwacht. Hij probeerde terug te halen wanneer hij haar voor het laatst had gesproken. 'Is er vannacht iets gebeurd?'

'Nee. Niet dat we weten.'

Fisk wist dat ze zich niet zomaar zou verslapen. 'Heeft ze niks laten weten?'

'Niks.'

'Heb je op haar deur geklopt?'

'Daar hadden we de tijd niet voor. Toen ze niet naar beneden kwam, was het al te laat. En dit deel van het programma wordt bepaald door de Secret Service.'

'Oké. Dus jullie zijn onderweg.'

'We worden naar de locatie geloodst.'

'Maak je geen zorgen, ik ga er wel achteraan. Hebben jullie het nieuws over Bint Mohammed gehoord?'

'Weer een dode moslim,' zei DeRosier. 'Niet echt een patroon dat je op dit soort dagen graag ziet.'

'Alert blijven, oké? Let goed op daar.'

'Denk je dat De Zes risico lopen?'

'Iemand op dat podium loopt gevaar. Patton en jij staan er met je neus bovenop. Ik weet niet wat we zoeken, maar de kans is groot dat jullie het als eerste zien.'

'Shit. Oké, we houden oren en ogen open.'

Fisk hing op. Het meest logische was om eerst haar mobiel te proberen. Hij kreeg de voicemail.

'Met mij,' zei hij. 'Waar zit je? Bel me.'

Hij hing op en keek in zijn bellijst, want hij herinnerde zich dat hij de vorige avond ook de voicemail had gekregen. Dat was om 00.13 uur geweest.

Geen telefoontje van haar. Geen sms. Niets.

Zo ongebruikelijk was dat niet, tijdelijk geen communicatie. Maar nu kwam het gat in de tijd erg slecht uit.

Hij probeerde zijn eigen appartement. Je kon nooit weten.

Na vier keer rinkelen de voicemail.

'Ja, met mij. Ik dacht: ik probeer het daar even. Bel me.'

Hij moest nu een beslissing nemen. Terug naar Intel, nog één keer informatie inwinnen bij zijn harkers en intussen afwachten tot Gersten zich zou melden, of naar het hotel om te kijken waar ze bleef.

Het moge duidelijk zijn dat hij voor dat laatste beslist geen tijd had. Uiteindelijk vielen de twee opties samen. Een stemmetje in zijn hoofd zei dat de twee zaken met elkaar te maken hadden.

Verdomme, dacht hij; hij had liever niet aan de paranoia toegegeven. Maar hij zette zijn zwaailicht aan en maakte rechtsomkeert.

Fisk ontweek een paar toeristen die op de vroege zondagmorgen hun koffers naar de receptiebalie sleepten en liep naar de rij met twaalf goudkleurige liftdeuren. Toen er rechts van hem een openging, verwachtte hij min of meer dat Gersten zou uitstappen, maar de knappe vrouw die voor hem plaatsmaakte had een Prada-tas bij zich en wierp hem de bikkelharde, zelfverzekerde blik toe van een hoer die zich op eigen terrein bevindt.

Op de zesentwintigste verdieping liep Fisk links de gang in toen hij besefte dat hij Gerstens kamernummer niet wist. In de ontvangstsuite was een vrouw de vuile kopjes en borden aan het afruimen. Hij vroeg of ze iets wist van de kamerindeling op die verdieping, en ze antwoordde in een Spaans dialect dat Fisk niet verstond.

Hij ging snel terug naar beneden, naar de receptie. Een jonge receptionist bekeek zijn politiepenning en belde de beveiliging. Een slanke, bijna magere man van een jaar of vijfentwintig kwam door een deur achter de balie aangelopen in een grijze broek, een blauwe blazer en een gestreepte stropdas. Fisk gokte dat de zondagochtend gereserveerd was voor nieuw personeel in opleiding.

De jongen had een microfoontje op zijn revers gespeld waarvan het zwarte snoer via zijn nek naar zijn oor liep. Hij keek net even langer dan noodzakelijk naar Fisks penning en deed alsof hij zich niet geïntimideerd voelde.

'Wat kan ik voor u doen, rechercheur Fisk?'

'Jij hebt een loper voor de kamers, neem ik aan?'

'Vanzelfsprekend.'

'Gersten, Krina. Zesentwintigste verdieping. Onder haar eigen naam of NYPD, of misschien geboekt via de burgemeester.'

De receptionist zocht het op. 'Kamer 2642.'

'Ze heeft toch niet uitgecheckt of zo?'

'Nee, en de kamer is nog niet schoongemaakt.'

'Wanneer is de kamer voor het laatst betreden?'

'Met de sleutel? Om... zeven over twaalf vannacht.'

'We gaan erheen,' zei Fisk, en hij beende al naar de liften.

De jonge beveiliger volgde hem op de hielen. 'Mag ik u vragen wat er aan de hand is?'

Fisk ging er niet op in tot ze alleen in een lift stonden, met de deuren dicht.

'Weet je voor wie de zesentwintigste verdieping gereserveerd is?'

'Ja, de helden uit dat vliegtuig. De Zes.'

'Een van de rechercheurs die hen moest beveiligen... wordt vermist.' Fisk kreeg het woord zijn strot bijna niet uit. Werd ze echt vermist? Als hij nu haar kamer binnenliep en ze lag nog in bed – wie zou er dan erger voor schut staan, Gersten of hij?

'En als u zegt "vermist"...'

'Dat weten we nog niet. Ze was vanmorgen niet bij de auto, meer weet ik niet. En ik heb erg weinig tijd, dus laten we maar gaan, oké?'

De beveiliger voelde Fisks bezorgdheid en knikte. Terwijl de verdiepingnummers oplichtten op het display, schoot hem iets te binnen. 'Ik moet iemand laten weten wat ik ga doen,' zei de jongen plotseling. 'Is dat goed?'

Fisk knikte. 'Prima.'

De beveiliger boog zijn hoofd naar het microfoontje op zijn revers. 'Bascomb hier. Ik maak dadelijk kamer...'

'Twee-zes-vier-twee.'

'... twee-zes-vier-twee open. Ik sta in de lift met een agent... rechercheur van de NYPD.' Bascomb keek in de camera. 'Ja, George, ik heb zijn penning gezien. Fisk. Intelligence Division. Dat weet ik niet.' De liftdeur ging open en Bascomb liep achter Fisk aan de gang in. 'Dat laat ik je weten. Nu niet. Wacht mijn bericht af.'

Bij de deur haalde Bascomb de moedersleutel tevoorschijn, die aan een koord aan zijn riem hing. Hij haalde het pasje door de gleuf, in het slot zoemde iets en het lichtje knipperde groen. Fisk deed de deur open en Bascomb stapte opzij om hem als eerste binnen te laten.

Na een paar passen bleef Fisk staan. Hij bekeek de kamer vluchtig en besefte toen dat hij de omgeving bekeek als een plaats delict.

Het bed was omgewoeld, de kussens ingedeukt. Het zag er beslapen uit. Geen licht aan, de ramen dicht, de televisie uit. Niets dat duidde op een worsteling. Gewoon een verlaten hotelkamer.

Toch had Fisk een knoop in zijn maag. Hij rook onraad, had het gevoel dat hier iets ergs was gebeurd.

Fisk liep verder door naar binnen. Bascomb bleef op gepaste afstand. Op het dressoir links van Fisk lag een handjevol muntgeld naast een halfleeg, duur flesje water uit de minibar. Op een dienblad lag een metalen kurkentrekker.

'Je hebt zeker geen handschoenen bij je?' vroeg Fisk, en hij haatte de woorden al zodra ze zijn mond uit kwamen. Maar hij was politieman, iedere besloten ruimte was een potentiële plaats delict en er gingen te veel zaken verloren door de eerste onhandige stappen van agenten ter plaatse.

'Nee,' antwoordde Bascomb. Zijn toon was gespannen.

'Fuck,' zei Fisk, meer vanwege de situatie in het algemeen dan om het gebrek aan handschoenen. 'Doe me een lol, Bascomb, blijf daar staan, oké?'

'Ja, oké.'

'Fijn.'

Handschoenen of geen handschoenen, Fisk liep naar het dressoir en trok de zes laden een voor een open. In de bovenste lagen Gerstens ondergoed en twee panty's in ongeopende verpakking. In de tweede een trui, een opgevouwen witte blouse en een spijkerbroek. De andere laden waren leeg.

In de kast stond haar trolley, dichtgeklapt maar met geopende rits. Hij taste er even in en vond niets interessants.

Aandachtig bekeek hij de vloerbedekking naast het bed, op zoek naar sporen, vlekken of platgetrapte plekken. Niets.

Op het nachtkastje stonden de gebruikelijke iPod-houder en digitale wekkerradio. Hij trok het laatje open en trof naast een Bijbel een aantal driehoekige tafelbrochures aan waarin allerlei diensten van het hotel werden aangeboden. Dat had hij Gersten vaker zien doen: na het inchecken de wigwamvormige reclamefolders weghalen en in een la stoppen, uit het zicht. Die vertrouwde aanblik bezorgde Fisk een vlaag van optimisme.

In de badkamer lag een stapel schone handdoeken op het rek. Geen gebruikte exemplaren op de vloer. Schoon water in de toiletpot. Hij herkende Gerstens gebloemde toilettas.

Geen plassen water op de wastafel, in de wasbak of op de vloer in de douche. Alles was droog. Niets wees erop dat de badkamer die ochtend gebruikt zou zijn.

Dat was verontrustend. Waar zou ze naartoe gaan zonder eerst haar gezicht of haar handen te wassen?

Fisk liep terug de kamer in en meed Bascombs nieuwsgierige blik. Hij besloot zich nog even te concentreren op wat hij nog niet had aangetroffen.

Haar politiepas. Haar wapen. Haar telefoon.

Hij haalde zijn mobiel tevoorschijn om te kijken of ze contact met hem had opgenomen. Toen toetste hij haar nummer in, in de hoop dat hij haar toestel zou horen rinkelen als het ergens in de kamer lag.

Niets. Hij kreeg meteen de voicemail.

Toen hij zijn telefoon weer wegstopte, trilde zijn hand een beetje. Roerloos stond hij in het midden van de kamer. Hij wilde niet toegeven aan de paniek, maar hier klopte iets niet. Niets wees op onraad – niets tastbaars – maar Gersten was niet achterlijk.

Hij had altijd beseft dat dit ooit zou kunnen gebeuren, in hun beroep: dat een incident op het werk de grenzen van zijn privéleven zou overschrijden.

Laat je nou niet zo meeslepen. Hij dwong zichzelf om te denken als een politieman.

Had dit te maken met al het andere dat er dat weekend speelde? Dat moest wel. Het kon geen toeval zijn.

Maar hiervoor gold hetzelfde als voor al dat andere: wat was het verband? Speelde er in deze antiterreurzaak iets wat zijn weerslag zou kunnen hebben op Gersten? Waren De Zes inderdaad in gevaar? Had Krina gisteravond iets ontdekt?

Nee, dan zou ze daarnaar gehandeld hebben. Ze zou ermee naar hem toe gegaan zijn, naar Intel. Ze zou nooit als een kip zonder kop op pad gaan. Tenzij…

Tenzij ze zonder het te weten op iets was gestuit.

Fisk draaide zich om naar de beveiliger, die vlak achter de gesloten deur stond. 'Bascomb, we doen het als volgt. Jij seint je team in en laat het volledige hotel uitkammen. Begin bij de gangen die verbouwd worden en de verdiepingen die gesloten zijn. Dat levert misschien overlast op voor de gasten, maar we zijn op zoek naar een rechercheur van de NYPD. Laat je collega's het alarmnummer bellen, ik wil hier uniformen zien.'

Bascomb knikte en begon in zijn microfoontje te praten. Fisk gaf een korte beschrijving van Gersten, zodat de beveiliger die kon doorgeven.

Toen hij uitgesproken was, zei Fisk: 'Dan gaan jij en ik nu samen alle kamers op deze verdieping doorzoeken.'

Het verkeer van noord naar zuid in Manhattan was een ramp, zelfs met motorescorte van de NYPD. Ze zaten muurvast en konden geen kant op. Er zat niets anders op dan te wachten tot de file zichzelf oploste.

Tergend langzaam reden ze over Seventh Avenue langs Penn Station, zodat iedereen het nog altijd afgezette gedeelte van West Twenty-eighth Street kon zien waar terrorist Baada Bin-Hezam was neergeschoten.

Vervolgens langs het Fashion Institute, over Twenty-third en Fourteenth Street, Greenwich Village in op de plek waar Manhattan Island versmalde tot de duim van de oude stad. Pas toen ze uit de koele schaduwen van de wolkenkrabbers kwamen, werden de helden zich ervan bewust dat het een stralende ochtend was. De hemel was Magritte-blauw, bijna sprookjesachtig onbewolkt. De voetgangers op de trottoirs droegen zonnehoeden, honkbalpetjes en korte broeken, en ze keken met een beker ijskoffie in de hand naar de langsrijdende Suburbans.

Via Houston Street staken ze over naar Canal Street. Stapvoets reden ze langs een enorme elektronische controlepost, afgebakend door wagens van de tactische eenheid, een generatortruck en vele rijen controleposten. De mensen stonden geduldig in de rij, alsof ze die ochtend gezamenlijk een eed van medewerking hadden afgelegd. Ondanks de warmte en de lange wachttijd leek niemand te klagen.

Toen de hekken eenmaal verschoven waren en de Suburbans het afgezette gebied hadden betreden, ging het sneller. Ze reden in een vrije baan naar het terrein waar de plechtigheid gehouden zou worden, bij Trinity Church op de kruising van Broadway en Wall Street.

Frank had de zondageditie van de *New York Times* bij zich en zat het katern te lezen dat over de nieuwe toren ging. 'Dat is Trinity,' zei hij, en hij keek omhoog naar de bruine, neogotische kathedraal. 'Zien jullie de torenspits? Hier staat dat die zevenentachtig meter hoog is. Tot het einde van de negentiende eeuw was dat het hoogste punt van Manhattan. Nu is dat... dit.'

Ze keken de andere kant op, helemaal omhoog naar het puntje van One World Trade Center. Het was niet alleen het hoogste gebouw van New York; als je de piek op 533 meter hoogte meerekende – ofwel 1776 voet, ter ere van het jaar waarin de Amerikaanse Onafhankelijkheidsverklaring werd afgekondigd – ook het hoogste gebouw van het westelijk halfrond, en op twee na het hoogste van de hele wereld. De glazen gevel glinsterde in de warme julizon.

'De eerste twintig verdiepingen boven de openbare lobby zijn algemeen,' vatte Frank het artikel samen. 'Dan volgen er negenenzestig verdiepingen met kantoorruimte, waaronder twee verdiepingen televisiestudio en twee restaurants. Binnenkort wordt er een observatiedek geopend. En het is een "groen" gebouw met duurzame energie en hergebruik van regenwater, dat soort dingen.'

Maggie keek naar buiten, met een hand voor haar keel. 'Hoe zit het met de veiligheid?'

'Die is goed. Speciale dwarsverbindingen, alles zeer brandwerend, biochemische filters. Extra brede trappen en alle veiligheidssystemen ingebouwd in de binnenmuur. Het is misschien wel het veiligste gebouw ter wereld.'

'Zou jij helemaal naar de bovenste verdieping gaan?'

'Zeker weten,' zei Frank. 'Jij niet?'

Maggie schudde haar hoofd. 'Ik zou een paar jaar wachten, denk ik. En jij, Magnus?'

Jenssen wierp een vluchtige blik op het gebouw. 'Waarom niet.'

'Ha.' Frank zat nog te lezen. 'Hier staat dat er een wachtlijst is om glazenwasser te worden.'

'Nóóit,' zei Maggie.

Frank vouwde de krant op en zei: 'Daar sluit ik me bij aan.'

De auto's waren inmiddels geparkeerd, maar agenten met zonnebrillen, pratend in de mouw van hun jasje, gaven de inzittenden opdracht nog even te wachten. Maggie Sullivan droeg haar stewardessenuniform, en Magnus Jenssen zag dat er twee speldjes op haar kraag zaten: een vliegtuigje met de Canadese vlag en een vliegtuigje met de Amerikaanse vlag.

Ook de rechercheurs droegen speldjes met een vlag.

Toen ze mochten uitstappen en samen moesten wachten bij de beveiligingspost, ging Jenssen achter Maggie Sullivan in de rij staan.

Hij keek toe hoe de agent zijn detector langs haar benen en haar gespreide armen haalde en lette speciaal op toen het apparaat vlak bij de twee metalen speldjes op de borst van haar uniform ging. Geen piepjes.

Toen het zijn buurt was, nam hij dezelfde houding aan. De detector volgde de contouren van zijn lichaam, om zijn linkerpols heen, waar de twee korte antennes in het gips zaten. Geen reactie. Op zijn borst piepte het apparaat heel zachtjes bij het speldje dat hij die ochtend bij het aankleden met één hand had aangebracht. Het was een Zweedse vlag; hij had het speldje de vorige dag van de nietsvermoedende ambassadeur gekregen, aan boord van het vliegdekschip. De agent haalde de detector er nog een keer langs, voor alle zekerheid. Weer een zacht bliepje.

De agent merkte niet dat zijn detector in werkelijkheid reageerde op de afstandsbediening van de ontbrander die in zijn borstzak zat, met een minuscuul batterijtje erin.

Jenssen liep door. Maar voordat hij zich kon ontspannen, wenkte een andere beveiliger met blauwe handschoenen hem.

'Steek even uw arm voor me uit, meneer.'

Jenssen strekte zijn gewonde linkerarm en bood het gips aan ter inspectie. De agent raakte het voorzichtig aan en vroeg hem de arm bij de elleboog te draaien. Zijn pols en zijn elleboog deden nog behoorlijk veel pijn, maar Jenssen liet er niets van merken en deed wat hem werd gevraagd.

'Terugbuigen, alstublieft.' Jenssen draaide zijn arm opzij alsof hij de beveiligingsman een elleboogstoot in het gezicht wilde geven.

De man bekeek de randen van het gips en knikte toen.

'Dank u wel, meneer.'

Toen de anderen ook gecontroleerd waren liep, Harrelson, die ook gescreend was en net als de rechercheurs zijn wapen had moeten ontladen en ter inspectie aanbieden, naar voren.

'Het lastige gedeelte is achter de rug,' zei hij. 'Loop maar met mij mee, mensen.'

Fisk betrad iedere kamer in het westelijke gedeelte van de verdieping zonder iemand of iets te vinden dat met de verdwijning van Krina Gersten te maken had. Hij liep de gang aan de andere kant van de hal in, die wegens verbouwing gesloten was, en inspecteerde elke kamer en half voltooide badkamer, met hetzelfde resultaat.

Geen teken van Gersten, geen teken dat er iets mis was.

Er was nu een andere beveiligingsmedewerker aanwezig, een hogergeplaatste man, en nog een geüniformeerde agent. Fisk keerde terug naar de kamer van een van De Zes, de man met de cello, de musicus. Nouvian had zijn televisie aan laten staan, zonder geluid, en Fisk staarde afwezig naar de CNN-beelden van het uur voor de ceremonie op Ground Zero.

Hij keek nog een keer op zijn horloge en wenste dat ze zou bellen, dat ze een einde aan deze kwelling zou maken, maar hij kon zich met de beste wil van de wereld niet voorstellen waar ze kon zijn. Hij volgde zijn eigen gedachteproces nog een keer. Dat ze weg was, wat wilde dat dan zeggen?

Als De Zes gevaar liepen, had dat niets met dit hotel te maken. Ze waren allemaal in auto's gestapt en probleemloos vertrokken naar de plechtigheid. Dus waarom zou iemand, wie dan ook, Gersten moeten uitschakelen? Als oppas van het groepje vormde ze geen directe bedreiging voor iemand die hun iets wilde aandoen...

Tenzij de dreiging vanuit de groep zelf kwam.

Maar dat was niet logisch. Wat zou dat voor zin hebben? Een van De Zes? Of... misschien zelfs Patton of DeRosier?

En dan was er nog het feit dat De Zes de vorige dag de gelegenheid hadden gehad grote schade aan te richten, toen ze Obama de hand schudden. Geen enkele Al Qaida-aanhanger zou een dergelijke kans hebben laten schieten...

Tenzij de huidige president niet zijn of haar doelwit was.

Fisk zag op televisie voormalig president George W. Bush en zijn echtgenote Laura uit een privévliegtuig stappen op LaGuardia Airport. Onder aan de trap schudden ze het ontvangstcomité de hand, en ze zwaaiden naar de camera's en verdwenen toen in een gereedstaande limousine, met wapperende Amerikaanse vlaggetjes op de achterbumper.

Fisk staarde naar het scherm. Hij dacht terug aan Ramstein, aan de ontdekking van Osama bin Ladens instructies, besproken in de maanden voordat hij werd gedood. Uiteraard had Bin Laden niet geweten dat hij zou omkomen als gevolg van een speciale militaire operatie die was ingezet door president Barack Obama. Zijn grote tegenstander in die tijd was waarschijnlijk de zittende president geweest. Maar zijn gezworen vijand was de man die in zijn ogen de tien voorgaande jaren een keiharde kruistocht tegen de islamitische wereld had gevoerd.

Bin Ladens belangrijkste doelwit was George W. Bush.

Fisks hoofd tolde. De Jemenitische kaper, de ongrijpbare Saoedische kunsthandelaar en de fundamentalistische, bekeerde, niet-actieve aanhangster in Bay Ridge. Allemaal deelnemers – en allemaal afleidingsmanoeuvres.

Misschien was de kaping niet bedoeld geweest om Baada Bin-Hezam de Verenigde Staten binnen te krijgen, maar een – of meer – van De Zes. Het zwakke punt dat ze hadden uitgebuit was de Amerikaanse celebrityverering, en de liefde voor ceremonie van de Amerikanen.

Fisk keek om zich heen in de kamer van de cellist. Hij had de hotelkamers van alle helden al bekeken, maar vluchtig, alleen op zoek naar aanwijzingen voor Gerstens verdwijning, niet naar indicaties voor de aanwezigheid van een terrorist.

Nu keerde hij terug en speurde iedere kamer af op zoek naar steun – in welke vorm dan ook – voor zijn theorie, of zelfs de bevestiging daarvan.

Bascomb van de beveiliging volgde hem op een afstandje terwijl hij zonder verdere verklaring de kamers overhoophaalde. Hij keerde matrassen om en kieperde koffers leeg. Liet in iedere kamer het kluisje openmaken.

Bascomb zei: 'Dat mag alleen met een speciaal doorzoekingsbevel.'

Eén doordringende blik van Fisk en hij was overgehaald.

Er waren maar een paar kluisjes afgesloten. Fisk stond naast Bascomb in de kamer van een van De Zes toe te kijken hoe hij een code intikte om de volgende kluis leeg te maken, toen hij een vlek zag op het tafeltje waar hij tegenaan leunde.

Bij nadere inspectie leek het eerder alsof de fineerlaag was weggebrand. Fisk streek er met zijn vingers overheen; het voelde ruw. Hij boog zich over de langwerpige vlek en rook eraan.

Het rook een beetje chemisch.

'Wiens kamer is dit?' vroeg Fisk.

Bascomb wist het niet. Terwijl hij een oproep deed in zijn schoudermicrofoon om het antwoord te achterhalen, ging Fisk nog een keer de badkamer bekijken, maar deze keer aandachtiger.

Op de vloer, in een hoek onder de wastafel, lag een hoopje blauwe schilfers, zo te zien met de hand bijeengeveegd.

Hij raakte ze aan met zijn vingertop. Ze waren hard, voelden als plastic.

Hij wist al wiens kamer het was voordat Bascomb met het antwoord kwam. Fisk dacht aan het blauwe gips van de Zweed.

'Magnus Jenssen,' zei Bascomb.

De blonde Scandinaviër met de blauwe ogen. Hij was toch leraar? Verder kon Fisk zich niets specifieks over Jenssen herinneren. Hij wist dat geen van de passagiers zich had bekendgemaakt als moslim. Hij wist ook dat het aantal islamitische inwoners van Zweden net boven een half miljoen lag, zo'n 7 procent van de bevolking – nog maar dertig jaar geleden was het vrijwel nihil geweest. De trend ging gelijk op met de rest van Scandinavië en Europa.

Maar religie was slechts een indicator; het was zelden de enige factor bij het profileren van terroristen.

Zijn gedachten maakten overuren. Had de Zweed wel echt zijn pols gebroken bij het verijdelen van de kaping? Of was dat al eerder gebeurd, nog voordat hij aan boord ging?

Mits goed aangepakt, had hij een dergelijke blessure wel verborgen kunnen houden. De scanner bij de security op het vliegveld zou de breuk niet aan het licht gebracht hebben. Die apparaten maakten gebruik van terahertzfotonen die in het frequentiespectrum net onder infrarood bleven, en ver onder echte röntgenstralen.

Hij had nu geen tijd om die theorie na te trekken. Fisk moest aan de slag met wat er hier voor hem lag.

Een chemische stof bij Jenssen op de hotelkamer, die vlekken maakte op het meubilair. Wat kon dat zijn? Had hij iets verstopt in het gips?

TATP. Nog meer springstof.

Fisk vroeg zich af hoe streng de helden gecontroleerd zouden worden bij het betreden van het terrein rondom Ground Zero. Het antwoord luidde: niet streng – of helemaal niet – als ze eenmaal binnen waren.

En volgens zijn horloge waren ze al binnen.

Fisk moest erheen. Hij moest hier weg, ook al werd Gersten nog vermist.

Hij zei tegen Bascomb: 'Geef me je telefoon eens.'

De beveiliger wilde vragen waarom, maar toen pakte hij zwijgend zijn telefoon. Hij zette hem aan, toetste de code in en gaf hem aan Fisk.

Fisk scrolde naar 'contacten' en toetste daar zijn eigen mobiele nummer in, met zijn achternaam in hoofdletters, zodat er geen misverstand over kon ontstaan. Hij stak Bascomb het toestel weer toe.

'Ik had mijn nummer aan de politie kunnen geven, maar ik geef het aan jou. Als er iets wordt gevonden met betrekking tot de vermiste rechercheur, bel je me onmiddellijk. Dat is van het grootste belang, begrepen?'

Bascomb knikte trillend.

Fisk holde naar de lift.

Fisk had zijn auto achtergelaten op de taxistandplaats, met de zwaailichten aan. Het drong tot hem door dat hij het nummer van DeRosier niet had, dus hij belde eerst Dubin.

Voicemail. Fisk belde rechtstreeks naar Intel.

Hij kreeg te horen dat Dubin naar Ground Zero was. Het mobiele telefoonverkeer in de beveiligde zone was geblokkeerd, zodat er geen bommen op afstand tot ontploffing konden worden gebracht met gsm-technologie, een geliefde tactiek onder terroristen en oproerkraaiers.

Fisk vertelde over Gerstens ogenschijnlijke verdwijning. Hij zei dat De Zes voor hun eigen veiligheid afgezonderd moesten worden; hij formuleerde het zo om te voorkomen dat ze, zonder dat Fisk persoonlijk aanwezig was, zouden proberen de helden met geweld uit te schakelen, waarbij Jenssens bom onmiddellijk zou kunnen afgaan; iets wat niemand binnen zijn bereik zou overleven.

Als Jenssen net als Bin-Hezam een half pond TATP bij zich droeg, zou het aantal doden ondenkbaar hoog zijn.

Fisk gaf opdracht er alles aan te doen om de boodschap over te brengen, en hij liet zich doorverbinden met DeRosiers mobiele telefoon. Ook daar kreeg hij de voicemail, hetgeen bevestigde dat De Zes zich al in het beveiligde gebied bevonden, en Jenssen dus ook.

Fisk drukte langdurig op de claxon, nog altijd met zwaailicht, in de ijdele hoop het verkeer op gang te krijgen. Het was een race tegen de klok en tegen de file die al begon in midtown Manhattan. Hij moest zo dicht mogelijk in de buurt van Ground Zero zien te komen.

'Holy shit!'

Stewardess Maggie Sullivan stoof de ontvangsttrailer binnen waar de rest van de groep en hun oppassers DeRosier en Patton samen met Secret Service-agent Harrelson en enkele andere vips zaten te wachten.

Maggie hief haar handen alsof ze op het punt stond in zingen uit te barsten. 'Paul Simon heeft me zojuist de hand geschud toen ik naar de toiletten liep.'

Een medewerkster van de burgemeester zei: 'Hij gaat straks "The Sound of Silence" zingen, op verzoek van meneer Bloomberg.'

'Hij herkende me,' zei Maggie onder de indruk. 'Mij! Hij zei: "Goed gedaan." *Goed gedaan!* Ik was sprakeloos.'

Sparks zei: 'Ik hoop dat hij zijn handen gewassen had.'

Jenssen zat diep weggezakt achteraan op een suède bank. Aan de tegenovergelegen muur hing een flatscreen boven een klein buffet waarop warmhoudschalen met gebakken spek, worstjes, eieren, rösti en wentelteefjes stonden. Er werden kannen koffie en sinaasappelsap neergezet voor een aantal dienbladen met kartonnen bekers.

De pijn in zijn arm was hevig. Hij was vergeten ibuprofen in te nemen, en nu veroorzaakte de zwelling van zijn met explosieven gevulde gips een pijn die uitstraalde naar zijn vingertoppen. Uit zijn handpalm kwamen druppeltjes bloed, die hij discreet aan de suède onderkant van de bank smeerde.

De pijn leidde hem ernstig af, dwong hem om zich op het gebed te concentreren. Het was zijn enige troost, maar wel een die hem isoleerde van de anderen. Hij voelde hun nieuwsgierige blikken en vroeg zich af in hoeverre dat gevoel werd veroorzaakt door zijn eigen paranoia.

Naast het bidden richtte hij zijn aandacht op de televisiebeelden. De Amerikanen herdachten hun eigen nederlaag met twee gigantische gaten in de grond, ter hoogte van het fundament van de verwoeste Twin Towers. De binnenkant was bekleed met zwart steen, en rondom waren panelen bevestigd waarin op heuphoogte de namen van de doden waren gegraveerd. Langs alle vier de zijden van elk gat stroomde water, dat terechtkwam in reflecterende plassen op de bodem.

Nu kwam de nieuwe toren in beeld, hoog oprijzend in de lucht. In Jenssens ogen was het een reusachtige grafsteen.

De camera ging naar de omliggende eikenbomen en naar de paden die naar het podium liepen. De terrasgewijs oplopende platforms werden geflankeerd door twee reusachtige beeldschermen, zoals je die ook bij sportwedstrijden zag. In het midden werd het spreekgedeelte afgeschermd door panelen van kogelwerend glas. Links en rechts van het podium stond een koor opgesteld van zangers en zangeressen in lange blauwe gewaden.

Jenssen huiverde een keer, door de pijn en de intensiteit van het moment. Het optimisme van honderden miljoenen Amerikaanse televisiekijkers zou voorgoed aan diggelen gaan nadat hun voormalige leider live op televisie was vermoord. Obama en de anderen zouden eventueel secundaire slachtoffers zijn, maar het hoefde niet. Jenssen had de man gisteren de hand geschud. Hij had hem glimlachend in de ogen gekeken, en dat alles zonder een hart dat werd verzwaard door moord.

Obama hoefde hij niet uit te schakelen. De komende dagen, weken en maanden zou de foto van de huidige president van de Verenigde Staten die een Al Qaida-terrorist de hand schudde zijn ondergang worden.

De enige die Jenssen interesseerde was Bush, die heiden. Hij bevond zich nu ergens vlak in Jenssens buurt – misschien was hij al binnen explosiebereik.

Er trok een nieuwe pijnscheut naar zijn schouder, en Jenssen verstarde en leunde even naar voren ter compensatie. Het liefst was hij de krappe trailer uit gelopen om een frisse neus te halen, maar hier binnen was hij veilig.

Hij maakte zich zorgen om de explosievenopsporingshonden. Hij moest tot de laatste minuut achter gesloten deuren blijven.

Er waren wel plannen geweest voor onvoorziene gebeurtenissen. Als Jenssen en de andere passagiers van het vliegtuig om de een of andere reden niet de status van beroemdheden hadden gekregen die nodig was om hen hier bij dit podium te krijgen, gold voor Jenssen de opdracht zo dicht mogelijk in de buurt te komen en dan de boel op te blazen. Als de controle bij het checkpoint vandaag te streng was geweest, had hij de bom meteen daar laten afgaan. Zelfs als hij er niet in slaagde bij Bush in de buurt te komen, zou de explosie nog genoeg slachtoffers maken om de Verenigde Staten eraan te herinneren dat ze niet onoverwinnelijk waren.

Maar vrijwel alles was volgens plan verlopen. Nu hoefde hij alleen nog alert en geconcentreerd te blijven, ondanks de ondraaglijk wordende pijn die het verkeerd aangebrachte gips veroorzaakte – en hij zou glorieus slagen in zijn opzet.

'Magnus?' Maggie Sullivan kwam op het puntje van de bank naast hem zitten, in haar uniform met het blauwe hoedje en de speldjes met de vlaggetjes. 'Gaat het wel goed met je?'

'Jawel.' Helemaal het verkeerde antwoord. 'Onder de indruk.'

'Ach ja,' zei ze begripvol. 'Maar je ziet er ziek uit.'

'Moe.' Rot op, heidens kreng.

Ze gaf een klopje op zijn knie. 'Voordat het hier heel hectisch wordt en we straks ieder onze eigen weg gaan, wil ik je nog bedanken. Je hebt mijn leven gered, je was de eerste die iets deed. Ik... ik vind je fantastisch. Ik ben zwaar onder de indruk van je moed. En... wat er laatst tussen ons is gebeurd... daar heb ik geen spijt van, alleen... ik vraag me af of het de situatie niet te ingewikkeld maakt. Maar je moet weten dat het mijn mening over jou en je daden niet heeft veranderd. Ik voelde me... Ach, ik weet het niet. Het is een beetje gênant, maar ik vind het prima zo. Ik hoop alleen dat jij er ook zo over denkt.'

Hij slikte moeizaam; het kloppen van zijn arm werd nu vergezeld van een soort gekrijs in zijn hoofd.

'Ja, ja,' zei hij abrupt.

Ze knikte afwachtend. 'Weet je zeker dat je...?'

Hij knikte snel.

'Goed.' Ze voelde zich beledigd, maar was uitgepraat. 'Ik zal je verder alleen laten,' zei ze, en ze liep bij de bank vandaan.

Hij verbeet de neiging om het uit te brullen. Na een blik op zijn linkerhandpalm smeerde hij nog een beetje bloed onder de bank.

Op televisie was nu een kind te zien dat naar het nieuwe monument van Amerika wees. Jenssen was de zoon van een paria geweest, een vluchtelinge die nooit had weten te ontkomen aan de ijzeren greep van de armoede, uitgekotst in een land waar armoede niets minder was dan een zonde. Magnus was opgegroeid in de overvolle blokkendozen van de immigrantengetto's, waar iedere bevolkingsgroep een bloedhekel had aan iedere andere bevolkingsgroep. Zijn groeispurt kwam laat, na jarenlange pesterijen als kind. Hij wist wat het was om voortdurend in angst te leven. Om niet ten prooi te vallen aan nog meer vooroordelen en nog meer slaag, hadden zijn moeder en hij als moslims in het geheim hun geloof beleden, als enigen in een grotendeels christelijk getto. Na twee jaar aan de vakopleiding landmeetkunde had hij er uiteindelijk voor gekozen om leraar te worden. Op die manier kon hij een rustig leven leiden en in afzondering aan zijn ontwikkeling werken, zijn roeping: het uitroeien van het kwaad op deze aarde – Bush, de radicaal-christelijke leider van de Amerikaanse kruistocht tegen de islam, de gewetenloze schurk, was de grootste overwinning die je als martelaar kon behalen. Daarbij ook Obama uitschakelen – als dat binnen Gods plan viel – zou de glorie alleen maar vergroten. De zittende president was een man die de stem van de islam had gehoord en zich ervan had afgekeerd. Ze verdienden allebei de hel.

Jenssen begon weer te trillen van de pijn. Hij had hun aankomstroute goed bestudeerd. Ze zouden een pad volgen door de bomentuin, een pad van een buizenstellage bekleed met blauw tentdoek. Dat was vandaag zo gebouwd om ervoor te zorgen dat de president, de voormalige president en andere hoogwaardigheidsbekleders die naar het podium liepen afgeschermd werden van potentiële sluipschutters achter een van de duizenden ramen die uitkeken op Ground Zero.

Jenssen tastte in de zak van zijn jasje, waar hij de afstandsbediening van de ontbrander naartoe verplaatst had. Hij voelde aan het plastic driehoekje en liet zijn duim over de eenvoudige schakelaar gaan.

Er kon bijna niets misgaan. De afstandsbediening was een eenvoudige inertieschakelaar, die één enkel stroomstootje naar de ontbrandingsdraden stuurde. Er hoefde maar een van de ontbranders te werken. Er zou een ruimte van een halve seconde zitten tussen het moment van ontsteken en de ontbranding: een blauwe lichtflits vanaf zijn arm, gevolgd door een vlammenzee die alle zuurstof aan de lucht zou onttrekken.

In die fractie van een seconde zou iedereen omkomen.

Zijn duim drukte tegen de afstandsbediening, speelde ermee. Het brandende gevoel in zijn arm was nu zo hevig dat hij bijna niet kon wachten tot hij de boel tot ontploffing zou brengen – om bevrijd te worden van de pijn. Het visioen waarin hij de meest roemrijke religieuze martelaar in de wereldgeschiedenis zou worden was het enige wat hem in staat stelde uit te stijgen boven de zwakte van het vlees.

De pr-dame van de burgemeester kwam binnen. Ze wilde de feestelijkheden na de plechtige opening met hen doornemen. Jenssen lachte grimmig voordat hij zich voor haar afsloot. Er viel niets te feesten na de opening, daar zou hij voor zorgen.

Fisk zat nog in zijn auto, vier straten van Chambers Street verwijderd, toen zijn telefoon ging.

'Eh hallo, rechercheur Fisk?'

De moed zonk Fisk in de schoenen. 'Bascomb. Wat heb je voor me?'

'We, eh… iemand, een gast, zag een vrouwenschoen op het dak van de benedenverdieping liggen.'

Er liep een rilling over Fisks rug. 'Er is een schoen gevonden?'

'We wilden de schoen gaan pakken… en toen troffen we het lichaam van een vrouw aan.'

Fisk kon niet meer nadenken. Hij reed nog, maar hij zag niets meer en kon geen woord uitbrengen. Hij moest zichzelf eraan herinneren door te ademen.

'Ik zei dus… we hebben het lichaam van een vrouw gevonden. Op het dak. We dachten aan zelfmoord, tot we haar hals zagen. Helemaal vol blauwe plekken.'

'Weet je zeker dat…?'

'Vlak bij haar is een ongeladen wapen aangetroffen. Een Beretta. Een dienstwapen, zei iemand. Ik heb een foto genomen en die als bijlage naar dit nummer gestuurd. Misschien kunt u…'

'Ogenblikje,' zei Fisk. Het was bijna een fluistering.

Hij scrolde met zijn telefoon naar de ingekomen berichten. Opende de bijlage van Bascomb.

Het was een foto van Krina Gersten die op een dak in het grind lag. Ze had haar ogen open en haar hals zag paars, met diepe kneuzingen.

Fisk staarde er een hele tijd naar. Toen hij opkeek, bleek hij nog steeds auto te rijden, en hij was niet eens verongelukt.

Hij bracht de telefoon weer naar zijn oor. 'Wat doen ze voor haar?' vroeg hij.

'Ze... Het is een plaats delict. Het spijt me dat ik...'

Fisk wachtte af. Iets of iemand had zijn zintuigen uitgeschakeld. Hij was in shock. Toen Bascomb niets meer zei, keek Fisk op het display van zijn telefoon.

Verbinding verbroken. Geen bereik. Niet één streepje.

Omdat hij zich in het afgesloten gebied bevond. Geen mobiel telefoonverkeer.

Vóór hem kwamen de auto's tot stilstand. Muurvast, alsof hij op een parkeerterrein stond. Het feit dat niemand toeterde maakte de situatie nog onwerkelijker. Fisk staarde strak voor zich, met een vlammende pijn in zijn hart.

Hij zette de auto in z'n vrij, stapte uit met zijn telefoon in de hand en begon te lopen. De auto liet hij achter in de file.

De wanhoop maakte plaats voor woede, en hij begon te rennen. Ze was dood. Krina was dood. Ze was iets op het spoor gekomen. De moord had te maken met die islamitische kloteterroristen die hem het hele weekend om de tuin geleid hadden.

Het spoor was geëindigd bij De Zes. Magnus Jenssen. Een wandelende bom die bereid was zich op te blazen voor One World Trade Center.

Fisk kwam bij de rijen wachtenden voor de controleposten. Allemaal mensen die ondanks de hitte in de buurt van het nieuwe gebouw wilden zijn. Die deel wilden uitmaken van het helingsproces.

Hij moest erlangs zien te komen. Hij baande zich een weg naar voren.

'Sorry, sorry.' Hij zei het op de New Yorkse manier, zonder er iets van te menen, alleen om aan te geven dat hij een goede reden had om bot te doen.

Hij slaagde erin het begin van de rij te bereiken zonder al te veel commentaar, alleen wat gemopper. Tientallen politiecadetten die controleerden op wapens. Fisk zocht de jongste uit en liep naar hem toe met zijn pasje in de aanslag, op schouderhoogte, pal voor de ogen van de cadet.

'Het spijt me, rechercheur,' zei het joch. 'Ik mag geen enkel wapen doorlaten. Opdracht van de commissaris. Zelfs uw penning kan daar niets aan veranderen.'

'Ik moet je inspecteur spreken. Nu meteen.' Fisk ademde zwaar, niet van het rennen maar omdat hij was gaan hyperventileren door de emoties.

De mensen keerden zich nu tegen Fisk, die de hele rij ophield. 'Wat moet dit voorstellen?' 'Wie is die kerel?' 'Schiet eens op, man.'

Er kwam een inspecteur in het blauw aangelopen; het was duidelijk dat hij problemen verwachtte. Fisk zag in één oogopslag wat voor vlees hij in de kuip had. Van de oude stempel, niet al te snugger, goudeerlijk. Een echte politieman. Kwam elke dag op tijd, maakte geen ophef, legde keurig alle tests af en had het op die manier tot inspecteur geschopt. Hij keek naar Fisks penning en herhaalde wat de cadet had gezegd.

'Met een wapen komt er niemand binnen na zeven uur. Geen uitzonderingen.'

Fisk hoorde zijn eigen stem overslaan en hield zijn mond. Hij moest zich beheersen. Als hij van deze twee verlangde dat ze hem doorlieten met zijn wapen, moesten ze hun loopbaan in zijn handen leggen, en dat zouden ze nooit doen.

'Ik móét daarheen,' zei Fisk. Hij liet de inspecteur zijn geopende hand zien. 'Lou, kijk even. Ik ga nu mijn wapen pakken.'

De inspecteur keek wantrouwend. 'Oké. Rustig aan.'

Fisk stak zijn hand onder zijn jasje en haalde zijn Glock 19 tevoorschijn. Hij stak de kolf naar voren, liet het magazijn eruit glijden en gaf een duw tegen de patroonkamer. Dat alles overhandigde hij aan de inspecteur.

'Zo goed?'

De inspecteur was niet overtuigd. 'St. Clair,' zei hij. 'De detector.'

St. Clair fouilleerde Fisk met de metaaldetector. Niets.

'Oké?' vroeg Fisk.

De inspecteur nam de detector over van St. Clair en zei: 'Jij brengt rechercheur Fisk naar zijn bestemming. Zodra hij daar is aangekomen, meld je je bij mij. Begrepen?'

'Begrepen,' zei de jonge St. Clair.

'Verlies hem geen moment uit het oog. Begrepen?'

'Begrepen,' zei St. Clair nogmaals.

'Goed?' vroeg de inspecteur aan Fisk.

'Goed,' zei Fisk.

Nog voordat de inspecteur uitgeknikt was, was Fisk de controlepost al gepasseerd en liep hij op een drafje Greenwich Avenue af, waar hij probeerde te bepalen welke kant hij op moest.

St. Clair sprintte achter hem aan en haalde hem in bij Vesey Street, waar het terrein van Ground Zero begon.

Fisk hoorde flarden van de NYPD-drumband, die toonladders speelde om op te warmen. In de live-uitzending zouden ze een medley van patriottische nummers ten gehore brengen.

Dat hij de drumband hoorde, wilde zeggen dat hij er bijna was. En dat de ceremonie nog niet begonnen was.

Zelfs het opgewekte deuntje klonk als een treurzang. Fisk had altijd een hekel aan doedelzakken gehad. Voor hem stonden ze voor politie-uitvaarten.

Gersten was gek op doedelzakken. Die herinnering trof hem als een mokerslag. Ze kreeg er altijd tranen van in de ogen. Dat moesten haar politiegenen zijn.

Voorbij Vesey stonden de mensen schouder aan schouder en kon hij niet meer over de menigte heen kijken. De ingang aan de noordkant van het Ground Zero-gedenkteken lag zo'n honderd meter voor hem. Fisk wist dat hij De Zes bij de plechtigheid vandaan moest houden, want zodra iedereen zijn plaats had ingenomen, zou het gebied rondom het centrale podium hermetisch afgesloten worden – met Jenssen muurvast op zijn plaats, klaar om iedereen naar de andere wereld te helpen met zijn explosieven.

Meer dan honderd NYPD, FBI- en Secret Service-agenten in burger hadden zich onder de aanwezigen gemengd. Fisk schoot de menigte in en was al snel te vlug voor St. Clair, die hem nariep: 'Wacht, wacht!'

Fisk rende op het geluid van de doedelzakken af. De tranen brandden in zijn ogen. Links in de verte zag hij een blauwe tunnel, die begon bij een aantal trailers.

Hij hoorde geroep en zag dat enkele politiemensen zijn kant op wezen. Al lopende hield hij zijn penning hoog in de lucht, om niet neergeschoten te worden.

Kennelijk was zijn paniek voelbaar en trok hij daarmee zijn achtervolgers juist naar zich toe. Hij brulde: 'Fisk! Intelligence Division!' omdat niemand hem daar kende, en al hadden ze geweten wie hij was, ze konden zijn gezicht amper zien terwijl hij mensen ontweek in de menigte.

Toen hij dichterbij kwam, zag hij dat de tunnel niet meer was dan wat tentdoeken die waren bevestigd aan een buizenframe, wapperend in het briesje dat van de Hudson kwam. Fisk keek naar links en liep naar het podium.

'Hé, hé, hé,' riep een agent toen Fisk zonder te stoppen langs een barricade stoof. Hij nam niet langer de moeite om zijn penning te tonen. Nepblik kostte op internet maar een paar dollar.

Wat in Fisks voordeel werkte, was zijn jarenlange ervaring: hij zag eruit als een echte politieman. Dat werkte beter dan zijn penning om collega's ervan te weerhouden hem ter plekke neer te schieten. Hij holde langs een viertal mobiele toiletten en een ontvangsttent met bedienend personeel. Hij ontweek links en rechts burgers met een toegangspasje om de nek en keek verwilderd om zich heen tot hij een trailer zag waarvan de deur openstond.

Voor het raam van de trailer, tegen het omlaaggetrokken rolgordijn, stond een bordje met de opdruk DE ZES. Fisk rende naar de deur en vloog naar binnen.

Buffet, lege banken, een televisie.

Niemand.

Er kwam iemand naar de deur achter hem gerend. Fisk draaide zich met een ruk om.

Het was een agent, met getrokken wapen. Patton.

'Fisk?' zei hij.

'Waar zijn ze?' vroeg Fisk.

'Op weg... naar het podium.' Patton wees het aan. 'Waar is Gersten?'

'Obama? Bush?'

'Buiten het kerngebied. Ze gaan als laatsten naar binnen.'

Fisk pakte Patton beet, draaide hem om en duwde hem de trailer uit. 'Houd ze daar weg! Maakt niet uit hoe. We hebben een man met een bom!'

In iedere andere situatie zou een dergelijke bewering om uitleg gevraagd hebben, maar in dit kruitvat van antiterreurparanoia werd een waarschuwing als deze beschouwd als gegrond tot het tegendeel bewezen was.

Fisk sprong van de bovenste tree van de trailer en wuifde de toegesnelde agenten weg. De drumband was aan zijn medley begonnen, die nu door de speakers het terrein over schalde.

Hij keek naar de blauwe tunnel van tentdoek die voor hem lag. Toen de menigte even uiteenweek, kon hij net de oudere man zien die de drie meter brede tunnel in liep. Het was Aldrich, de voormalige handelaar in auto-onderdelen. Achter hem liep de journalist, Frank. Een voor een gingen ze naar binnen, als bruiloftsgasten. Op alfabetische volgorde. Dat wilde zeggen...

Fisk zag de volgende gast, lang en blond, in een lichtblauw pak. Een coördinator met een headset op knikte naar Magnus Jenssen.

De Zweedse terrorist liep met grote, vastberaden passen de tunnel in.

Fisk ving een glimp op van Jenssens linkerhand. Het gedeelte van het gips dat zichtbaar was onder de mouw van zijn pak was wit. Niet blauw.

Fisk begon te roepen, maar hij werd overstemd door de doedelzakmuziek. Jenssen was op weg naar het podium.

In Jenssens oren klonk het gejank van de doedelzakken als het woeste gegons van een omgekieperde bijenkorf. Het snerpte door zijn hoofd. Zijn linkerarm was nu nauwelijks meer dan een wapen dat aan zijn lichaam vastzat – en erdoor werd verstoten.

Hij was in de blauwe tunnel. Het tentdoek wapperde terwijl iedere moeizame stap hem dichter bij zijn gloriedaad bracht. Tien passen voor hem haalde journalist Frank een hand door zijn haar om zich dadelijk netjes te kunnen presenteren bij het podium.

Jenssen strompelde van de misselijkmakende pijn. Hij werd nu gedreven door de wil van God en de gulle geest van Osama, die in de gedaante van Jenssen terugkeerde naar het altaar van de overwinning, als een plunderende soldaat van Allah, op het terrein waar hij zijn grootste overwinning had behaald.

... om te herrijzen en als martelaar te sterven...

Voor hem lag het daglicht.

Voor hem lag de hemelse glorie.

De vage geluiden van commotie achter hem drongen maar amper door tot de commotie in zijn eigen hoofd. Ging dat over hem? In dat geval waren ze te laat.

Hij was in het hart van het monster. In de zachte, sentimentele kern.

Met zijn goede hand haalde hij de afstandsbediening uit zijn zak en hij wreef hem met zijn duim op als een amulet, een heilig voorwerp.

Fisk brulde Jenssens naam toen de sterke arm der wet hem tegenhield, vlak voor de ingang van de tunnel.

Verder kon hij niet komen. Niemand betrad het blauwe gedeelte zonder uitdrukkelijke toestemming om het podium op te gaan. Hij zou hen uiteindelijk wel overtuigd hebben, maar daar was geen tijd voor. Fisk deinsde terug voor de handen die hem wilden tegenhouden. 'Daar loopt hij!' brulde Fisk, nu helemaal buiten zinnen.

Alain Nouvian, de cellist, was als volgende aan de beurt. Geschrokken draaide hij zich om, en hij zag Fisk. Tegen de dichtstbijzijnde medewerkster zei hij: 'Dat is een van de rechercheurs die bij ons horen.'

De coördinator ging helemaal op in haar koptelefoon: haar leven draaide op dat moment om de choreografie van deze ceremonie. 'Lopen,' zei ze. 'Nu!'

Nouvian deed aarzelend wat hem werd opgedragen en liep langzaam de tent in, met een blik over zijn schouder.

Joanne Sparks en Maggie Sullivan stortten zich in het strijdgewoel rond Fisk en herhaalden Nouvians woorden. 'Wat is er aan de hand?' vroeg Maggie. 'Waar is rechercheur Gersten?'

Het horen van haar naam gaf Fisk plotseling nieuwe kracht. Hij maakte zich los van het groepje agenten en rende naar de twee heldinnen, die hij min of meer gebruikte als wig, waardoor Fisk vrij baan kreeg en hij kon omlopen naar de zijkant van de tunnel.

Terwijl hij langs de tunnel rende, probeerde hij Jenssens positie daarbinnen in te schatten. Hij schermde met een arm zijn hoofd af en dook zijwaarts tegen de tunnel, waarbij hij zich schrap zette voor het onzichtbare metalen geraamte.

Hij raakte een dwarsbuis, op een paar centimeter van een verticaal verbindingsstuk. Door de dreun van zijn lijf werd het blauwe doek losgetrokken van de buis, waardoor de hele tunnel kronkelde als een gigantische blauwe worm.

De pijp hield stand, maar bracht een zwakke plek in het verbindingsstuk erboven aan het licht, waardoor het frame losschoot.

Fisk viel languit de tunnel in en smakte op het grindpad. Hij keek snel op en zag een gedaante opzij wankelen. De losgeschoten buis had Jenssen in zijn rechterzij geraakt en hem bijna tegen de grond gesmeten.

Fisk kwam omhoog. Jenssen niet. Verwilderd keek hij op, met zijn in het gips gestoken hand ver van zich af, zijn rechterhand geopend en leeg.

Hij tastte verwoed om zich heen op het grindpad.

Fisk betrad het grind en liep op de grotere man af.

Vijf passen achter Jenssen bleef Nouvian geschokt staan, stokstijf. Hij keek naar iets wat aan zijn voeten lag.

In het grind lag een wit apparaatje. Hij wilde het oprapen.

Het was de afstandsbediening.

Fisk brulde tegen hem: 'Niet aankomen!'

Maar Nouvian had het ding al in zijn hand. Hij kwam overeind en bekeek het eigenaardige apparaat – en zag toen Jenssen op zich af komen rennen.

De Zweed stootte een kreet uit en stormde als een dolle stier op de cellist af.

Nouvians ogen registreerden Fisk achter Jenssen; hij wees en riep: 'Nee!' Toen ging zijn blik terug naar Jenssen die op hem af kwam.

Alle verwarring verdween van het gezicht van de cellist. Op het moment dat Jenssen bij hem was, wierp Nouvian de raketontbrander naar Fisk toe.

Jenssen stortte zich op Nouvian en smakte hem tegen de grond.

Fisk ving de afstandsbediening met twee handen, voorzichtig alsof het een versgelegd ei was. Jenssen, die nu boven op Nouvian zat, draaide zich om en zag dat Fisk de ontbrander nu in handen had.

Hij kwam overeind en smakte meteen opzij; met zijn ene hand hield hij het gips vast terwijl hij verder wankelde.

Fisk zag dat de Zweed bijna hallucineerde van de pijn en uit paniek.

Jenssen deed een vertwijfelde poging om zich op Fisk te storten, maar na een paar onzekere, wankele pasjes bleef hij staan.

Er galmden stemmen door de wapperende tunnel. De politie kwam vanaf het podium aangesneld. Achter het tentdoek rukte de mensenmassa op.

Hij werd ingesloten. Jenssens missie dreigde te mislukken.

Hij stak zijn gebroken pols uit en keek naar het explosieve gips. Fisk zag dat er bloed van de vingertoppen van de Zweed op de grond druppelde.

Er klonken schoten. De patronen sloegen in op de grond aan hun voeten, door het tentdoek heen.

Iemand had de scherpschutters opdracht gegeven blind op de tunnel te schieten, in een poging de dreiging een halt toe te roepen.

Fisk herinnerde zich dat TATP op drie manieren tot ontploffing gebracht kon worden: via een stroomstoot, met een vonk of door een harde klap.

Jenssen wist dat hij niet op tijd bij de afstandsbediening zou kunnen komen die Fisk in zijn hand had. Hij draaide zich om, op zoek naar de bron van de kogels. Hij was uit op zelfmoord-door-de-politie, zoals zijn kameraad Bin-Hezam.

Alleen wilde Jenssen een kogel in zijn arm. Hij wilde de boel laten knallen.

Fisk zag een wilde gedachte opdoemen in de blauwe ogen van de terrorist. De Zweed, de man die Gersten had vermoord, liep naar de zijkant van de tunnel. Daar hief hij zijn arm tot boven zijn hoofd.

Fisk rende op hem af, maar kon het gat niet op tijd dichten.

Jenssen sloeg met volle kracht het gips tegen een van de metalen steunbuizen.

Een oorverdovende *krak* – maar geen lichtflits. Geen explosie.

De pijn die deze wanhoopsdaad veroorzaakte schakelde Jenssen tijdelijk uit. Hij viel op zijn knieën alsof hij was neergeslagen, met zijn gipsen pols voor zich uit gestoken alsof die zijn arm aanvrat.

Even was hij zich niet langer bewust van Fisks aanwezigheid.

Fisk liet zijn schouder zakken en stortte zich op Jenssen. Hij raakte hem laag in de ribben, waardoor hij nu helemaal tegen de vlakte ging. De terrorist staarde naar het dak van de tunnel, dat wapperde in de wind. Hij probeerde zijn gipsen arm omhoog te tillen. Hij was nog altijd van plan het explosief tot ontploffing te brengen.

Fisk greep Jenssen bij de elleboog en duwde het gips tegen de keel van de terrorist. Hij had de blauwe plekken in Gerstens hals gezien; nu wurgde hij de dader met zijn eigen massavernietigingswapen.

De ogen van de terrorist puilden uit en zijn lippen werden blauw. Hij lag daar met open mond, buiten adem.

Fisk tastte met zijn vrije hand in zijn zak. Niet naar de afstandsbediening. Toen hij de telefoon te pakken had, hield hij die voor de ogen van de stervende terrorist.

Hij moest het zien. De foto van Gersten. Krina's levenloze lichaam.

Fisk wilde dat dit het laatste was wat Jenssen ooit zou aanschouwen.

Krina Gersten werd postuum gepromoveerd tot rechercheur eerste rang. Zes dagen later werd ze begraven op Staten Island, op een heuvel die uitkeek over de Verrazano Narrows. De politiemensen kwamen van heinde en verre om de dienst op zaterdagochtend bij te wonen; meer dan duizend mannen en vrouwen in groot tenue.

De drumband van de NYPD speelde 'Amazing Grace'. Fisk vond de doedelzakken niet storend. Ze speelden prachtig. Hun klaaglijke gejammer was ook zijn gejammer.

De lange blauwe rouwstoet trok langs het open graf en langs Gerstens innig bedroefde moeder. De Zes – nu nog met z'n vijven – waren ook aanwezig, al probeerde Fisk ieder oogcontact met hen te mijden.

Ze waren zichtbaar aangedaan, zowel door de dood van iemand die ze vrij goed hadden leren kennen als door het verraad van degene die ze als een van hen hadden beschouwd.

Vooral stewardess Maggie Sullivan was van streek. Net als de cellist, Alain Nouvian. Hij was de enige die Fisk bewust opzocht; misschien had hij een vermoeden van zijn relatie met Gersten. Nouvians arm rustte in een mitella, dankzij zijn schermutseling met Jenssen. Hij had zijn hand gebroken, en zijn toekomst bij het New York Philharmonic stond op losse schroeven.

Dat gold niet voor zijn status als tweevoudig Amerikaanse held.

Later had Fisk een moment alleen met Gerstens moeder, na afloop van de lange en emotioneel uitputtende eredienst. Hij zou zich later geen woord herinneren van wat een van hen had gezegd. Zoals Jenssen zich had gevoeld toen de pijn in zijn verkeerd gezette arm de zenuwen in zijn hele lijf in beslag nam, zo voelde Fisk zich nu. Hij zou ook willen dat hij zichzelf kon opblazen.

Na de dienst ging hij op zoek naar Dubin, die bij de commissaris bleek te staan. Fisk had de hele week thuis gezeten.

'Ik weet niet of ik wel kan terugkomen,' zei hij tegen zijn baas.

Dubin legde zijn in een witte handschoen gestoken hand op Fisks geüniformeerde schouder. 'Neem de tijd. Je moet terugkomen, we kunnen je niet missen.'

Fisk gaf geen antwoord. Hij had in de ijsblauwe ogen van een fanaticus gekeken. Had zijn luchtpijp vermorzeld. Maar daar was niets mee geëindigd. Het verlangen om te doden was slechts overgegaan op een nieuwe drager, als een virus. De ondergang van één jihadstrijder zou leiden tot de opkomst van tien anderen.

Waar Fisk het meest spijt van had, was dat hij Jenssen niet had gedood. Het had niet veel gescheeld. Hij zou het gedaan hebben, waren het niet dat de twee toegesnelde agenten hem van Jenssens bewusteloze gestalte af hadden gesleurd. Ze hadden zijn leven gered, maar niet zijn arm. Jenssen zat nu in een militaire cel. Zijn arm was geamputeerd. Schijnbaar had hij zijn verhoorders al informatie gegeven over de terreurcel in Scandinavië: jihadisten met een Scandinavisch voorkomen die niet binnen de bekende profielschetsen vielen. De toekomst van het antiterrorisme onderging een verschuiving: van etnische en religieuze machtsstrijd naar een puur ideologisch conflict.

Het kon Fisk niet schelen. Het grote geheel interesseerde hem niet meer. Dit was een oorlog die werd gevoerd door beschadigde individuen, die onschuldigen tot slachtoffer maakten. Te proberen de vanger in het graan te zijn, zoals Fisk had gedaan, was waanzin.

Maar aan de andere kant: al had het iets van sisyfusarbeid, iemand moest het toch doen. Of het in ieder geval proberen.

Een paar dagen later stond Fisk tot zijn eigen verbazing in het Metropolitan Museum of Art naar de zonnebloemen van Monet te staren. Hij dacht terug aan hoe het allemaal was begonnen, in die hangar op de basis in Ramstein: de digitale plaatjes waarin berichten van en voor Bin Laden verstopt waren.

Fisk was niet bepaald een museumtype, maar het was best een goede plek om je leven te overdenken. Dat van Gersten was voorgoed voorbij, en het voelde niet goed als hij niet uit de sleur zou stappen, als hij niet een nieuwe, onbekende toekomst tegemoet zou gaan. Dat schoot hem te binnen toen hij dacht aan de digitale weergave van de manier waarop deze kunstenaar een voorwerp in de natuur had gezien.

Niemand wist het van hem en Gersten. Dat was gunstig. Het stelde hem in staat om in zijn eentje om haar te rouwen, in zijn eigen tempo. Maar het had ook een nadeel. Iedereen begreep dat hij verdriet had om het verlies van een collega, maar ze wisten niet dat hij ook rouwde om het verlies van zijn grote liefde.

Wanneer hij niet langer de doedelzakmuziek in zijn hoofd had, zou hij weten dat het tijd was om de draad van zijn leven weer op te pakken, om verder te gaan. Dan zou hij weten wat de volgende stap moest zijn.